Apartament

DANIELLE STEEL

Apartament

Przekład
BARBARA KWIATKOWSKA

AMBER

Redakcja stylistyczna
Anna Tłuchowska

Korekta
Kamila Skotnicka

Zdjęcia na okładce
© Adam C Bartlett/Image Source/Getty Images
© mimagephotography/Shutterstock
© Michele Piacquadio/Thinkstock

Tytuł oryginału
The Apartment

Druk
Drukarnia ReadMe

ISBN 978-83-241-5902-4

Warszawa 2016. Wydanie I (dodruk)

Wydawnictwo AMBER Sp. z o.o.
02-954 Warszawa, ul. Królowej Marysieńki 58

www.wydawnictwoamber.pl

Moim ukochanym dzieciom:
Beatrix, Trevorowi, Toddowi, Nickowi,
Sam, Victorii, Vanessie,
Maxxowi i Zarze.
Modlę się o to, aby każde z was
wylądowało szczęśliwie u boku
właściwego partnera czy partnerki
i miało wokół siebie właściwych ludzi.
Oby wam się dobrze układało,
a życie było dla was łaskawe.
Z całego serca życzę wam
pogody, szczęścia i miłości.
Kocham was
mama D.S.

1

CLAIRE KELLY, Z DWIEMA TORBAMI ZAKUPÓW, pędziła po schodach na czwarte piętro do loftu w Hell's Kitchen w Nowym Jorku, gdzie mieszkała od dziewięciu lat. Miała na sobie krótką czarną bawełnianą sukienkę i seksowne sandałki na wysokich obcasach, z rzemykami oplatającymi łydkę aż do kolana. Rok temu kupiła je na wyprzedaży na targach we Włoszech. Był upalny wrześniowy dzień, wtorek po Święcie Pracy, i dziś to ona robiła zakupy dla siebie i trzech innych dziewczyn, z którymi dzieliła mieszkanie. Droga na czwarte piętro była jak górska wspinaczka, bez względu na pogodę. Claire zamieszkała tu, kiedy miała dziewiętnaście lat i studiowała na drugim roku Szkoły Sztuk Pięknych Parsonsa.

Była projektantką butów w firmie Arthur Adams. Firma wypuszczała na rynek ultrakonserwatywne, klasyczne damskie pantofle. Doskonałej jakości, ale nudne i do bólu przewidywalne, gasiły wszelki zapał twórczy. Walter Adams, syn założyciela firmy, był przekonany, że modne buty to trend przejściowy i odrzucał każdy jej choćby trochę nowatorski projekt. W rezultacie praca stała się dla Claire źródłem nieustającej frustracji. Firma istniała, ale się nie rozwijała, a ona czuła, że mogłaby wiele zrobić, gdyby tylko Walter jej

pozwolił. Ale Walter sprzeciwiał się każdemu odstęp-
stwu, a Claire była przekonana, że gdyby jej posłuchał,
zyski firmy znacznie by wzrosły. Cóż – Walter miał
siedemdziesiąt dwa lata i wierzył w to, co robi, a nie
w stylowe, fantazyjne buty, choćby nie wiem jak go
błagała.

Nie miała wyjścia – jeśli chciała zachować posadę,
musiała robić to, czego sobie życzył. Marzyła o projektowaniu butów modnych i seksownych, takich, jakie
sama chciałaby nosić, ale w Arthur Adams, Inc. nie
miała na to szans. Walter nie cierpiał zmian i Claire
wiedziała, że jeśli tu zostanie, zawsze już będzie projektowała spokojne, nudne pantofle. Nawet balerinki
i mokasyny Adamsa były jak dla niej zbyt klasyczne…
Tylko czasem Walter pozwalał jej na odrobinę fanta-
zji w projektach letnich sandałków dla klientek, które wyjeżdżały do Hamptons, Newport, Rhode Island
albo Palm Beach. Powtarzał ciągle, że ich klienci to
ludzie bogaci, konserwatywni i starsi, i wiedzą, czego
się spodziewać po ich marce. Żadne argumenty Claire
nie były w stanie zmienić jego zdania. Nie miał ochoty
szukać młodszych klientek, wolał polegać na dotychczasowych. W tej sprawie nie było z nim dyskusji. I tak
rok po roku kolekcje, jakie przedstawiał na rynku, nie
były dla nikogo niespodzianką. Claire czuła się zawie-
dziona, ale przynajmniej miała pracę, od czterech lat
tę samą. Wcześniej pracowała dla pewnej niedrogiej
marki, gdzie produkowano buty fantazyjne, ale wyko-
nane byle jak. Zresztą po dwóch latach zwinęli interes.
Walter Adams stawiał na jakość i tradycyjne wzornic-
two. Dopóki respektowała jego oczekiwania, marka i jej
posada były pewne.

Dwudziestoośmioletnia Claire z chęcią dorzuciłaby do ich linii choć kilka ekscytujących modeli, spróbowała czegoś nowego. Walter nie chciał o tym słyszeć i sztorcował ją, ilekroć próbowała naciskać. Mimo to nie rezygnowała z usiłowań, by wprowadzić odrobinę nowoczesności do tego, co robi. Walter zatrudnił ją, bo była solidna, wykwalifikowana i wiedziała, jak zaprojektować but zarazem wygodny i łatwy do wykonania. Produkowali je we Włoszech, w tej samej fabryce, z której korzystał ojciec Waltera, w Parabiago, miasteczku pod Mediolanem. Claire jeździła tam trzy, cztery razy w roku, by omówić sprawy związane z produkcją. Była to jedna z najsolidniejszych, cieszących się najlepszą opinią fabryk we Włoszech, i produkowali także bardziej fantazyjne kolekcje. Claire patrzyła na nie z tęsknotą. Czy będzie mogła kiedykolwiek projektować buty, które by się jej naprawdę podobały? Nigdy nie wyzbyła się tego marzenia.

Zanim na swoich wysokich obcasach dotarła na czwarte piętro, długie, jasne włosy lepiły jej się do karku. Po dziewięciu latach przywykła do tej wspinaczki i twierdziła, że dzięki temu wciąż ma zgrabne nogi. Znalazła to mieszkanie przypadkiem, kręcąc się po okolicy. Mieszkała wówczas w akademiku na Jedenastej ulicy i bywało, że wędrowała stamtąd do Chelsea i dalej na północ, w okolice, które kiedyś były najgorszymi dzielnicami Nowego Jorku, ale powoli zmieniały się na lepsze. Reputacja Hell's Kitchen jako dzielnicy slumsów, czynszówek, morderstw i walk gangów irlandzkich, włoskich, a potem portorykańskich, nieustannie się zwalczających, sięgała dziewiętnastego wieku. Gdy Claire przyjechała tu na studia z San Francisco, wszystko tu się już dawno zmieniło. Jej matka też studiowała kiedyś architekturę wnętrz w szkole Parsonsa, a marzeniem Claire zawsze było projektowanie mody. Mimo skromnych środków matka oszczędzała każdy grosz i dzięki temu Claire mogła zapisać się na studia i przemieszkać pierwszy rok w akademiku.

W drugim semestrze zaczęła szukać mieszkania do wynajęcia. Słyszała o Hell's Kitchen, ale nigdy nie odważyła się tam pójść – aż do pewnego wiosennego sobotniego popołudnia. Dzielnica, rozciągająca się pomiędzy górnymi Trzydziestkami a Pięćdziesiątkami, od Ósmej Alei do rzeki Hudson, stała się mekką aktorów, dramaturgów i tancerzy, ze względu na bliskie sąsiedztwo z dzielnicą teatrów, ze słynnym Actor's Studio, z Centrum Sztuki Barysznikowa i Amerykańskim Teatrem Tańca Alvina Aileya. Stare budynki, nierzadko dawne składy czy fabryki, przerobiono na lofty. Mimo to okolica zachowała swój pierwotny wygląd, a wiele domów wciąż było zaniedbanych.

W jednym z okien dostrzegła małą ulotkę, że jest tu mieszkanie do wynajęcia, i wieczorem zadzwoniła pod ten numer. Właścicielka powiedziała, że ma do wynajęcia loft na czwartym piętrze. Budynek był dawną fabryką, przerobioną piętnaście lat temu na przestrzeń mieszkalną. Czynsz był kontrolowany, co dla Claire brzmiało obiecująco. Kiedy nazajutrz poszła obejrzeć mieszkanie, zaskoczyło ją, że jest tak wielkie. Rozległy salon ze ścianami z cegły i betonową, pomalowaną na piaskowy odcień podłogą, cztery spore pomieszczenia magazynowe, które mogły służyć za sypialnie, dwie czyściutkie, nowoczesne łazienki i kuchnia z podstawowym wyposażeniem z IKEI. Apartament był o wiele większy, niż potrzebowała Claire, ale jasny, słoneczny, i w niezłym stanie, bo budynek został pobieżnie odnowiony. Czynsz wynosił dwa razy więcej, niż było ją stać, od razu więc było jasne, że nie może mieszkać sama. Wprawdzie korytarze były ciemnawe, okolica nadal niezbyt wytworna, mieszkanie znajdowało się przy Trzydziestej Dziewiątej, pomiędzy Dziewiątą a Dziesiątą Aleją, a właścicielka poinformowała ją z dumą, że czterdzieści lat temu była to jedna z najgorszych ulic w Hell's Kitchen – ale teraz nie było tego widać. Ulica wyglądała po prostu na zaniedbaną i zachowała industrialny klimat, ale sam loft był dla Claire idealny. Musiała tylko znaleźć współlokatorkę, która by z nią zamieszkała i płaciła połowę czynszu. Matce na razie o niczym nie mówiła, nie chciała jej przerazić wydatkami. Oceniała, że jeśli znajdzie kogoś, żeby dzielić się czynszem, może to wypaść taniej niż akademik.

Tydzień później poznała na jakiejś imprezie dziewczynę, która studiowała pisarstwo na Uniwersytecie Nowojorskim. Abby Williams, o rok starsza od Claire, miała dwadzieścia lat i pochodziła z Los Angeles. Z wyglądu były zupełnie różne: Abby niska, Claire wysoka, Abby – kędzierzawa brunetka o niemal czarnych oczach, Claire – błękitnooka blondynka o długich, prostych włosach. Abby wydawała się miła i bardzo przejmowała się swoją twórczością. Powiedziała, że pisze opowiadania, a jak skończy studia, napisze powieść; wspomniała też, że jej rodzice pracują w telewizji. Później Claire dowiedziała się, że ojciec Abby to znany szef wielkiej stacji telewizyjnej, a matka jest autorką i producentką popularnych programów. Obie, i Claire, i Abby, były jedynaczkami, obie bardzo poważnie traktowały

11

swoje studia i były zdecydowane nie zawieść nadziei, jakie pokładali w nich rodzice. Poszły razem obejrzeć mieszkanie i Abby też się w nim zakochała. Nie miały pojęcia, jak je umeblują – chyba na wyprzedażach garażowych – ale uznały, że je na nie stać. I dwa miesiące później, z ostrożnym błogosławieństwem rodziców i po złożeniu podpisu na umowie najmu, wprowadziły się i mieszkały tu do dziś.

Mieszkały we dwie przez cztery lata, a kiedy skończyły studia, aby odciążyć rodziców i uniezależnić się od nich, postanowiły przyjąć jeszcze dwie współlokatorki i jeszcze bardziej zmniejszyć koszty.

Morgan Shelby Claire spotkała na Upper West Side na przyjęciu zorganizowanym przez młodych maklerów giełdowych, których jej kiedyś przedstawiono. Impreza była nudna, faceci zadufani w sobie, w rezultacie zaczęła rozmawiać z Morgan. Morgan pracowała na Wall Street i mieszkała z dziewczyną, której nie znosiła, ale nie mogła sobie pozwolić na samodzielne lokum. Powiedziała, że rozgląda się za czymś bliżej centrum, żeby mieć bliżej do pracy. Wymieniły się telefonami i dwa dni później, po rozmowie z Abby, Claire zadzwoniła do Morgan i zaprosiła ją, żeby obejrzała loft w Hell's Kitchen.

Jedyną wątpliwością Claire było, czy Morgan nie jest dla nich za stara. Miała dwadzieścia osiem lat, o pięć więcej niż Claire, i poważną pracę w finansach. Ładna, długonoga, ciemnowłosa, z modną fryzurą. Claire pracowała wówczas w firmie, która się potem zwinęła, i nie zarabiała dużo, a Abby usiłowała pisać powieść i pracowała jako kelnerka. Obie zastanawiały się, czy Morgan nie jest dla nich „za dorosła", ona jednak na widok mieszkania wpadła w taki zachwyt, że wręcz błagała, by ją przyjęły. Tym bardziej że lokalizacja, ze względu na pracę na Wall Street, była dla niej o wiele lepsza. Dwa razy spotkały się na kolacji i polubiły się. Morgan była inteligentna, miała poczucie humoru, dobrą, pewną posadę i solidną zdolność kredytową. Półtora miesiąca później się wprowadziła. Mieszkała z nimi od pięciu lat i były teraz najlepszymi przyjaciółkami.

Sashę Hartman poznała Abby przez koleżankę koleżanki z uniwersytetu. Morgan mieszkała z nimi od dwóch miesięcy i nadal rozglądały się za czwartą współlokatorką. Sasha studiowała medycynę na Uniwersytecie Nowojorskim i zamierzała specjalizować się w ginekologii i położnictwie. Jej także odpowiadała lokalizacja. Spodobały jej się trzy mieszkanki loftu. Zapewniła je, że rzadko bywa w domu: albo ma zajęcia na uczelni, albo praktykę w szpitalu, albo siedzi w bibliotece i uczy się do egzaminów. Cicha, małomówna, pochodziła z Atlanty. Wspomniała, że ma w Nowym Jorku siostrę, mieszka w Tribeca, pominęła jednak ten szczegół, że są identycznymi bliźniaczkami. Wywołało to niemałą konsternację w dniu, gdy się wprowadzała: na widok sobowtóra nowej koleżanki, z identyczną bujną blond szopą kędziorów, w takim samym podkoszulku i dżinsach, trzy dziewczyny uznały, że widzą podwójnie. Valentina, bliźniaczka Sashy, uwielbiała je tak nabierać i w ciągu pięciu ostatnich lat robiła to na okrągło. Siostry były sobie bardzo bliskie, Valentina miała nawet klucz do mieszkania, ale ich charaktery różniły się jak noc i dzień. Valentina odnosiła sukcesy jako modelka i obracała się w wielkim świecie, Sasha była skromną, oddaną pracy lekarką, a jej ubrania, głównie fartuch

13

lekarski i chodaki, po pięciu latach od wprowadzenia się do loftu wciąż znajdowały się w uniwersyteckim centrum medycznym, gdzie odbywała staż.

Wszystkie cztery były jak niezwykłe i nieoczekiwane składniki smakowitego dania. Od pięciu lat mieszkały razem, pomagały sobie nawzajem, przepadały za sobą i stały się nierozłącznymi przyjaciółkami. Pomimo różnic i stylu życia – ten przepis się sprawdził. Stworzyły rodzinę z wyboru, a loft w Hell's Kitchen stał się ich domem. Wszystkie były bardzo zajęte, miały absorbującą pracę, ale wolny czas lubiły spędzać wspólnie. I wszystkie cztery były przekonane, że mieszkanie, które znalazła Claire dziewięć lat temu, to po prostu skarb. Uwielbiały Hell's Kitchen ze względu na historię tego miejsca i atmosferę lekkiego zaniedbania, choć zarazem było tu bezpiecznie. Mówiono, że przypomina Greenwich Village sprzed pięćdziesięciu lat, no i nigdzie indziej nie znalazłyby za tę cenę prawie trzystumetrowego mieszkania! Ta dzielnica nie udawała, że jest czymś lepszym, niż jest, nie aspirowała ani do poloru, ani do astronomicznych czynszów SoHo, Meatpacking District, West Willage, Tribeca czy nawet Chelsea. Hell's Kitchen zachowała klimat zwyczajności, który w innych miejscach uleciał, a przynajmniej zbladł. Wszystkie cztery uwielbiały swój dom i nie chciałyby mieszkać nigdzie indziej.

Miał swoje niedogodności – jak konieczność wspinania się po schodach – ale tym się nie przejmowały. Przecznicę dalej znajdowała się remiza jednej z najbardziej znanych straży pożarnych w mieście, Engine 34/Ladder 21, i zdarzało się, że nocą budziło je wycie wozów strażackich, ale i do tego się już przyzwyczaiły.

Zrzuciły się na klimatyzację, i choć w rozległym wnętrzu trzeba było poczekać, by odczuć jej efekty, w końcu jednak mieszkanie się wychładzało. Zimą ogrzewanie działało sprawnie, sypialnie były przytulne i ciepłe. Miały wszelkie wygody, jakich potrzebowały.

Wprowadzając się tutaj, każda wniosła ze sobą swoją historię, marzenia, nadzieje. Stopniowo też ujawniły przed sobą swoje tajemnice i lęki.

Ścieżka kariery zawodowej Claire była jasna: chciała projektować buty i zyskać sławę w świecie mody. Wiedziała, że u Arthura Adamsa to niemożliwe, na razie jednak nie mogła się stamtąd zwolnić. Praca była dla niej święta. Wiele nauczyła ją historia matki, która po ślubie porzuciła obiecującą posadę w nowojorskiej firmie zajmującej się projektowaniem wnętrz, by pojechać za mężem do San Francisco. Ojciec Claire założył tam własną firmę, która kulejąc egzystowała przez pięć lat, po czym zwinął interes. Nie chciał jednak, by matka wróciła do pracy. Latami w tajemnicy, żeby nie urazić ambicji męża, podejmowała drobne zlecenia wnętrzarskie. Potrzebowali przecież pieniędzy. To jej starannie ukrywane oszczędności umożliwiły posłanie Claire do prywatnej szkoły, a potem do Parsonsa.

Drugą firmę ojca spotkał ten sam los, co pierwszą. Claire z przygnębieniem słuchała, jak matka zachęca go, by spróbował po raz trzeci. W końcu został agentem nieruchomości, czego nie cierpiał i w rezultacie stał się ponurym, zgorzkniałym człowiekiem. Claire przez lata była świadkiem, jak matka rezygnuje dla niego ze swoich marzeń, odkłada na półkę zawodowe ambicje, przepuszcza lepsze okazje i ukrywa swój talent, aby go wspierać i ochraniać.

W ten sposób zrodziła się w niej absolutna pewność, że nigdy nie poświęci pracy zawodowej dla mężczyzny, i od lat powtarzała, że nie wyjdzie za mąż. Kiedyś spytała matkę, czy żałuje, że porzuciła szansę kariery, jaką mogła zrobić w Nowym Jorku, ale Sarah Kelly odparła, że nie. Kochała męża i starała się możliwie najlepiej rozegrać partię, jaką rozdał jej los, co wydało się Claire szczególnie smutne. Całe ich życie polegało na usiłowaniu, żeby sobie poradzić, odmawianiu sobie wszelkiego zbytku, czasami nawet wakacji, a wszystko po to, żeby Claire mogła pójść do dobrej szkoły. Dla Claire małżeństwo oznaczało życie pełne poświęceń, niedostatku i wyrzeczenia się siebie. Poprzysięgła sobie, że jej się to nie przydarzy. Żaden facet nie przeszkodzi jej w karierze zawodowej i nie zniszczy jej marzeń.

Tak samo myślała Morgan. Ona także widziała, jak jej matka rezygnuje z siebie dla mężczyzny, za którego wyszła, tyle że w jej wypadku było to znacznie bardziej dramatyczne. Małżeństwo rodziców Morgan okazało się katastrofą. Matka tańczyła w balecie bostońskim i miała tam obiecujące widoki na przyszłość. Odeszła jednak, kiedy zaszła w ciążę i urodziła starszego brata Morgan, Olivera, a wkrótce potem ją. Przez całe życie żałowała, że zrezygnowała z tańca, z czasem zaczęła coraz więcej pić i właściwie zapiła się na śmierć, kiedy Morgan i jej brat byli na studiach. Wkrótce potem ich ojciec zginął w wypadku.

Morgan zdołała jakoś przebrnąć przez college i szkołę biznesu i dopiero niedawno przestała spłacać studencki kredyt. Była przekonana, że rezygnacja z tańca, małżeństwo i dzieci zrujnowały matce życie, i nie zamierzała powtarzać jej błędów. Ciągłe kłótnie rodziców i pijana matka, kiedy wracali z bratem ze szkoły, to jedyne, co zapamiętała z dzieciństwa.

Brat Morgan, Oliver, dwa lata od niej starszy, po skończeniu college'u przeprowadził się z Bostonu do Nowego Jorku i pracował w PR. Jego firma specjalizowała się w drużynach sportowych, a jego partnerem był Greg Trudeau, słynny hokejowy bramkarz z Montrealu, który stał się gwiazdą nowojorskich Rangersów. Morgan uwielbiała chodzić z Oliverem na mecze i dopingować Grega. Parę razy zabrała też koleżanki, którym bardzo się to spodobało. Obaj mężczyźni często je odwiedzali i dziewczyny ich lubiły.

Sytuacja rodzinna Sashy była bardziej skomplikowana. Jej rodzice mieli za sobą trudny rozwód, z którym matka nigdy się nie pogodziła. Sasha kończyła wtedy studia, a Valentina pracowała już w Nowym Jorku jako modelka. Ich ojciec zakochał się w młodej modelce, pracującej w jednym z domów towarowych, których był właścicielem – rok później ożenił się z nią i miał z nią dwie córeczki, co tym bardziej rozwścieczyło byłą żonę. Nie ma większej furii niż furia wzgardzonej kobiety, mówi porzekadło, i matka bliźniaczek była na to żywym dowodem, zwłaszcza że została porzucona dla dwudziestotrzyletniej dziewczyny. Ojciec wydawał się jednak szczęśliwy i najwyraźniej kochał swoje małe córeczki. Valentina nie interesowała się nimi i uważała, że ojciec jest śmieszny, ale zdaniem Sashy przyrodnie siostrzyczki były słodkie i utrzymywała kontakt z ojcem również po rozwodzie.

Matka Sashy i Valentiny była prawniczką specjalizującą się w rozwodach i słynęła z tego, że na sali sądowej jest ostra i bezwzględna, zwłaszcza po własnym rozwodzie. Sasha jeździła do Atlanty najrzadziej jak się dało, bała się też rozmów telefonicznych z matką, która nawet teraz, w wiele lat po ponownym małżeństwie ojca, potrafiła robić na jego temat zjadliwe uwagi. Rozmowa z nią była bardzo męcząca.

Rodzice Abby wciąż byli małżeństwem, a ich absorbująca praca w telewizji sprawiała, że nie poświęcali córce zbyt wiele uwagi, zawsze jednak wspierali ją w jej pisarskich planach.

W ciągu pięciu lat wspólnego mieszkania ścieżki zawodowe czterech kobiet powoli się rozwijały. Claire marzyła o pracy w jakiejś ekskluzywnej firmie jak Jimmy Choo czy Manolo Blahnik, ale i u Abramsa zarabiała przyzwoicie, nawet jeśli nie była dumna z tego, co projektuje.

Morgan pracowała dla George'a Lewisa, jednego z rekinów Wall Street. W wieku trzydziestu dziewięciu lat George zdążył już zbudować własne imperium zarządzania inwestycjami prywatnymi. Morgan uwielbiała pracę, lubiła doradzać klientom i latać samolotem George'a na spotkania w innych miastach. Podziwiała swojego szefa i w wieku trzydziestu trzech lat była bliska osiągnięcia swoich celów.

Sasha odbywała staż na położnictwie i zamierzała zrobić podwójną specjalizację, z ciąż wysokiego ryzyka i niepłodności, miała więc przed sobą lata ciężkiej i gorączkowej pracy. Ceniła sobie to, że gdy wreszcie kończyły się jej obowiązki, po powrocie do domu mogła pogadać z koleżankami i w ten sposób odprężyć się, zanim padła do łóżka i odpłynęła w sen.

Tylko droga zawodowa Abby nie ruszyła z miejsca. Trzy lata temu przerwała w połowie pisanie powieści,

bo zakochała się w Ivanie Jonesie, producencie na Off-
-Off-Broadwayu, który namówił ją do tego, by pisała
eksperymentalne sztuki dla jego teatru. I jej współlokatorki, i rodzice woleli jej prozę niż to, co tworzyła
obecnie dla Ivana, on jednak zapewniał ją, że to znacznie ważniejsze i bardziej awangardowe niż „komercyjne bzdury", jakie pisała dotychczas, i że dzięki temu
wyrobi sobie nazwisko, a ona mu wierzyła. Obiecał, że
będzie wystawiał jej sztuki, choć jak dotąd wystawiał
tylko własne. Koleżanki podejrzewały, że to oszust, ale
Abby była przekonana, że jest szczery i uważała go za
geniusza. Pracowała jako jego asystentka – sprzątała teatr, malowała dekoracje, sprzedawała bilety i od trzech
lat była jego pełnoetatową niewolnicą. Ivan miał czterdzieści sześć lat i choć nigdy nie był żonaty, miał troje
dzieci z dwiema różnymi kobietami. Nigdy ich nie od-
wiedzał, twierdził bowiem, że stosunki z ich matkami
są zbyt skomplikowane i kolidują z jego artystycznymi
planami. A choć wymówki, dlaczego nie wystawia jej
sztuk, były słabe i nieprzekonujące, Abby nadal miała
go za człowieka, który dotrzymuje słowa, chociaż fakty świadczyły o czymś przeciwnym. Nie widziała jego
wad, nie zauważała, że nie dotrzymuje obietnic, i ku
zmartwieniu koleżanek zawsze była gotowa dać mu kolejną szansę. Ivan był jak automat do gier, który nigdy
nie wypłaca wygranej. Inni już dawno stracili do niego
cierpliwość, ale Abby dostrzegała w nim urok, którego ci inni nie widzieli. Kochała go, ufała mu i wierzyła
w każde jego słowo. Współlokatorki przestały już z nią
o tym rozmawiać. Ivan po prostu ją zaczarował – poświęcała mu życie, czas, pisała dla niego, nie otrzymując nic
w zamian.

Rodzice prosili, żeby wróciła do Los Angeles i zajęła się pisaniem powieści albo żeby zgodziła się, by pomogli jej znaleźć pracę w filmie lub w telewizji. Ivan powiedział jednak, że jeśli to zrobi, to sprzeda się tak samo jak oni. Twierdził, że stać ją na więcej, że jest na to zbyt utalentowana, trwała więc przy nim, licząc, że wystawi którąś z jej sztuk. Nie była głupia, ale lojalna i naiwna, a on to wykorzystywał. Żadna z pozostałych dziewczyn go nie lubiła i były na niego wściekłe za to, co robi z Abby, ale nie było sensu o tym rozmawiać. Wierzyła we wszystko, co mówił. Wiedziały, że parę razy pożyczył od niej pieniądze i nigdy ich nie oddał, ona jednak była przekonana, że odda, kiedy będzie mu się lepiej powodziło. Nie pomagał też finansowo dzieciom. Ich matki były aktorkami i obie odniosły zawodowy sukces, twierdził więc, że mają większe możliwości niż on, żeby łożyć na dzieci. Wykręcał się od odpowiedzialności na każdym kroku. Dziewczyny liczyły, że Abby wkrótce wyzwoli się z czaru, jaki na nią rzucił, ale minęły trzy lata i nie było żadnych oznak, że miałaby się kiedykolwiek przebudzić. One były jednak w pełni przytomne i nienawidziły Ivana za to, że ją wykorzystywał i okłamywał.

A nie był to pierwszy toksyczny związek Abby. W ich grupie to ona była kolekcjonerką kulawych kaczątek. W ciągu tych pięciu lat ich wspólnego mieszkania zdarzył się aktor, który był bez grosza przy duszy i nigdy nie mógł znaleźć pracy, nawet jako kelner. Spał przez miesiąc na ich kanapie, dopóki pozostałe dziewczyny nie zaprotestowały. Abby była w nim zakochana, on zaś kochał dziewczynę, która od sześciu miesięcy była na odwyku. Potem bywali pisarze, inni aktorzy, jakiś kompletnie spłukany brytyjski arystokrata, który pożyczał od niej pieniądze, i cała seria przegranych typów, artystów z aspiracjami i innych facetów, którzy przynosili jej wyłącznie rozczarowania i w końcu ich rzucała. Niestety, wciąż nie była gotowa rzucić Ivana.

Claire od paru lat miewała wyłącznie niezobowiązujące randki. Pracowała tak ciężko, że nie miała czasu na chłopaka i w ogóle o to nie dbała. Przesiadywała w pracy do późna i w weekendy. Kariera projektantki była dla niej znacznie ważniejsza niż jakikolwiek mężczyzna. Płonęła ambicją, jakiej nigdy nie miała jej matka, i nikt ani nic nie było w stanie tego zmienić, była o tym przekonana. Rzadko się zdarzało, żeby spotkała się z kimś więcej niż trzy razy, i nigdy nie była naprawdę zakochana, chyba że w butach, jakie projektowała. Mężczyźni dziwili się, że z taką pasją traktuje pracę i że staje się taka niedostępna, gdy tylko zaczynają się nią interesować bardziej serio. W każdym poważniejszym romansie Claire widziała zagrożenie dla swojej kariery i równowagi. W kącie salonu trzymała stół do pracy i często siedziała przy nim, gdy inne były już w łóżkach.

Co do Sashy, to zarówno na studiach, jak i teraz, podczas stażu na ginekologii i położnictwie, po prostu nie miała czasu na randki. Od czasu do czasu zdarzała się jej jakaś krótka przygoda, ale żyła z grafikiem dyżurów w ręku, a życie osobiste w tej sytuacji było praktycznie niemożliwe. Albo była na dyżurze, albo zmęczona, albo spała. Wyglądała olśniewająco, ale spędzała życie ubrana w szpitalny fartuch i zupełnie dosłownie nie miała czasu na mężczyzn – w przeciwieństwie do siostry bliźniaczki, która randkowała bez przerwy. Teoretycznie Sashy podobała się wizja małżeństwa i rodziny, ale jak na razie była dla niej odległa o całe lata świetlne. I nieraz przychodziło jej do głowy, że bycie singielką byłoby jednak prostsze. A i mężczyźni, z którymi się od czasu do czasu spotykała, dość prędko czuli się zmęczeni jej trybem życia.

Spośród czterech lokatorek tylko Morgan była w poważnym związku i na szczęście wszystkie lubiły jej partnera, Maxa Murphy'ego, który często spędzał noce w ich mieszkaniu. Miał własne, na Upper West Side, ale od nich było mu bliżej do pracy, restauracji tuż za rogiem. Poznały go rok po wprowadzeniu się Sashy i Morgan, kiedy pewnego wieczoru wybrały się we cztery do otwartej właśnie knajpki. Przedtem była tu jakaś obskurna speluna, Max kupił ją i przekształcił w popularne miejsce spotkań, z tętniącym życiem barem i znakomitym jedzeniem. Trzy dni później Max i Morgan zaczęli się spotykać. Dziś, po czterech latach, knajpka „U Maxa" nadal cieszyła się wielkim powodzeniem, a jej właściciel był bardzo zajęty: kończył pracę o drugiej w nocy, a o dziesiątej rano znów był na miejscu, żeby dopilnować lunchu.

Max był świetnym facetem i wszystkie go uwielbiały. Miał fioła na punkcie sportu, był fantastycznym szefem i umiał ciężko pracować. Pochodził z wielkiej irlandzkiej rodziny, gdzie wszyscy się ze sobą kłócili, ale też bardzo kochali. Miał trzydzieści pięć lat i chętnie by założył własną rodzinę, ale Morgan od początku postawiła sprawę jasno: małżeństwo i dzieci nie mieszczą się w jej życiowych planach. Choć Max liczył, że z czasem może zmięknie, przez cztery lata nie zmiękła, a on nie naciskał. Sądził, że mają jeszcze czas, zresztą był zajęty w swojej knajpce, miał zamiar otworzyć przynajmniej jeszcze jedną, czekały go niemałe wydatki, w sumie więc i on się nie śpieszył. Z czasem jednak zrozumiał, że postawa Morgan – żadnego małżeństwa, żadnych dzieci – jest niewzruszona. Ich relacja była ciepła i solidna, ale praca zawodowa była dla Morgan wszystkim i nie zamierzała jej narażać na jakiekolwiek ryzyko.

Po powrocie z pracy Claire przebrała się w szorty i podkoszulek i zmieniła sandałki na płaskie buty. Chwilę później wróciła Abby w poplamionym farbą dresie, włożonym na porwany podkoszulek. We włosach też miała trochę farby i niebieską smugę na policzku. Claire podniosła głowę znad deski projektowej i uśmiechnęła się do niej. Morgan po spotkaniach z klientami zazwyczaj wracała do domu późno, nierzadko po drinku, a Sasha przychodziła o różnych porach, zależnie od tego, kiedy jej wypadł dyżur, i natychmiast waliła się do łóżka.

– Cześć – powiedziała Claire z uśmiechem. – Nietrudno zgadnąć, co dziś robiłaś.

– Przez cały dzień wdychałam opary farb – jęknęła ze znużeniem Abby, padając na kanapę, szczęśliwa, że nareszcie jest w domu. Ivan miał się tego wieczoru spotkać z potencjalnym sponsorem, ale powiedział, że być może później zadzwoni. Mieszkał w East Village, w kawalerce niewiele większej od szafy, na szóstym piętrze bez windy. Podnajął ją od znajomego wraz z meblami.

– Jedzenie w lodówce – poinformowała ją Claire. – Po drodze z pracy zrobiłam zakupy. Sushi wygląda nieźle.

Podstawowe zakupy robiły na zmianę, co okazało się lepszym wyjściem niż próba odgadnięcia, co która będzie jadła. Żadna nie była skąpa, nigdy nie robiły problemu z drobnych sum. Szanowały się nawzajem i właśnie dlatego układ działał tak dobrze.

– Jestem zbyt zmęczona, żeby jeść – stwierdziła Abby. W dodatku opary farb przyprawiły ją o lekkie mdłości. Ivan cztery razy zmieniał decyzję co do koloru dekoracji. Był dramaturgiem, reżyserem i producentem w jednej osobie, miał więc prawo decydować, jak ma wyglądać scena. – Chyba wezmę kąpiel i pójdę do łóżka. A tobie jak minął dzień? – spytała, a Claire pomyślała jak zawsze, że miło jest wracać do domu, gdzie są ludzie, którzy się o człowieka troszczą i zadają pytania. W jej domu rodzinnym rodzice nigdy ze sobą nie rozmawiali, i to od lat. Tak było łatwiej.

– Ciężko. Nieustająca walka – odparła ze zniechęceniem. – Żaden z moich nowych projektów nie spodobał się Walterowi i chce, żebym je „poprawiła", tak żeby pasowały do stylu firmy. W dodatku mam nową stażystkę, córkę jakichś jego znajomych z Paryża. Wygląda na dwanaście lat i krytykuje wszystko, co amerykańskie. Według niej w Paryżu wszystko jest lepsze, a tutaj nikt nie ma pojęcia, jak tam jest. Jej ojciec jest bankierem, a matka pracuje u Chanel. Pewnie ma ze dwadzieścia dwa lata, ale wszystko wie najlepiej. Walter chce zrobić przysługę jej rodzicom, no i jestem ugotowana.

– Może spodobałoby się jej malowanie dekoracji. – Abby roześmiała się głośno. – Albo odkurzanie teatru. Zaraz by jej to poprawiło humor.

– Raczej krytykowałaby moje projekty – zauważyła zgryźliwie Claire, poprawiając coś na swoim rysunku. Weszła Morgan. Krótka spódniczka granatowego lnianego kostiumiku odsłaniała długie nogi, jeszcze bardziej wydłużone przez wysokie obcasy. Ciemne włosy modnie opadały do ramion. W rękach niosła parę pojemników z daniami na wynos z restauracji Maxa. Postawiła je na metalowym stole, który matka Claire znalazła dla nich w Internecie za oszołamiająco niską cenę.

– Kiedyś padnę trupem przez te schody… Mamy od Maxa pieczonego kurczaka i sałatkę Cezar. – Max zawsze przekazywał im jedzenie albo przyrządzał je dla nich w sobotnie wieczory, co wszystkie uwielbiały. – Jadłyście coś? – spytała z uśmiechem, siadając na kanapie obok Abby. – Znowu malowałaś dekoracje – zauważyła rzeczowo. Były już przyzwyczajone, że Abby często wraca umazana farbą. Nie wyglądała jak pisarka, tylko z reguły jak malarz pokojowy. – Wiesz co, powinnaś się zatrudnić u jakiegoś budowlańca. Przynajmniej miałabyś związek zawodowy i przyzwoitą kasę – zakpiła, zrzucając kopnięciem pantofle na obcasach i wyciągając nogi. – Ale tłok dziś w knajpie – rzuciła.

– Jak zawsze – odparła Claire. Wstała od deski, zwabiona apetyczną wonią pieczonego kurczaka.

Przeszły do kuchni, wyjęły talerze i sztućce, a Morgan otworzyła butelkę wina. Abby przyniosła serwetki i kieliszki i po chwili siedziały już przy stole i ze śmiechem słuchały, jak Claire opowiada o nowej praktykantce. Wszystko zaczynało wyglądać mniej groźnie, kiedy można się było pośmiać i pogadać o sprawie. Ich rozmowy zawsze były pogodne, nie było między nimi animozji ani zazdrości, doskonale znały swoje mocne i słabe strony. Nie chowały urazy, były wyrozumiałe dla złych nastrojów każdej z nich i dzięki temu potrafiły się nawzajem wspierać w obliczu wyzwań, jakie stawiało przed nimi życie.

Właśnie kończyły jeść, kiedy weszła Sasha. Jasne włosy miała ściągnięte na czubku głowy w węzełek, z którego sterczały dwa długopisy, z szyi zwisał stetoskop. Była w chodakach i szpitalnym kitlu, który od dawna stanowił główny element jej garderoby. Claire nie mogła sobie przypomnieć, kiedy ostatni raz widziała ją w sukience.

– Odbierałam dzisiaj trojaczki – oznajmiła, siadając obok Morgan.

– Ty przynajmniej robisz coś pożytecznego – powiedziała z podziwem Claire. Morgan zaproponowała Sashy wino, ona jednak pokręciła głową.

– Nadal jestem pod telefonem, może będę musiała wrócić. O mało nie straciliśmy jednego dziecka, ale na sali było trzech położników. Pozwolili mi skończyć cesarkę, to było fantastyczne… Było też troje pediatrów. Matka ma czterdzieści sześć lat – trojaczki były z in vitro. Urodziły się dwa miesiące za wcześnie, ale chyba wszystko będzie dobrze. Nie rozumiem, jak można chcieć mieć trojaczki w tym wieku… A jej mąż jest po sześćdziesiątce! Kiedy dzieci zdadzą maturę, będzie po osiemdziesiątce. Pobrali się w zeszłym roku. On jest grubą rybą na Wall Street i dyrektorem generalnym czegoś tam. Może i z nami tak kiedyś będzie… – Sasha z uśmiechem nałożyła sobie trochę sałatki. W szpitalu zjadła kanapkę, ale nigdy nie potrafiła się oprzeć kuszącym zapachom smakowitych dań Maxa.

– Na mnie nie licz – powiedziała zdecydowanie Morgan, dopijając wino. – Trojaczki po czterdziestce? Prędzej skoczyłabym z mostu.

– A ja bym chciała mieć dziecko – szepnęła Abby. – Tylko jeszcze nie teraz.

– I nie z Ivanem, miejmy nadzieję – stwierdziła bez ogródek Morgan. – Potrzebny ci jest facet ze stałą pracą, skoro chcesz mieć dziecko, i przede wszystkim odpowiedzialny. – Wszystkie wiedziały, że Abby w wieku dwudziestu dziewięciu lat wciąż korzystała z pomocy rodziców. Krępowało ją to, chciała być samodzielna, ale jak dotąd nikt nie był skłonny kupować owoców jej pracy.

Claire zarabiała przyzwoicie, Morgan ciężko pracowała u George'a Lewisa i też sobie radziła. Jej rodzice zawsze byli spłukani i oboje z bratem od dziecka pracowali zarobkowo. Dobrze wiedzieli, co to znaczy dorastać w domu, gdzie nie ma pieniędzy. Abby i Sasha pochodziły z zamożnych rodzin, a w każdym razie bez większych kłopotów finansowych, ale to, że koleżanki zaznały w dzieciństwie niedostatku, nie podzieliło ich. Znały swoje historie rodzinne i dobrze wiedziały, że życie żadnej z nich, z pieniędzmi czy bez, nie jest w rzeczywistości tak różowe, jak to wygląda z zewnątrz.

– Jeszcze długo nie będę chciała mieć dziecka – powiedziała Abby w zadumie.

– No i skończy się na tym, że i ty będziesz je miała w wieku czterdziestu sześciu lat – zauważyła z uśmiechem Sasha i sięgnęła po kawałek kurczaka. Dobrze było tak posiedzieć przy stole, zjeść razem posiłek, odprężyć się pod koniec dnia.

– To chyba trochę za późno – orzekła Abby po chwili namysłu. Wszystko brała dosłownie, tak jak kłamstwa Ivana.

– Ale skąd – zaprzeczyła z powagą Sasha i parsknęła śmiechem. – Przypomnijcie mi, żebym nie myślała o dzieciach pod pięćdziesiątkę. – Ale i w jakimś mniej odległym czasie nie mogła sobie wyobrazić siebie jako matki… Przy specjalizacji, jaką wybrała, miała przed sobą lata nauki. – W sumie nie wiem, jaka powinna być właściwa odpowiedź. Życie biegnie, kurczę, tak szybko… Któregoś dnia budzisz się i okazuje się, że jesteś stara. Trudno uwierzyć, że mam już trzydzieści dwa lata… Mam wrażenie, że osiemnastkę obchodziłam dwa tygodnie temu – pokręciła z niedowierzaniem głową.

– Nie jęcz. Jestem o rok starsza od ciebie – powiedziała Morgan i spojrzała z powagą na dwie pozostałe koleżanki. – A z was to w ogóle jeszcze dzieciaki. – Była starsza od Claire o pięć lat, a od Abby o cztery. – Czas leci tak szybko, a tu tyle jeszcze chciałoby się zrobić, w tyle różnych miejsc pojechać… – Przeszła długą drogę, odkąd skończyła studia, i większość ludzi uznałaby, że wiele osiągnęła, ale Morgan zawsze wysoko stawiała sobie poprzeczkę.

Sasha, ziewając, wstała od stołu, odniosła talerz do kuchni i wstawiła go do zmywarki.

– Lepiej się położę, bo może mnie później wezwą. – I zniknęła w sypialni.

Zaraz potem Abby poszła pod prysznic, żeby zmyć z siebie farbę. Morgan też wkrótce się położyła, zabierając do łóżka jakieś papiery związane z pracą, a Claire wróciła do deski kreślarskiej. Miały za sobą taki przyjemny wieczór… Rzadko się zdarzało, by wszystkie wróciły do domu odpowiednio wcześnie, żeby zjeść razem kolację. Dzień wydawał się przez to milszy, a jego przykrości mniej bolesne. Claire uśmiechnęła się na myśl o współlokatorkach. Takie były dobre! I takie dla niej ważne, po matce najważniejsze w życiu. Wspierały się nawzajem w dążeniach i ambicjach każdej z nich.

Tak właśnie powinno być w rodzinie, pomyślała Claire, nanosząc na jeden z projektów detal, który właśnie przyszedł jej do głowy. A przecież nie była to rodzina, w której przyszły na świat, tylko rodzina z wyboru. I to odpowiadało każdej z nich.

Ach, gdyby tak mogły mieszkać tu razem na zawsze! Albo przynajmniej jeszcze długo, długo, pomyślała Claire, zabierając się do kolejnego szkicu. W mieszkaniu panowała cisza, sprzyjała rozmyślaniom. Dziewczyny już spały, ona jedyna z nich była sową, lubiła pracować w nocy. Była prawie druga, kiedy zgasiła światło i poszła do sypialni. Wyszorowała zęby, włożyła nocną koszulę i po paru minutach leżała w łóżku. Nie wiedziała, że tak się to ułoży, ale takiej właśnie rodziny i takiego domu zawsze pragnęła. Nikt się tu nie złościł, nikt nie był rozgoryczony, żadna nigdy nie zawiodła pozostałych. Nikt się dla nikogo nie poświęcał, by po cichu wiecznie mieć o to żal. Mieszkanie w Hell's Kitchen to bezpieczna przystań, której potrzebowała każda z nich, by podążać za marzeniami.

2

Nazajutrz, jadąc metrem do pracy, Morgan spostrzegła w „Page Six", plotkarskim dodatku „New York Post", notkę o restauracji Maxa. Uśmiechnęła się. W kilkuwierszowej notatce była mowa o świetnym jedzeniu i atmosferze, wymieniono także z nazwiska paru aktorów, pisarzy, tancerzy i sportowców, którzy tu bywają. No i oczywiście wspomniano, jak zawsze, o Gregu. Każdego ranka zaraz po wizycie na siłowni o szóstej rano, czego przestrzegała z religijnym wręcz namaszczeniem, Morgan czytała „Wall Street Journal" i „New York Timesa", lubiła także przekartkować „Post" i rzucić okiem na pikantne plotki na szóstej stronie. Dobrze wiedziała, kto dostarczył im informacji na temat knajpki. Zaledwie wysiadła z pociągu, zadzwoniła do Olivera. Dzień znowu był gorący, a ona miała na sobie krótką czarną spódniczkę, białą koszulową bluzkę i pantofle na wysokich obcasach. Mijający ją mężczyźni oglądali się za nią.

– Fajna notka o knajpie – powiedziała do brata, gdy odebrał.

Odkąd dwanaście lat temu zrobił na Uniwersytecie Bostońskim magisterium z komunikacji społecznej, cały czas pracował w PR, a teraz był wiceszefem ważnej firmy nowojorskiej i obsługiwał kilku ogólnie znanych klientów, głównie w branży sportowej. Lubił jednak Maxa i ilekroć mógł, wyświadczał mu przysługę. W notce wymienił między innymi jednego ze swoich klientów, miotacza z Yankees.

– Fajnie, że to zrobiłeś – dodała. Dobrze się dogadywali z bratem. Był jedynym jej żyjącym krewnym, od śmierci rodziców byli sobie szczególnie bliscy.

Oliver mieszkał z partnerem w przyjemnym apartamencie na Upper East Side i obaj lubili się z niej nabijać, że mieszka w Hell's Kitchen. Chętnie jednak odwiedzali loft i przepadali za wszystkimi jej koleżankami. Oliver ujawnił się jako gej po śmierci rodziców. Powiedział, że nigdy by się na to nie odważył, dopóki żył ojciec. Ojciec w okresach, gdy pracował, był budowlańcem i otwarcie mówił źle o gejach, może z powodu podejrzeń, że i jego syn jest jednym z nich. Ale Oliverowi było dobrze ze swoją tożsamością. Miał teraz trzydzieści pięć lat, a w związku z Gregiem pozostawał od siedmiu.

Greg miał własne problemy rodzinne. Był jednym z pięciu synów prostej katolickiej rodziny z Quebeku. Czterech z braci grało zawodowo w hokeja. Ojciec Grega załamał się, kiedy syn powiedział, że jest gejem. Greg wyznał otwarcie, że wiedział o tym, odkąd skończył dziewięć czy dziesięć lat, i ojciec w końcu się z tym pogodził, choć nadal był to dla niego problem. Greg i Oliver naprawdę się kochali i Max też lubił spędzać z nimi czas. Czasem całą czwórką, Morgan z Maxem i Greg z Oliverem, wyjeżdżali na narty, jeśli tak się złożyło, że Max mógł wziąć trochę wolnego. Max nabijał się często z ich psów, a Oliver wydawał wtedy głuchy jęk. Była to jedna z niewielu spraw, co do których nie zgadzali się z Gregiem. Mieli dwa yorki i maciupciego chihuahuę, którego Greg uwielbiał. Ubierał go w miniaturowy kostium Rangersów, uszyty przez kogoś w prezencie.

– Na litość boską, ważysz ponad sto kilo i jesteś bramkarzem. Czy nie możemy wziąć sobie psa przyzwoitej wielkości, choćby labradora czy golden retrievera? Wyglądamy z nimi jak geje! – narzekał Oliver, na co Greg wybuchał śmiechem.

– No przecież jesteśmy gejami! – mówił, szczerząc zęby. Oliver gderał dobrodusznie i co jakiś czas groził, że sprowadzi do domu bernardyna, ale i on kochał ich psy. I nigdy nie ukrywali z Gregiem swojej orientacji. Greg był w sporcie ważną figurą, mógł sobie pozwolić na otwarte przyznanie, że jest gejem.

– Może wybrałbyś się z nami w sobotę do restauracji? – zaproponowała Morgan, dochodziła już do biurowca, gdzie pracowała.

– Pogadam z Gregiem. Coś mówił o jakiejś imprezie urodzinowej w Miami… Jeśli tylko będę w mieście, to z chęcią. Dam ci znać.

– W porządku. – Cmoknęła na pożegnanie, naśladując pocałunek, i rozłączyła się. I momentalnie była już myślami przy pracy. Z szefem, George'em, mieli na dziś rano umówione spotkanie z nowym klientem, który chciał ulokować sporo pieniędzy. George zabiegał o niego od miesięcy. Wcześniej bardzo korzystnie zainwestował pieniądze jednego ze znajomych tego potencjalnego klienta. Morgan przygotowała się do tego spotkania, przedyskutowali też z George'em plany co do klienta. Morgan zasugerowała parę dodatkowych szczegółów, które spodobały się George'owi i zamierzał je włączyć do prezentacji. Stanowili dobry zespół, a George mawiał, że Morgan jest geniuszem, jeśli chodzi o liczby, czyta arkusze obliczeniowe szybciej niż księgowi i zawsze wyłowi błąd, który inni przeoczyli.

George był przystojnym kawalerem, ale jego relacja z Morgan była ściśle zawodowa. Nigdy nie mieszał pracy z zabawą, co budziło jej szacunek. Trzydziestodziewięcioletni George był obiektem westchnień wszystkich poszukiwaczek złota w Nowym Jorku, jak również wielu atrakcyjnych kobiet z własnymi pieniędzmi. Czuły się przy George'u bezpiecznie, bo był bogaty. Zgromadził majątek w ciągu ostatnich paru lat i Morgan bardzo go za to ceniła. Był świetny w tym, co robił, i zasługiwał na sukces. W ciągu trzech lat wiele się od niego nauczyła. Nigdy nie spotykali się towarzysko, ale bardzo lubiła z nim podróżować. Jeździli na spotkania z klientami albo żeby sprawdzić stan inwestycji w różne fantastyczne miejsca – do Paryża, Hongkongu, Dubaju. Jej życie zawodowe było fantastycznie ciekawe.

Sprawdziła w komputerze wszystkie fakty, ułożyła na biurku potrzebne do prezentacji papiery i wykonała parę telefonów. Nowy klient przyszedł punktualnie o dziesiątej. Człowiek znany, po pięćdziesiątce, którego fortuna związana była z boomem na rynku zaawansowanych technologii komputerowych. Mówiono o nim, że jest miliarderem. Bardzo interesował się wszystkim, co mieli mu do przekazania George i Morgan. George przedstawił mu kilka propozycji inwestowania: wiązały się z wysokim ryzykiem, ale to go nie odstraszało. Włączył też do prezentacji sugestie Morgan i nawet wspomniał, że to ona jest ich autorką. Zawsze był wobec niej fair. Podziękowała mu, kiedy klient wyszedł.

George sprawiał wrażenie zadowolonego – klient dobrze przyjął wszystko, co mówili.

– Mamy go – powiedział z szerokim uśmiechem. Morgan uwielbiała obserwować, jak radzi sobie z klientami. W jego wykonaniu była to pełna finezji sztuka. Po spotkaniu wróciła do swojego gabinetu. Dzień upłynął jej na kolejnych spotkaniach, musiała też zrobić parę analiz po porannym spotkaniu. Zawsze bardzo starannie wykonywała zadania, George mógł spokojnie zdać się na nią. Pod koniec dnia przekazała mu uzyskane informacje.

Wieczorem spotkała się na drinku z pewnym analitykiem giełdowym. Chciała przedyskutować z nim nowe oferty publiczne spółek wchodzących na giełdę i dowiedzieć się, co o nich sądzi. Miała trochę wątpliwości co do jednej z nich. Jej marzeniem było, by zdobyć w przyszłości własną wyselekcjonowaną grupę klientów. Nie była tak agresywna w podejmowaniu ryzyka jak George, ale miała solidną wiedzę, stosowała zdrowe praktyki inwestycyjne, a w ciągu sześciu lat, jakie upłynęły od skończenia studiów, zdobyła duże doświadczenie. Choć nie osiągnęła dotąd takich wyżyn jak George, kto wie, co się jeszcze zdarzy? Jej ścieżka zawodowa była już wytyczona. Wszystko w jej życiu było w porządku.

Dla Claire był to kolejny stresujący dzień, wypełniony sporami z Walterem co do ilości butów, które powinni wyprodukować w kolekcji wiosennej. Zawsze wybierał rozwiązania bezpieczne, nie lubił ryzykować ani pod względem liczby par butów, ani wzorów. Ach, gdyby tylko dał jej więcej swobody… Ale nie, Walter nigdy nie ustąpił w żadnej sprawie. I przez cały dzień irytowała ją Monique, jej nowa stażystka. Claire miała uczucie, że niańczy kapryśne dziecko, a w końcu nie miała czasu, żeby się z nią pieścić. Wracając po pracy do domu, była naprawdę wykończona. Gdyby tak miała odwagę rzucić tę posadę! Ale potrzebowała pieniędzy i nie chciała ryzykować, że przez jakiś czas, szukając nowego zajęcia, będzie bezrobotna, albo że Walter ją wyrzuci, jeśli zacznie szukać już teraz, a on się o tym dowie. Czuła się bezradna, a przecież jedyne, czego pragnęła, to móc projektować ciekawsze, bardziej ekscytujące buty.

Rzuciła klucze na stolik w hallu i przejrzała pocztę – same rachunki i reklamy, wszystko inne przychodziło na maila albo na Facebooka. I w tej chwili zauważyła, że Sasha jest już w domu. Leżała na kanapie, w szortach i na bosaka, i popijając wino, czytała jakiś magazyn. Podniosła wzrok na Claire i uśmiechnęła się. Najwyraźniej nie była pod telefonem, nareszcie! Prawie nigdy nie miała wolnego, a Claire nie pamiętała, kiedy ostatni raz widziała, jak Sasha czyta gazetę.

– Dali ci w końcu wolne? – spytała. Naprawdę, należało się dziewczynie.

– W tym tygodniu nie pracuję – odparła Sasha enigmatycznie, upijając łyk wina.

⌐ Dopiero od wczoraj. Ciężko to nazwać urlopem.

Sasha roześmiała się i usiadła.

– Miałam do kitu dzień – poskarżyła się Claire. – Chyba zabiję tę Francuzeczkę… albo najpierw zabiję Waltera. Zaczynam już mieć fantazje na ten temat. Mam potąd projektowania butów dla kobiet bez wyobraźni i smaku.

– No to rzuć tę posadę – powiedziała Sasha. – Pieprz ich. Dlaczego masz się dołować w pracy?

– Hej, obudź się! Potrzebuję pieniędzy. Nie jestem dziedziczką rodowej fortuny. A jak pół roku będę bez pracy? Przecież może się tak zdarzyć. – Claire była naprawdę zmartwiona.

– Zawsze jeszcze zostaje prostytucja – zauważyła Sasha zgryźliwie. I nagle do Claire dotarło, że jakoś to do niej nie pasuje. Sasha tak dobrze rozumiała jej lęki o posadę i przyszłość!

Zmrużyła oczy i bacznie przyjrzała się ślicznej kobiecie na kanapie. Sasha miała w sobie naturalne piękno, którego nie były w stanie ukryć nawet rozczochrane włosy i szpitalny kitel.

– Uśmiechnij się do mnie.

– Dlaczego? – zdziwiła się Sasha.

– Nieważne dlaczego. Uśmiechnij się.

Sasha zrobiła, jak jej kazano, i uśmiechnęła się szeroko, ukazując wspaniałe, nieskazitelne zęby. Nigdy nawet nie nosiła aparatu, były idealne od urodzenia. Claire wybuchnęła śmiechem.

– Jezu… Powinnyście mieć identyfikatory albo wytatuować sobie imiona na czole. – Tylko kiedy bliźniaczki się uśmiechały, potrafiła wyłapać nieznaczną różnicę pomiędzy nimi. Choć wyglądały identycznie, ich uśmiechy były inne. Claire zauważyła to już dawno, ale Valentina i tak potrafiła ją oszukać, zwłaszcza gdy jej na tym zależało, a zależało bardzo często. W przeciwieństwie do siostry lubiła wygłupy, co tłumaczyła tym, że Sasha jest od niej o trzy minuty starsza, a więc poważniejsza. Siebie Valentina uważała za młodszą. A teraz rozwalała się na kanapie, sącząc wino. – Myślałam, że ty to Sasha – wyjaśniła Claire, ale Valentina już o tym wiedziała i świetnie się bawiła. Uwielbiała je oszukiwać. Zachowywała się jak psotne dziecko, różniąc się tym od znacznie bardziej odpowiedzialnej siostry.

– Sasha mówiła, że będzie o tej porze w domu, ale właśnie zadzwoniła, że zostaje w pracy. Jakaś kobieta rodzi. Nie wiem dlaczego nie wybrała jakiejś lepszej specjalizacji, na przykład chirurgii plastycznej.

– Lifting twarzy brzmi jeszcze gorzej niż rodzenie – powiedziała szczerze Claire i nalała sobie kieliszek wina. Valentina beztrosko otworzyła jedno z ich najlepszych białych, choć na ogół wolała szampana. Była rozpuszczona przez mężczyzn, z którymi się spotykała. Zwykle dwa razy od niej starsi, wszyscy bez wyjątku byli przy kasie i wszyscy nią olśnieni, miała więc wszelkie cechy rozpuszczonego dzieciaka. Dziewczyny uwielbiały Sashę, a co do Valentiny to po prostu się poddały. Czasem była zabawna, ale żadna nie chciałaby z nią mieszkać, Sasha zresztą też. Valentina nieraz doprowadzała ją do szału, kiedy dorastały, choć istniała między nimi typowa dla bliźniąt bliska więź.

Valentina przeszła do sypialni Sashy, a po paru minutach ukazała się z powrotem w ślicznej spódniczce. Claire nie oglądała w niej Sashy chyba od roku. Valentina ze swobodą brała wszystko, czego zapragnęła, nigdy nie prosząc siostry o pozwolenie.

– I tak nigdy nie ma okazji, żeby ją włożyć – stwierdziła, po czym usiadła i nalała sobie kolejny kieliszek. – A zresztą i tak na mnie lepiej leży. Sasha za dużo pracuje i coraz bardziej chudnie. Wszystko na niej wisi.

Claire nie była w stanie wykryć żadnej różnicy w ich sylwetkach, zresztą jak w czymkolwiek innym, z wyjątkiem uśmiechu. Pogadały jeszcze chwilę i Valentina wróciła do czytania „Vogue'a". Pół godziny później weszła Sasha i ku swemu zaskoczeniu ujrzała siostrę we własnej spódniczce.

– Co to ma znaczyć? – spytała z niezadowoleniem. Wyglądało na to, że się śpieszy.

– Nigdy jej nie nosisz, pożyczę sobie na parę dni.

A potem zapomnę oddać, pomyślała Sasha. To ojciec przysłał jej tę spódniczkę, bo wiedział, że nie ma czasu kupować ciuchów. Spódniczka pochodziła z jednego z jego sklepów w Atlancie i była od znanej projektantki. Valentina nie miała żadnych problemów z zakupami, zresztą po zdjęciach i tak dostawała większość modeli, które prezentowała.

– Tato mi ją przysłał – powiedziała Sasha, tak jakby spódniczka miała dla niej z tego powodu jakąś szczególną wartość. Valentina wzruszyła ramionami. Nie dogadywała się z ojcem, nie lubiła jego drugiej żony i nie robiła z tego sekretu. – Wychodzę – dodała Sasha.

– Z powrotem do pracy?

– Mam randkę – wyznała Sasha zakłopotana. – Zapomniałam o niej, ale właśnie facet zadzwonił, żeby mi przypomnieć.

– Co za facet? – Valentina była zaskoczona, a jeszcze bardziej Claire. Sasha nie była na randce od miesięcy.

– Taki jeden. Poznałam go w zeszłym miesiącu. Myślał, że ja to ty. Zachowywał się, jakby mnie znał, i dopiero później zdałam sobie sprawę, że nas pomylił.

– I dalej się myli? – Valentina była ubawiona, a Sasha zirytowana.

– Jasne, że nie. Powiedziałam mu, kim jestem, ale i tak chciał się ze mną spotkać. Jest aktorem, a poza tym prezentuje bieliznę dla Calvina Kleina.

– No to musi być cholernie przystojny – zauważyła Valentina, zerkając na siostrę.

– No… Tak jakby. Nie miałam zamiaru się z nim spotykać, ale on zrobił wielkie halo, że wygląda, jakbym zapomniała, i nie chciałam się przyznać, że naprawdę zapomniałam. Zabiera mnie na jakiś wernisaż, a potem na kolację. – Nie wyglądało to na randkę w stylu Sashy, która z reguły spotykała się z innymi lekarzami, z ludźmi poznanymi na konferencjach medycznych lub tak czy inaczej związanymi z jej pracą. Aktor czy model to nie był jej typ ani nawet typ Valentiny. – Powiedziałam mu, że będę za pół godziny. – I pomyślała, że spódniczka bardzo by się jej przydała – nie wiedziała, w co się ubrać.

– Włóż coś seksownego – poradziła jej Valentina. Sasha zniknęła w sypialni, pogrzebała w szafie i rzuciła na łóżko białą bawełnianą sukienkę. Po chwili do sypialni weszła Valentina i pokręciła głową.

– Będziesz wyglądała, jakbyś szła na plażę. Masz tam w szafie taką czarną obcisłą spódnicę i srebrny top bez ramiączek. Włóż je.

Sasha zawahała się chwilę, ale skinęła głową. Valentina znała się na modzie o wiele lepiej niż ona. Skoczyła pod prysznic i po dziesięciu minutach była już ubrana, z mokrymi długimi blond włosami.

– Wysusz włosy suszarką, umaluj się i włóż pantofle na obcasach – poradziła jej bliźniaczka. Gdy Sasha wyszła z łazienki po dziesięciu minutach, naprawdę wyglądała jak gotowa na randkę, tyle że nie mogła znaleźć w szafie odpowiednich pantofli. Przeszła na bosaka do salonu, gdzie Claire podała jej swoje sandałki na obcasach. Dobrze się składało, że nosiły ten sam numer.

W tym, co wybrała dla niej Valentina, i w sandałkach Claire Sasha była olśniewająca.

– No, teraz wyglądasz jak laska! – orzekła z uśmiechem Valentina. Sasha całkowicie upodobniła się teraz do niej, niestety na niebotycznych obcasach Claire nie była w stanie chodzić.

– Nie mogę włożyć jakichś płaskich? Zresztą on i tak jest, zdaje się, niezbyt wysoki... nie pamiętam dokładnie.

– Nie, nie możesz – zawyrokowały jednogłośnie Valentina i Claire i po pięciu minutach Sasha zaklekotała obcasami po schodach. Miała nadzieję, że nie skręci sobie karku... Czuła się jak oszustka, jak nędzna imitacja własnej siostry. Zresztą prawdopodobnie jej partner chciał się spotkać właśnie z Valentiną, a nie z nią... Tak bywało od wczesnej młodości: zawsze zamieniały się miejscami. Sasha pisała prace semestralne dla Valentiny i zdawała za nią egzaminy, a Valentina chodziła czasem na randki, udając, że jest Sashą.

Na Dziesiątej Alei złapała taksówkę i podała kierowcy adres galerii w Chelsea, gdzie była umówiona. Zobaczyła swojego towarzysza od razu po wejściu. Natychmiast ruszył w jej stronę.

– O rany! Wyglądasz fantastycznie. – Trzymał w ręce komórkę i zanim zdążyła zareagować, strzelił jej fotkę.

– Czemu to zrobiłeś? – Sasha poczuła się jakoś niezręcznie i nie na miejscu.

– Wszystko, co zrobię, wrzucam na Instagram – poinformował ją Ryan Philips. Na myśl o tym zrobiło jej się głupio. Ruszyła za nim w głąb zatłoczonej galerii. Wyglądało na to, że Ryan zna tu wszystkich.

Ryan był atrakcyjnym mężczyzną mniej więcej w jej wieku. Z miejsca otoczyły go kobiety. Sasha, w topie, który kazała jej włożyć siostra, czuła się goła. Nie była w tym stroju sobą, głupio jej było bez szpitalnego kitla. Faceci próbowali z nią rozmawiać, Ryan troszczył się o nią, mimo to wciąż jej się wydawało, że wygląda jak słaba podróbka Valentiny. Kiedy wychodzili z galerii, była wyczerpana. Wzięli taksówkę i pojechali do restauracji w SoHo, zatłoczonej i hałaśliwej, gdzie także wyglądało, że wszyscy go znają. Kiedy usiedli przy stoliku, okazało się, że rozmowa jest praktycznie niemożliwa. Ryan zrobił jej kolejną fotkę, co tym bardziej wytrąciło ją z równowagi. Na pewno chce, żeby ludzie myśleli, że jest na randce ze słynną modelką Valentiną, a nie z jej siostrą bliźniaczką... Czuła się jak oszustka, ale przecież sama uznała, że dobrze jej zrobi, jeśli raz dla odmiany z kimś się spotka. Już od miesięcy nikt nie proponował jej randki, czuła się winna, że nie podejmuje żadnych wysiłków, aby poznawać nowych ludzi i bywać w mieście. Właśnie to zrobiła... i było to dosyć dziwne. Ryan jest przystojnym facetem, ale nie mieli ze sobą nic wspólnego. Wątpliwe, żeby zaproponował jej kolejne spotkanie.

– No to czym się zajmujesz? – spytał, kiedy złożyli zamówienie, przekrzykując gwar zatłoczonej restauracji. Pod czarnym podkoszulkiem, towarzyszącym czarnym dżinsom, poruszały się węzły muskułów. Miał fantastyczną formę i łatwo było zgadnąć, że codziennie nad nią pracuje.

– Jestem lekarką – odkrzyknęła. – Położniczką.

Najwyraźniej był zdumiony.

– Myślałem, że jesteś modelką, jak twoja siostra.

Sasha uśmiechnęła się i pokręciła głową.

– Nie, jestem stażystką na ginekologii i położnictwie w klinice uniwersyteckiej. Asystuję przy porodach.

Ryan na chwilę zaniemówił, po czym skinął głową.

– To fajnie.

Kiedy proponował jej randkę, nie miał pojęcia, jak zarabia na życie. Po prostu podobała mu się, a na Valentinę miał ochotę od dawna. Ale choć Sasha mu tego nie powiedziała, dla jej siostry był za młody i za biedny. Spotykała się wyłącznie z bardzo bogatymi, znacznie starszymi mężczyznami, Ryan by jej nie odpowiadał.

– Lubisz swój zawód? – Nie wiedział, o co jeszcze ją spytać.

– Bardzo. A ty swój? Fajnie być aktorem?

– Nooo. Mam teraz dostać rolę w filmie w Los Angeles. Czekam na odpowiedź. W zeszłym tygodniu miałem przesłuchanie. Zagrałem już parę ról w serialach, a te reklamy u Calvina Kleina są super.

Sasha skinęła głową, a że właśnie przyniesiono ich dania, a hałas wzmógł się, nie musieli wcale rozmawiać. Dopiero gdy wyszli z powrotem na ulicę, objął ją ramieniem i spojrzał na nią z nadzieją.

– Wpadniemy do mnie? Mieszkam o parę przecznic stąd.

Odległość nie stanowiła problemu, ale w ogóle go nie znała, tymczasem oczywiste było, że liczy na to, że się z nim prześpi w nagrodę za kolację. Ale choć był przystojny, seks z nieznajomym jej nie pociągał.

– O szóstej rano muszę być w pracy. Lepiej wrócę do domu – powiedziała, bo co więcej mogłaby powiedzieć? „Chyba ci odbiło" zabrzmiałoby brutalnie, no i nie chciała wyjść na cnotkę.

– Jasne, w porządku. Musimy to zrobić kiedy indziej – odparł, ale zabrzmiało to nieprzekonująco. Wiedziała, co myśli: skoro ona nie ma zamiaru się z nim przespać, to nie ma wielkiego sensu spotykać się jeszcze raz. W pięć minut później odjeżdżała już wezwaną przez niego taksówką, a on machał jej na pożegnanie.

W głowie miała zamęt. Wieczór sprawił jej zawód, było nudno, hałaśliwie, nie dowiedziała się o tym człowieku nic więcej ponad to, co wiedziała już wcześniej, jedyną nowością było to, że jest brany pod uwagę jako wykonawca jakiejś roli w jakimś filmie w Los Angeles. W ogóle miała uczucie, że celem tego typu randek, z tego typu mężczyznami, nie jest wzajemne poznanie się, tylko żeby się pięknie ubrać, wyjść, zjeść, pokazać się wśród znajomych i jeśli się da – pójść do łóżka. Niemal żadna z tych rzeczy jej nie pociągała, wszystko było tak powierzchowne, że nawet oglądanie meczu w telewizji wydawało się bardziej intymne. Miała uczucie, że zmarnowała wieczór, a na dodatek przez idiotycznie wysokie szpilki Claire bolały ją stopy. Nie warto było płacić takiej ceny. Jakie to wszystko głupie i upokarzające…

Kiedy taksówka znalazła się w jej okolicy, dobiegł ją odgłos syren. Zaraz potem zobaczyła z pół tuzina wozów strażackich, zaparkowanych gdzie popadnie, i paru policjantów, którzy blokowali wjazd na jej ulicę. Taksówkarz zatrzymał się, rozejrzał i odwrócił się do niej, mówiąc, że nie może wjechać.

– W porządku, nie ma sprawy – odparła i zapłaciła mu, dodając przyzwoity napiwek. – Mogę dojść piechotą. – Ale gdy wysiadła z taksówki, poczuła na plecach dreszcz niepokoju. Wjazd na ulicę tarasowały wozy strażackie, ambulans i dwie karetki, a gdy spróbowała przejść, zatrzymał ją policjant.

– Nie wolno tu wchodzić, proszę pani. Pali się kilka budynków. Jest niebezpiecznie. Musi pani zaczekać tutaj. – Wskazał taśmę, odgradzającą teren, na który nie było wstępu. Sasha próbowała dojrzeć, które budynki się palą. Wyglądało na to, że centrum zamieszania było jakoś w połowie przecznicy. Ulicą biegli strażacy dźwigający ciężki sprzęt, w maskach i hełmach. Sasha dostrzegła drabiny wsparte o fronty dwóch budynków i zrozumiała, że ich dom dzieli od pożaru naprawdę niewielka odległość. Patrzyła z bijącym sercem. Gdzie są dziewczyny? Dziś wieczorem miały być w domu… Może czekają na Dziesiątej Alei, po przeciwnej stronie Trzydziestej Dziewiątej? Wyjęła telefon, żeby zadzwonić, i patrzyła, jak na miejsce akcji wjeżdżają dwa wozy z Engine 34, remizy odległej od ich domu zaledwie o przecznicę.

– Jasna cholera! – krzyknęła zdenerwowana, gdy Claire odebrała. – Co się stało? Czemu któraś z was do mnie nie zadzwoniła?

– I tak byś nic nie mogła zrobić. Nie chciałyśmy psuć ci randki. Zaczęło się palić pół godziny po twoim wyjściu i od razu wyszłyśmy z domu. Najpierw zapalił się jeden budynek, a jakąś godzinę później następny. I nie wygląda na to, żeby sytuacja była opanowana.

– Kurczę, to tylko dwa domy od naszego. Gdzie jesteście?

– Na Dziesiątej. Morgan poszła do Maxa, żeby przynieść trochę wody w butelkach. Aż tutaj czuje się żar.

W powietrzu unosił się ciężki dym. Sasha widziała, jak dwóch strażaków w maskach znosiło po drabinie owiniętych w koce ludzi. Jedna ze znoszonych osób się nie poruszała, drugą była staruszka o przerażonej twarzy. Walące z wnętrza budynków czarne kłęby świadczyły, że niewiele tam już pozostało z ludzkiego dobytku… A czego nie pożarły płomienie, zalewały teraz

44

potężne strumienie wody, kierowane pod ciśnieniem na płonące domy. One też mogą wkrótce stracić dach nad głową. Nagle nie wiadomo dlaczego ogień skręcił na zachód i na oczach patrzących zajął odległy budynek po przeciwnej stronie ulicy. Ulga, jaką poczuła Sasha, widząc, że pożar ominął ich dom, wywołała w niej poczucie winy. Współczuła ludziom, których dom stanął w płomieniach.

– Zaczyna być nieciekawie – powiedziała przygnębiona. – Właśnie znieśli jakąś staruszkę, nałożyli jej maskę i umieścili w karetce, a teraz znoszą dwie następne.

– Zamierzasz im pomóc? – spytała Claire. Sasha obserwowała scenę rozszerzonymi z wrażenia oczami.

– Nie jestem tam potrzebna, chyba że któraś z tych staruszek zacznie rodzić. Są trzy wozy pełne sanitariuszy, wiedzą lepiej ode mnie, co robić. – Właśnie przejechały koło niej z rykiem syren dwa ambulanse.

Rozmawiały jeszcze z Claire przez godzinę. Żadna nie chciała opuścić miejsca, gdzie stała, i przeoczyć czegoś ważnego z rozgrywającego się dramatu. Wreszcie po godzinie dym wydobywający się przez dachy i otwory okienne pobielał: pożar zaczynał być pod kontrolą. Wciąż śmigały karetki, Sasha straciła już rachubę, ile ich było. Dwukrotnie minęły ją nosze, a na nich okryte kocem nieruchome ciała… Ciężko było na to patrzeć. Jakiś strażak wyciągnął z płomieni kolegę, rannego odniesiono do ambulansu. Wozy strażackie i karetki zjechały się z całego miasta.

Była druga w nocy, kiedy żar zaczął powoli przygasać, wciąż jednak ze wszystkich trzech spalonych domów wychodzili strażacy, dźwigając ludzkie ciała. Do uszu Sashy dobiegła rozmowa policjantów, wynikało z niej, że jak dotąd jest siedem ofiar śmiertelnych i pięcioro rannych, w tym strażak, którego niedawno wyniesiono. Zadzwoniła jeszcze raz do Claire, z którą były już Morgan i Abby. Morgan zaproponowała, żeby spotkać się w restauracji Maxa, pół przecznicy od miejsca, gdzie stały, na przeciwległym końcu ulicy. Ich budynek nie był już zagrożony, ale powiedziano im, że minie jeszcze godzina lub dwie, zanim będą mogły wrócić do domu. Sasha była pewna, że w środku będzie śmierdzieć dymem. Ale przecież mało brakowało, by w ogóle straciły dom, gdyby wiatr nie zmienił kierunku... Idąc okrężną trasą na Dziesiątą Aleję, gdzie miały się spotkać, Sasha myślała o ludziach, którzy zginęli tej nocy.

Po drodze do knajpki Maxa milczały. Max zamknął lokal pół godziny temu, a teraz liczył kasę, personel sprzątał. Parę razy wychodził sprawdzić, co się dzieje, i donieść im wodę, a potem wracał do pracy. Mieli za sobą noc pełną wrażeń.

– Nieźle się paliło – powiedział, kiedy się pojawiły. Wszystkie były bardzo zmęczone, Sasha kuśtykała na wysokich obcasach Claire. Pozostałe dziewczyny, w podkoszulkach, szortach i jakichś przypadkowych butach sprawiały wrażenie, jakby pośpiesznie wrzucały na siebie, co popadnie.

– Siedem osób nie żyje – szepnęła ze smutkiem Sasha. – To pewnie głównie ludzie starsi, zginęli od zatrucia dymem. – Nie miały wśród nich przyjaciół, ale wielu sąsiadów znały z widzenia. Jeden ze strażaków powiedział Morgan, że zaczęło się od spięcia w sieci elektrycznej w budynku, który nie został wyremontowany i nadal miał starą instalację, a że był objęty regulacją czynszu, wciąż mieszkało tam kilku dawnych lokatorów.

Wypiły we cztery butelkę wina i wreszcie o wpół do czwartej nad ranem pozwolono im wrócić do domu. W całym budynku śmierdziało dymem. Pootwierały wszystkie okna i dla lepszej wentylacji włączyły klimatyzację, ale słusznie zakładały, że minie parę dni, zanim odór dymu się ulotni. Odległe zaledwie o dwa domy kamienice nadal się tliły, a strażacy zlewali je wodą i z zewnątrz, i wewnątrz. Nic z ludzkiego dobytku nie ocaleje – czego nie strawił pożar, pochłonie woda.

– Boże, to było tak blisko – westchnęła Morgan, siadając obok Maxa na kanapie. – Mogłyśmy wszystko stracić. – W pośpiechu nie zabrały ze sobą nic, jedynie Abby złapała laptop ze swoją powieścią, a Claire wrzuciła do torebki kilka zdjęć rodziców. Reszta wydawała się nieważna, ale okropne byłoby stracić dach nad głową… Już dawno zainstalowały w swoim lofcie detektory dymu, chociaż nigdy dotąd pożar nie podszedł tak blisko. To było dziwne i przytłaczające uczucie, zwłaszcza że zginęli ludzie.

Była już piąta rano, kiedy się wreszcie położyły.

– Ale ale, jak tam randka? – spytała jeszcze Claire. Wśród wrażeń związanych z pożarem Sasha zdążyła kompletnie o niej zapomnieć.

– Bez sensu – odparła. – Totalna strata czasu. Wolałabym zostać z wami w domu albo popracować, albo się wyspać. – Ziewnęła. – Przyjemnie na gościa popatrzeć, ale rozmawiać z nim nie ma o czym.

– Jest jeszcze poza nim paru sensownych facetów – przypomniała jej Morgan, ale Sasha nie wyglądała na przekonaną. Claire pokręciła głową.

– Ostatni sensowny egzemplarz dostał się tobie – powiedziała z uśmiechem.

– Sasha, ale czegoś ty się, na litość boską, spodziewała po gościu, który prezentuje gatki przed obiektywem? – zauważyła sarkastycznie Morgan.

– Wciąż robił mi zdjęcia, żeby pokazać znajomym na Instagramie – poskarżyła się Sasha. – Pewnie napisał, że był na randce z Valentiną. – Morgan i Claire też uważały to za prawdopodobne. Medyczne umiejętności Sashy raczej nie zrobiły na nim wrażenia, ale na wiadomość o randce z Valentiną wszyscy jego znajomi padną z wrażenia. Morgan aż jęknęła na myśl, że zdjęcia znajdą się na Instagramie.

– No, ale przynajmniej próbowałaś – podsumowała.

– Claire, jak ty, do diabła, możesz chodzić na tych obcasach? – spytała Sasha. – Cały czas się bałam, że się przewrócę i złamię sobie biodro.

– No przecież nie możesz iść na randkę w drewniakach albo kroksach – odparła Claire i wszystkie się roześmiały.

– Dlaczego? Na poprzedniej randce tak zrobiłam. Facet był stażystą na ortopedii. Spotkaliśmy się zaraz po pracy, tak jak staliśmy. Dość miło nam się gadało… dopóki nie powiedział, że jest zaręczony, ale nie ma pewności, czy to na stałe, więc sprawdza, jak to jest z innymi, żeby się przekonać, co naprawdę czuje do narzeczonej.

– Urocze – skomentowała Morgan.

– Ale ze mną chyba mu kiepsko wyszło, bo słyszałam, że czwartego lipca się ożenił. Ona jest pielęgniarką na intensywnej terapii. Może myślał, że bardziej odpowiadałaby mu lekarka? A może oni wszyscy mają źle w głowie… Chwała Bogu, że nie mam czasu na randki, nie wiem, czemu dziś zawracałam sobie głowę. – Ale tak naprawdę wiedziała – bo uznała, że powinna dać sobie szansę. Siostra zawsze jej wyrzucała, że nie ma życia osobistego, i miała rację. Ale Sashy wcale to nie przeszkadzało.

– Dwie nieudane randki to nie powód, żeby żyć jak zakonnica. A ty, Claire, to już w ogóle nie masz żadnej wymówki – zauważyła Morgan. – Dziewczyny, nie możecie zawsze być same! Trzeba się trochę wysilić, żeby znaleźć odpowiedniego faceta.

– I co dalej? Ślub, a potem nienawidzicie się do końca życia – mruknęła niechętnie Claire. Między jej rodzicami nie było nienawiści, ale według niej ojciec zrujnował matce życie. A co gorsza, matka mu na to pozwoliła.

– Nie zawsze tak się kończy – upierała się Morgan, choć tak właśnie skończyło się w przypadku jej rodziców, którzy przede wszystkim w ogóle nie powinni się pobierać. Jej pokolenie było ostrożniejsze i o wiele bardziej przezorne, wybierając męża czy żonę, albo po prostu mieszkali razem bez ślubu, co miało dla niej większy sens. Powody, dla których pobierali się ich rodzice, były już nieaktualne. Poświęcanie dla mężczyzny własnego życia, kariery zawodowej, rodzinnego miasta wydawało się kiepskim pomysłem. Z reguły dawało żałosne efekty, jak w wypadku rodziców Claire i Morgan.

– Ja w każdym razie dam sobie na razie spokój z tym całym randkowaniem – powiedziała z ulgą Sasha.

– Jak to, nokautujesz siebie samą? – oburzyła się Morgan. – Nie możesz się poddawać po jednej nudnej randce! To śmieszne.

– Nie, to śmieszne spotykać się z facetami, z którymi nie ma się nic wspólnego – odparła Sasha, ale była zanadto zmęczona, aby ciągnąć temat. Powiedziała koleżankom dobranoc i poszła do sypialni. O szóstej powinna być w pracy, żeby odbierać przychodzące na świat dzieci. Jej życie było zbyt realne, żeby miała się przejmować facetami takimi jak Ryan… i aż tak znowu nie zależało jej na posiłku w restauracji. Wyciągnęła się na łóżku i przymknęła oczy, a Ryan osunął się w niepamięć, gdzie było jego miejsce. Jaka to była długa noc, przerażająca dla tych, którym groziła utrata domu, tragiczna dla tych, co zginęli… W porównaniu z tym wszystkim jej randka była kompletnie bez znaczenia. Zapadła w głęboki sen, wdzięczna losowi, że może pospać chociaż pół godzinki, a przede wszystkim za to, że nadal mają bezpieczny dach nad głową.

3

ABBY ZNOWU MALOWAŁA DEKORACJE, a Ivan był na lunchu z agentem teatralnym, kiedy do teatru weszła jakaś
dziewczyna, ładna, bardzo młoda i wyraźnie zagubiona.
Miała pokaźny biust, niemal wypadający z podkoszulka
na ramiączkach, i obcisłe dżinsy, a długie blond włosy
sprawiały wrażenie, jakby dopiero co wstała z łóżka. Abby pomyślała, że być może Ivan wyznaczył jej przesłuchanie, ale przecież ani w sztuce, którą właśnie grali, ani
w następnej nie mieli roli dla dziewczyny w jej wieku.

Przerwała malowanie i spojrzała na przybyłą.

– Mogę w czymś pomóc?

– Ja… przyniosłam coś dla pana Jonesa. Powiedział,
że mogę zostawić to dla niego w teatrze. Czy może go
zastałam?

Abby pokręciła głową. Zauważyła, że dziewczyna
przyciska do piersi grubą kopertę.

– To… to jest sztuka, którą napisałam – ciągnęła. –
Powiedział, że rzuci na nią okiem. Jestem aktorką, ale
od dwóch lat pracuję nad tą sztuką. Chyba potrzebuję
pomocy, i obiecał mi ją. Nazywam się Daphne Blade.

To, co mówiła, potrąciło w pamięci Abby jakąś stru-
nę. Ona też trzy lata temu przyszła do teatru z dokładnie taką samą kopertą, a Ivan przekonał ją wtedy, żeby

spróbowała napisać sztukę zamiast powieści, i obiecał ją wystawić. W głowie Abby włączył się dzwonek alarmowy. Poczuła niebezpieczeństwo.

– Czy pani jest scenografką? – spytała dziewczyna z ciekawością.

– Nie, ja też piszę sztuki. Wszyscy tu wykonujemy różne dziwne zawody, malujemy, sprzedajemy bilety przed spektaklem, sprzątamy teatr… Może pani zostawić kopertę mnie, przekażę mu, jak wróci – powiedziała spokojnie, starając się nie okazywać niepokoju czy podejrzliwości. Przecież nie było żadnego powodu do obaw, Ivan miał prawo czytać sztuki innych autorów – nawet jeśli wystawiał wyłącznie własne utwory, które zresztą nigdy nie miały dobrych recenzji albo nawet w ogóle nie zasługiwały na skromną notkę w prasie. Był wściekły, że każda sztuka, którą wystawił i wyreżyserował, zostaje zignorowana. Nawet ci z krytyków, którzy zajmowali się Off Off Broadwayem, jego prace pomijali milczeniem. To była największa ze wszystkich obelg. Miał niewielką grupkę zwolenników, którzy wspierali go finansowo, tak by wiązał koniec z końcem, i wierzyli w jego pracę. Nigdy jednak nie użył tych pieniędzy, by wystawić którąś ze sztuk Abby.

– Czy nie będzie pani przeszkadzało, jeśli poczekam? – spytała dziewczyna, wciąż przyciskając kopertę do piersi, tak jakby ktoś miał ją ukraść. Abby też zwykle czuła to samo, choć bardziej dotyczyło to niedokończonej powieści niż eksperymentalnych sztuk, których żądał od niej Ivan. Wydawały się jej zresztą nienaturalne i wymuszone. Ale ufała mu.

– Absolutnie nie, ale to może trochę potrwać, być może nawet długo – odparła Abby. – Zdaje się, że miał jeszcze załatwić jakieś sprawunki. – Troszkę to było irytujące mieć ją tu obok, czekającą na Ivana niczym na przyjście Mesjasza albo na głos wyroczni. Ona też tak Ivana traktowała. Styl jego pisania był dziwny i jakiś odległy od rzeczywistości, ale miał tak rozległą wiedzę na temat wszystkiego, co dotyczy teatru eksperymental-nego, że Abby uważała go za jednego z niedocenianych bohaterów swoich czasów. I najwyraźniej dziewczyna też. Usiadła w drugim rzędzie, gotowa czekać, a Abby wróciła do malowania dekoracji, choć trochę drżały jej ręce. Malowała właśnie wielkiego diabła, który miał być użyty w drugim akcie, i cała, łącznie z włosami, była spryskana czerwoną farbą, co wyglądało jak krople krwi.

Dziewczyna siedziała w kompletnej ciszy przez bite dwie godziny i czytała książkę, którą przyniosła. Abby niemal zapomniała o jej obecności, choć nie do końca. Wreszcie nieśpiesznym krokiem wszedł Ivan. Z uśmie-chem podszedł do sceny, gdzie pracowała.

– Jak idzie? – spytał, mając na myśli diabła. – Mam nadzieję, że wyszedł odpowiednio straszny? – Spojrzał jej w oczy z uśmiechem i jak zawsze, gdy na nią patrzył, Abby poczuła, że uginają się pod nią kolana. Hipnoty-zował ją, czuła, że zrobiłaby dla niego wszystko. Nagle oboje podskoczyli: z pogrążonej w mroku widowni ode-zwał się jakiś głos. Wcześniej Abby wyłączyła światła, pozostawiła tylko reflektory skierowane na scenę, gdzie pracowała, i zapomniała o obecności kobiety.

Ivan obrócił się i ze zdumieniem dostrzegł dziew-czynę, która wpatrywała się w niego z uwielbieniem. Abby też to zauważyła i wcale się jej to nie spodobało. W powietrzu wisiało coś złowieszczego.

– Co pani tu robi? – Ivan był wyraźnie zdziwiony.

– Powiedział pan, żebym przyniosła do oceny moją sztukę – przypomniała dziewczyna.

– A tak, rzeczywiście – powiedział, jakby o tym zapomniał, i uśmiechnął się. Morgan zawsze porównywała go do Rasputina w tym, jak działał na kobiety, a Sasha wprost mówiła, że to drań. Abby jednak widziała w nim coś, czego one nie dostrzegały, i najwyraźniej ta młoda dziewczyna także. – Przeczytam w niedzielę albo w poniedziałek, kiedy teatr jest nieczynny, i dam pani znać, co o tym myślę. – I nagle jakby wpadł mu do głowy jakiś pomysł. – Albo wie pani co? Chodźmy na kawę i opowie mi pani o niej w paru słowach – zaproponował. – Skoro już zadała sobie pani trud i poczekała na mnie, to lepiej żebym wiedział, co chciała pani w tej sztuce osiągnąć, tak żebym nie przeoczył pani intencji.

Abby wiedziała równie dobrze jak on, że utwór sceniczny nie wymaga interpretacji autora. Powinien przemawiać sam przez się. Nic jednak nie powiedziała i nadal malowała, udając, że nie słucha.

Dziewczyna natychmiast się zgodziła i po chwili wyszli z Ivanem z teatru, pogrążeni w rozmowie o sztuce i jej przesłaniu. Abby poczuła mdłości. Wszystko to słyszała już wcześniej… Wszystko to mówił jej trzy lata temu! Widywała go już, jak flirtował z innymi młodymi dziewczynami, aktorkami, które przesłuchiwał, młodymi reżyserkami szukającymi pracy, ale nigdy nie traktowała tego poważnie ani nie czuła się zagrożona. Tym razem jednak, z jakichś nieznanych przyczyn, tak się poczuła. Dziewczyna wyglądała tak niewinnie, a zarazem była tak oddana, a on mówił do niej z takim przejęciem…

Wrócił godzinę później, bez dziewczyny.

– Jej ojciec ma kupę hajsu i jest gotów wesprzeć każdą sztukę, którą ktoś jej wystawi – wytłumaczył Abby, żeby się nie martwiła. Nie chciał jej sprawiać przykrości. – Jestem pewien, że żadna z niej pisarka, ale pieniądze nie śmierdzą. Jeśli jej nadziany tatuś zechce nas wspomóc finansowo, to jestem gotów, cholera, przeczytać wszystko, byleby teatr dalej działał. Cóż to szkodzi. – To przynajmniej tłumaczyło, czemu tak chętnie rozmawiał z dziewczyną i tak interesował się jej sztuką. – Człowiek musi się trochę prostytuować dla dobra ogółu. Nie tak jak twoi rodzice, dla mas, bo to najgorszy rodzaj sprzedawania się… ale czasem zdarzają się cuda i może twój ojciec da nam kiedyś takie wsparcie, jakiego potrzebujemy.

Abby westchnęła. Chciała wierzyć, że to, co mówi Ivan, dlaczego zainteresował się dziewczyną i jej sztuką, to prawda. Nie była do końca pewna, ale bardzo chciała rozstrzygnąć wątpliwości na jego korzyść. No i tak podobał mu się diabeł, którego dziś malowała, chociaż większość czerwonej farby miała na koszulce i włosach.

A on spytał, czy nie przyszłaby do niego dziś wieczorem, kiedy on wróci z kolacji z przyjacielem, który ma kłopoty z kobietą i chce o tym pogadać.

– Czy północ to nie będzie za późno? – spytał, pieszcząc jej kark i wędrując dłonią ku jej piersi, a ona miękła pod jego dotykiem.

– Nie, w sam raz – szepnęła. Do tego czasu będzie padać ze zmęczenia, ale perspektywa, że zaśnie w jego ramionach, nasycona jego miłością, była zbyt kusząca, aby się oprzeć. Był wyrafinowanym kochankiem, dobrze rozumiejącym ciało kobiety i seks z nim działał jak narkotyk, dzięki któremu mogła zapomnieć o wszystkim:

55

i o tym, że wciąż nie wystawia jej sztuk, i nawet o tej bogatej z domu dziewczynce, co czekała na niego całe popołudnie.

– Przyjdę o północy – obiecała, gdy ją całował.

Przypomniała sobie, że niektóre z jej koleżanek zamierzały pójść w sobotę wieczorem do knajpki Maxa. Może i on tym razem zechce do nich dołączyć po spektaklu? Nigdy nie powiedział, że nie lubi jej współlokatorek, ale łatwo było to wyczuć. To było zresztą wzajemne. Unikał ich, jak mógł, więc kiedy zaprosiła na sobotę i jego, mocno się wahał.

– Chyba będę zanadto zmęczony po spektaklu. Nie lubię tłumu ludzi i hałaśliwych knajp. Ale dziękuję, że o mnie pamiętałaś. Może innym razem? – Skinęła głową i nie nalegała. Wiedziała, ile z siebie daje podczas przedstawienia. – Ale ty idź, jak masz ochotę. Ja wrócę do domu i położę się do łóżka.

Zaproszenie na sobotę do knajpy Maxa było niezobowiązujące, obejmowało każdego, kto nie ma innych planów. Ale ich niedzielne kolacje w lofcie to była cotygodniowa tradycja, w której uczestniczyli wszyscy wybrani.

– No to może wpadłbyś do nas na kolację w niedzielę wieczorem? – spytała nieśmiało. Czuł się niezręcznie w towarzystwie jej przyjaciółek i prawie nigdy nie brał udziału w tych niedzielnych spotkaniach. Zawsze miał jakąś wymówkę, żeby ich uniknąć.

– Muszę się spotkać z księgowym – powiedział szybko. – A teraz jeszcze mam do przeczytania sztukę tej dziewczyny, tak żebyśmy mogli wyrwać od jej tatusia trochę kasy. Pójdziemy na kolację w przyszłym tygodniu, tylko we dwoje – obiecał. Ale zawsze traktował tego typu plany swobodnie i nigdy nie pamiętał, że obiecał jej jakiś wieczór. Jedynym sposobem, żeby spędzić z nim trochę czasu, było czekać na właściwy moment, kiedy będzie miał nastrój i nie będzie zanadto wyczerpany pisaniem albo spektaklem. Nie była zaskoczona, że odmówił – przywykła do tego. Był twórcą do szpiku kości, niełatwo go było do czegoś zmusić, i więcej nie próbowała.

Zostawiła go w teatrze i poszła do domu, żeby zmyć z siebie farbę i doprowadzić się do ładu przed nocnym spotkaniem w jego studio. Nie lubił braku prywatności w jej mieszkaniu i wspólne noce, gdy już się przydarzały, wolał z nią spędzać u siebie. Mieszkanko było malutkie i nieporządne, ale byli sami i mieli pełną swobodę, jeśli chodzi o różne niesamowite rzeczy, które robili w łóżku.

Na pożegnanie pocałował ją jeszcze raz i tamta dziewczyna wydała się teraz Abby bez znaczenia. Była środkiem do celu, kasą na teatr, której tak potrzebował, wiedziała o tym. Nawet jego stali sponsorzy mieli ograniczone fundusze. Często grali przy widowni w połowie pustej – niewielu ludzi rozumiało pisarstwo Ivana, było bardzo nieprzejrzyste.

Parę razy, kiedy był szczególnie spłukany, Ivan poprosił ją o pożyczenie pieniędzy na czynsz za lokal teatru. Pożyczała mu, a potem jej samej brakowało przez najbliższe parę tygodni. Nie chciała prosić rodziców o pieniądze dla niego, bo nie akceptował ich pracy i mówił o tym bez ogródek. Cokolwiek mu dawała, pochodziło z oszczędności. Zawsze złościł się na jej rodziców, że nie chcą wesprzeć jego teatru, chociaż, jak sądził, byli bardzo bogaci. Nigdy mu nie powiedziała, że ojciec uważa go za oszusta, który pisze głupoty bez sensu i bez przyszłości. Ojciec chciał, żeby Abby wróciła do pisania „normalnych" tekstów, zamiast czegoś, co uważał za eksperymentalne „śmieci". A Ivan nie lubił ich tak samo, jak oni jego.

Kiedy o północy dotarła do kawalerki Ivana, był pogrążony w głębokim śnie. Otworzył jej rozczochrany i w pierwszej chwili wydawał się zdziwiony, ale zaraz otoczył ją ramionami. Był nagi i najwyraźniej mu to nie przeszkadzało – noc była ciepła, w mieszkanku nie było klimatyzacji. Po przejściu pieszo siedmiu pięter Abby brakowało tchu, a zabrakło jeszcze bardziej, kiedy ściągnął z niej ubranie i zaczął się z nią kochać, zanim jeszcze dotarli do łóżka. Kochali się przez całą noc i zasnęli objęci dopiero o świcie. Właśnie noce takie jak ta trzymały ją przy nim i usuwały na bok wszelkie jej wątpliwości i rozczarowania. Umiał zawrócić jej w głowie, oszołomić ją, rozpalić! Grał na jej ciele jak na harfie.

W sobotni wieczór Sasha dyżurowała pod telefonem, ale wpadła do knajpki Maxa na kolację. Morgan już tam była, Claire nie miała innych planów i zabrała się z Sashą, a Abby powiedziała, że być może wstąpi po drodze z teatru. Ich plany na sobotni wieczór zawsze były niejasne, a Max trzymał dla nich stolik po prostu na wszelki wypadek.

– Ivan przyjdzie? – spytała Sasha w nadziei, że nie.

– Nie, Abby powiedziała, że będzie „zbyt zmęczony" po spektaklu. Dzięki Bogu – odparła Claire.

Sasha modliła się, żeby jej nie wezwano, ale na wszelki wypadek nie zamierzała pić. Oliver i Greg powiedzieli, że też być może przyjdą, Sasha zaprosiła Valentinę, ale ona wyjechała na weekend z nowym mężczyzną na wyspę Świętego Bartłomieja. Powiedziała, że to Francuz, świetny facet, że ma sześćdziesiąt lat i jest multimilionerem i że właśnie przeprowadził się do Nowego Jorku. Wszyscy mężczyźni, z którymi spotykała się Valentina, mogliby być jej ojcami, Sasha nie była zaskoczona. Wyglądało na to, że Valentina oddaliła się od ojca i teraz robi co może, żeby zrekompensować sobie jego brak.

Gadały sobie, gdy zjawili się Oliver z Gregiem, opaleni i wypoczęci. Sierpień spędzili nad morzem, w Hamptons, gdzie razem ze znajomymi wynajmowali dom. Przywitali się entuzjastycznie.

Zamówili wino dla wszystkich z wyjątkiem Sashy, a Max podał trochę przekąsek. W restauracji zrobił się tłok. Rozmawiali o niedawnym pożarze w sąsiedztwie, który tak je wystraszył, Claire znowu skarżyła się na swoją francuską praktykantkę, Morgan powiedziała, że ma masę nowych klientów, a Sasha miała nadzieję, że w najbliższych miesiącach będzie pracowała w klinice leczenia niepłodności i bardzo się tym ekscytowała. Zgodziły się, że kupią nową kanapę z czarnej skóry, którą wyszukała im przez swoje kontakty matka Claire, a Oliver powiadomił, że zamierzają z Gregiem na Święto Dziękczynienia wydać u siebie w domu obiad dla wszystkich, którzy nie jadą do domu. Dzielili się nowinkami, robili wspólne plany na jesień, a Morgan zaproponowała, żeby na jakiś weekend pojechać na narty do Vermont i zamieszkać w schronisku. Uznano, że to świetny pomysł. Max i Morgan byli zapalonymi narciarzami, Oliver i Greg też, a Sasha orzekła, że pojedzie z miłą chęcią, jeśli tylko nie będzie w ten weekend dyżurować pod telefonem. Claire nie jeździła na nartach, ale powiedziała, że być może też się wybierze, po prostu żeby być razem z nimi. Zapowiadała się świetna wycieczka, choć jak dotąd często o tym mówili, ale nigdy nie zdołali ustalić daty, która odpowiadałaby wszystkim.

Zamówili ulubione dania, spróbowali nowych, które Max dodał do menu i polecał. Sasha doprowadziła wszystkich do śmiechu opowieścią o swojej randce z modelem prezentującym bieliznę. Nie spodziewała się, żeby jeszcze do niej zadzwonił, i nie liczyła na to. Właśnie skończyła opowiadać, gdy przyszła Abby, lekko potargana i zarumieniona, przepraszając za spóźnienie i za nieobecność Ivana; jest zmęczony – powiedziała – i poszedł do domu się położyć. Nikomu go nie brakowało, ale wszyscy ucieszyli się na widok Abby. Kelner sprzątnął talerze ze stołu, a oni zamówili desery i cappuccino.

W chwilę później Sasha dostała SMS-a. Zmarszczyła brwi.

– Komu w drogę, temu czas.

Miała na sobie znoszone dżinsy i różowy sweterek, a w kitel mogła się przebrać w szpitalu, nie musiała więc iść do domu. Wzywano ją z powodu bliźniaczego porodu. Matka została przyjęta do szpitala tydzień temu, żeby powstrzymać przedwczesną akcję porodową, ale dłużej nie dało się jej opóźniać. Do właściwego terminu pozostał jeszcze miesiąc i pojawiły się komplikacje. W SMS-ie pisano, że rozwarcie szybko się zwiększa, i wzywano Sashę, by stawiła się natychmiast.

– Obowiązki wzywają. – Wstała i pocałowała się z każdym na pożegnanie. – Widzimy się jutro. Aha – dodała, ściskając Olivera – piszę się na Święto

Dziękczynienia, jeśli oczywiście nie będę w pracy. Już nie daję rady z tą wieczną walką między rodzicami… Każde chce mnie przeciągnąć na swoją stronę i zawsze ktoś jest wkurzony. Pewnie i tak będę tego dnia w szpitalu, ale gdyby nie, możecie na mnie liczyć. Powiem Valentinie, ale ona na pewno będzie z nowym facetem w jakimś Gstaad albo Dubaju. – Valentina od lat nie jeździła do domu na święta, z tych właśnie powodów, o których wspomniała Sasha. Zbyt przypominało to przeciąganie liny, przy czym liną tą była Sasha, ciągnięta w przeciwne strony przez rodziców, którzy siedem lat po rozwodzie wciąż byli w stanie wojny.

– Bardzo nam będzie miło – zapewnił ją Oliver. Wiedziała, że Święto Dziękczynienia w ich domu będzie cudowne i ciepłe. Mieli piękne mieszkanie, lubili przyjmować przyjaciół i potrafili to robić, w przeciwieństwie do Morgan, która nie była taką domatorką jak brat i nie potrafiła gotować tak dobrze jak Max. Rok temu to Max urządzał dla nich Święto Dziękczynienia.

Chwilę potem Sasha wyszła, a reszta wróciła do robienia planów na jesień. Jadąc taksówką do szpitala, wciąż się uśmiechała na wspomnienie wieczoru z przyjaciółmi. Przemknęła przez izbę przyjęć i pobiegła korytarzem do windy, która zawiozła ją na oddział położniczy, gdzie na nią czekano.

W windzie złapała się na tym, że myśli o Valentinie. Ciekawe, jak tam jej jest na wyspie Świętego Bartłomieja, z mężczyzną… Jej romanse trwały zwykle najwyżej parę miesięcy. Widać ani ona, ani Sasha nie potrafią przywiązać się do nikogo na dłużej. Oczywistą przyczyną było niedobre małżeństwo ich rodziców, toksyczne na długo przedtem, zanim się rozwiedli.

Valentina była odrobinę zanadto rozrywkowa i niewymagająca, jeśli chodzi o mężczyzn – wystarczało, że są bogaci i starzy. A co do niej, to była „zbyt zajęta", żeby zaangażować się na serio – choć przecież inni lekarze, a nawet stażyści najwyraźniej znajdowali czas na związki i małżeństwa. Sasha jednak na razie nie widziała siebie w tej roli. A może nawet nigdy? Zanadto się bała, że wszystko skończy się źle.

Myśląc o tym, wybiegła z windy i wpadła na lekarza w białym fartuchu. Szedł na porodówkę, tak jak ona, i o mało nie zwaliła z nóg jego i siebie.

– Przepraszam! – jęknęła, a on ją podtrzymał. Podniosła na niego oczy: już go kiedyś widziała, ale nie wiedziała, kim jest. I natychmiast pobiegła dalej, zmieniła ubranie i buty i po paru minutach była na sali, gdzie trwał poród bliźniąt.

Rodziła kolejna starsza matka, choć mężczyzna obok niej wydawał się o wiele młodszy. Ostatnio widywali tu wszelkie możliwe kombinacje, mężczyznę i kobietę, pary tej samej płci, starszych i starsze, młodszych i młodsze, pacjentki z niepłodnością, które teraz były w ciąży mnogiej po zapłodnieniu własnego jajeczka lub pochodzącego od dawczyni… Istniało mnóstwo możliwości, ale prawie nie widywano tu bliźniąt identycznych, jak ona z Valentiną, jako że mogą się one pojawić wyłącznie w sposób naturalny. Hormony stosowane w leczeniu niepłodności wywołują ciąże mnogie, ale bliźnięta są wówczas zwykłym rodzeństwem, nie identycznym, co jest darem natury.

– Dzień dobry, jestem doktor Hartman – przedstawiła się pacjentce z krzepiącym uśmiechem. Kobieta miała ostre bóle i nie była znieczulona. Rozważali cesarskie cięcie, ale na razie się na nie nie zdecydowali, zwłaszcza że kobieta chciała urodzić naturalnie. Ból sprawiał jednak, że była bliska zmiany zdania. Płakała, a młodszy mężczyzna obok niej gładził ją po głowie, trzymał za rękę i mówił coś uspokajająco.

– To o wiele gorsze, niż myślałam – zdołała wykrztusić. Sasha zaproponowała jej znieczulenie, kobieta się zgodziła i Sasha poszła do dyżurki pielęgniarek, żeby przysłali na salę anestezjologa. Po dwóch minutach była z powrotem. Kobieta miała kolejny ostry skurcz i krzyczała.

– Za chwilę poczuje się pani lepiej – zapewniła ją i rzeczywiście, niemal natychmiast pojawił się dyżurny anestezjolog. Szczęśliwym zbiegiem okoliczności był w pobliżu, wychodził właśnie z innej sali. Przygotował kobietę do znieczulenia zewnątrzoponowego i po piętnastu minutach, które rodzącej wydawały się wiecznością, na jej twarzy pojawił się uśmiech ulgi. Skurcze widać było teraz na monitorze, ale ich nie czuła. Jej młody mąż też się najwyraźniej odprężył, choć kiedy Sasha weszła, był wyraźnie przerażony. Sasha miała doskonałe podejście do pacjentek, umiała je uspokoić i wywołać wrażenie, że wszystko jest pod kontrolą, podejmowała też szybkie, trafne decyzje. Wszyscy lekarze, którzy odbywali z nią praktykę, byli pod wrażeniem. Teraz musiała zdecydować, czy będą robić cesarskie cięcie, czy pozwolą kobiecie urodzić naturalnie. Choć dzieci rodziły się o cztery tygodnie za wcześnie, ich serca biły mocno i był to argument za tym, by pozwolić im wyjść przez naturalny kanał porodowy i skłonić do samodzielnego oddychania.

Skonsultowała się z rodzącą i jej mężem. Oni także chcieli, jeśli się da, uniknąć cesarki. Szef stażystów

zaaprobował tę decyzję i przetoczono łóżko z pacjentką do innej sali, a w ślad za nim przeszedł cały zespół:
anestezjolog, pielęgniarka, ojciec dzieci i dwóch innych
lekarzy, wezwanych, bo w drodze były dwojaczki. Na sali
czekało już na nich dwóch pediatrów, w jednym z nich
Sasha rozpoznała lekarza, którego omal nie przewróciła,
kiedy wybiegła z windy. Najwyraźniej też był stażystą,
z intensywnej terapii na neonatologii. No tak, przecież
formalnie rzecz biorąc, bliźnięta były wcześniakami.
Ale trzydziestosześciotygodniowe noworodki to dość
normalne, a monitory umieszczone na brzuchu matki
i wewnętrznie wskazywały, że dzieci mają się dobrze.

Zmniejszono znieczulenie, żeby rodząca mogła
skutecznie przeć, i znowu zaczęła krzyczeć. Mówiła,
że strasznie ją boli.

– No to wypchnijmy te dzieci na zewnątrz i będzie
po wszystkim – powiedziała lekkim tonem Sasha, pilnie
obserwując wszystko, co się dzieje. W sali wyczuwało
się napięcie i oczekiwanie. Mówiła matce, kiedy ma
przeć, ale ta potrafiła jedynie krzyczeć i płakać. Sasha
wiedziała, że jeśli poród będzie się przedłużał, nie unik-
ną cesarki, żeby oszczędzić dzieciom niepotrzebnego
stresu. Zaczęła wydawać polecenia zdecydowanym,
twardym tonem, wtrącając zarazem kojące, współczu-
jące słowa, i wkrótce między nogami kobiety ukazała
się główka. Sasha szybkim, pewnym ruchem uwolniła
ramionka dziecka, a potem resztę ciała, i oto wyłoniła
się, głośno wrzeszcząc, maleńka dziewczynka. Matka
zaśmiała się przez łzy, po czym znowu zaczęła krzyczeć,
a pielęgniarki wzięły dziecko i przekazały je stażyście
pediatrze, który starannie sprawdzał jego stan. Sasha
tymczasem pomagała urodzić się drugiemu z bliźniąt,

które było większe niż pierwsze i trudniejsze do wydobycia, ale po chwili na świecie pojawił się chłopczyk. Przecięto obie pępowiny. Dzieci wyglądały na zdrowe i oddychały prawidłowo, ale i tak miały być umieszczone w inkubatorze i obserwowane przez kilka dni. Były duże i ważyły po dwa kilo trzydzieści, co jak na bliźnięta urodzone w trzydziestym szóstym tygodniu było świetną wagą.

Wszystko poszło dobrze. Napięcie w sali opadło. Mąż i żona pocałowali się, zachwyceni i szczęśliwi. Pozwolono matce potrzymać przez chwilę dzieci i przystawić je do piersi, po czym przeniesiono je na intensywną terapię neonatologii, gdzie zbadano je i umieszczono we wspólnym inkubatorze. Sasha pogratulowała rodzicom i zajęła się matką, której trzeba było założyć parę niewielkich szwów. Dostała też coś na uspokojenie, bo po tym, co przeżyła, trzęsła się gwałtownie, co też było normalne.

Szyjąc, Sasha prowadziła z nią lekką rozmowę.

– Czy ja już pani mówiłam, że też jestem z bliźniąt? Mam siostrę identyczną jak ja, nazywa się Valentina. Będzie pani miała mnóstwo pociechy ze swoich dzieci. – Paplała tak jeszcze przez chwilę, żeby odwrócić uwagę kobiety od tego, co robiła, po czym sprawdzono jej temperaturę, puls, oddech i ciśnienie i przewieziono z powrotem do jej pokoju. Sasha zostawiła ją pod opieką pielęgniarek, powiedziała, że przyjdzie jutro i na odchodnym jeszcze raz jej pogratulowała.

Ojciec dzieci był na neonatologii. Matka, wyciszona po środkach uspokajających, zasnęła, a Sasha poszła do pokoju lekarskiego, żeby zrobić sobie kawę. Właśnie piła pierwszy łyk, gdy wszedł stażysta z intensywnej opieki neonatologicznej, też na kawę. Oboje byli rozradowani po szczęśliwie zakończonym porodzie. Zegar wskazywał trzecią nad ranem.

– Jak tam dzieci? – spytała Sasha. On przecież zbadał noworodki znacznie dokładniej niż ona.

– Doskonale – odparł z uśmiechem. – Świetną robotę pani zrobiła. Byłem już pewien, że nie obejdzie się bez cesarki, kiedy nie chciała przeć, ale pani bardzo ładnie dała sobie z nią radę.

– Dziękuję. I przepraszam, że o mało pana nie przewróciłam. Śpieszyłam się, żeby zdążyć, zanim urodzi, i nie zwracałam na nic uwagi. Trochę dłużej to trwało, niż myślałam... Nie chciałam wyrzucić pana w powietrze.

– Wątpię, żeby się to pani udało – roześmiał się. Był mocno zbudowany i znacznie wyższy niż ona. – Chociaż nie mogę powiedzieć, starała się pani, jak mogła – zakpił. – Na studiach grałem w nogę.

– Fajnie, że wszystko poszło dobrze – westchnęła odprężona. Oboje wiedzieli, że nie zawsze sprawa kończy się szczęśliwie, a każde niepowodzenie rozdzierało serce. Zdarzyło jej się już parę porodów, kiedy dziecko umarło w trakcie akcji albo urodziło się martwe. To była ta trudna, przygnębiająca część jej pracy, ale dzisiejsza noc była wspaniała i przyniosła dobry rezultat. – W tym tygodniu mieliśmy już trojaczki. Aleśmy się przy nich najedli strachu... Nie było pana przy tym porodzie – zauważyła.

– Słyszałem o nim. Nie, nie było mnie, miałem wolne. Raz na jakiś czas się to zdarza, choć nieczęsto.

Sasha się roześmiała. Dobrze wiedziała, o czym mówi.

– A ja byłam dziś wieczorem pod telefonem. Jadłam kolację z przyjaciółmi, kiedy mnie wezwano – powiedziała, a on pomyślał, że była na randce. Taka piękna kobieta z pewnością co wieczór wychodzi do restauracji.

– No to miałem szczęście, że panią wezwali – rzekł szczerze i uśmiechnął się do niej. Sasha wstała i ruszyła do pomieszczenia z szafkami, żeby się przebrać w ubrania, w których była na kolacji. – Mam nadzieję, że będziemy jeszcze razem pracować – rzucił, gdy znikała w obrotowych drzwiach.

Już jej nie zobaczył przed wyjściem. Po chwili wrócił na neonatologię, żeby sprawdzić stan noworodków.

– Jakaś strasznie seksowna stażystka była dziś na położniczym – powiedział z uśmiechem do pielęgniarki.

Pielęgniarka roześmiała się. Dobrze znała Sashę.

– Niech się pan za bardzo nie podnieca – ostudziła go.

– Zamężna? – spytał rozczarowany, choć go to nie zdziwiło. Większość lekarek, z którymi pracował, było zamężnych. Czyli już ją porwał jakiś szczęściarz...

– Nie, ale to poważna kobieta. Nie flirtuje ani nie romansuje, tylko pracuje. Nigdy nie widziałam, żeby się śmiała i żartowała z mężczyznami.

– Może ma chłopaka – zauważył z niezadowoleniem.

– Nie znam jej życia osobistego, nikomu się na ten temat nie zwierza. Świetnie się z nią pracuje, ale nigdy nie wchodzi w żadne układy osobiste. Z nikim.

– Będę miał na nią oko – powiedział. Teraz, gdy napięcie wieczoru opadło, poczuł nagle, jaki jest zmęczony... Zdał sobie jednak sprawę, że nie zna jej nazwiska ani imienia i zapytał o nie pielęgniarkę.

– Sasha Hartman. Powodzenia – mrugnęła do niego i w chwilę później młody stażysta z neonatologii też opuścił budynek szpitala. Nazywał się Alex Scott. A Sasha wróciła do domu i poszła do łóżka, nie poświęcając mu więcej ani jednej myśli. Myślała tylko o tym, że solidnie popracowali tej nocy i że wcześniej fajnie było się spotkać z przyjaciółmi w knajpce Maxa. Niczego więcej nie potrzebowała do szczęścia.

4

T<small>AK JAK OBIECAŁ</small>, Max przygotował kolację w lofcie w niedzielny wieczór. Podał dwa rodzaje makaronów, sałatkę i steki. Przyniósł też kilka bagietek, świeżo upieczoną focaccię, kilka rodzajów sera i ciasto czekoladowe. Wszyscy byli w dobrych nastrojach i stali nad nim w kuchni, gdy gotował. Morgan i Claire nakryły do stołu. Oliver otworzył wino, żeby oddychało. Greg przygotował sos do sałatki. Abby też była, ale Ivan miał spotkanie z księgowym, a potem chciał przeczytać sztukę Daphny Blake i nie przyszedł. Sasha wróciła z pracy tuż przed podaniem do stołu, nie zdążyła nawet zdjąć nieśmiertelnego niebieskiego kitla. Greg włączył jakąś muzykę i gdy Max nalał wszystkim wina, a Morgan postawiła przed każdym talerz z jedzeniem, atmosfera zrobiła się prawie świąteczna. To była prawdziwa uczta, uwielbiali takie niedzielne wieczory. Śmiali się i dużo rozmawiali. Rodzinne spotkanie dobrych ludzi, przesycone dobrymi uczuciami, w domu, który kochali. Abby bez Ivana wydawała się na początku trochę spięta, ale po drugim kieliszku wina odzyskała humor. Sasha, ponieważ nie miała tego wieczoru dyżuru na telefon, też się napiła.

– A gdzie Valentina? – zawołał ktoś z drugiego końca stołu.

– Nadal na wyspie Świętego Bartłomieja, z nowym facetem. Francuzem – rzuciła Sasha.

– I pewnie bogatym – dodała Morgan, na co wszyscy parsknęli śmiechem. Morgan siedziała obok Maxa, który objął ją ramieniem. Posiłek był wspaniały i wszyscy wyczyścili talerze.

Później Claire zrobiła kawę dla tych, którzy mieli na nią ochotę, a Abby ją podała. Każdy dawał coś od siebie, wieczór był idealny. O północy Oliver i Greg wyszli. Greg następnego dnia z samego rana miał trening, a Oliver na siódmą musiał dostarczyć ważnego klienta do *Good Morning America*. Claire i Sasha zmyły naczynia, reszta rozmawiała. Nikt nie chciał kończyć wieczoru. A potem, gdy już wszyscy podziękowali Maxowi za przyrządzenie kolacji, on i Morgan położyli się spać. Rano Morgan też musiała wcześnie wstać.

Zniknęli oboje w jej sypialni i siedząc na łóżku, cicho rozmawiali. Max uwielbiał nocować u Morgan, i chociaż często żartował, że czuje się, jakby spał w żeńskim akademiku, kochał panującą w lofcie ciepłą i gościnną atmosferę. Uważał, że stworzyły tu prawdziwy dom, że nie było to po prostu zwykłe wynajmowane mieszkanie. Czasami wprawdzie żałował, że nie mieszkają z Morgan razem, ale wiedział, że może u niej zostać zawsze, kiedy zechce, i zwykle czynił tak dwa lub trzy razy w tygodniu, choć lubili też spędzać czas osobno. Oboje byli bardzo zajęci, ich praca wymagała wielu poświęceń.

Max padł na łóżko.

– Chodź, połóż się przy mnie – powiedział. Nie byli sami cały wieczór, a w sanktuarium jej sypialni pragnął się z nią kochać. Ona też o tym myślała. W ciągu czterech lat ich związku w tygodniu często nie mieli do tego okazji lub nie byli w nastroju, bo spotykali się późnym wieczorem, gdy Max kończył pracę w restauracji. Ale niedzielne noce były dla nich wyjątkowe – zapominali o stresach całego tygodnia i mogli być po prostu dwojgiem ludzi, którzy się kochają i mają czas, żeby coś w tym względzie zrobić.

Potem leżeli w swoich objęciach, a kilka minut później Max już spał. Morgan patrzyła na niego z uśmiechem. Był takim dobrym człowiekiem. Nie rozumiała, czemu los jest dla niej tak łaskawy, że go poznała, ale wiedziała, że to jak wygrana na loterii. Obojgu się poszczęściło, stworzyli taki związek, jakiego pragnęli, zupełnie inny od tych, które widzieli, gdy dorastali. Jej życie z Maxem było idealne, a loft w Hell's Kitchen był jej domem, kobiety, z którymi mieszkała, siostrami, których nigdy nie miała. Max rozumiał, ile to dla niej znaczy, i nie próbował tego zmieniać. Przyjął ją taką, jaka była, niezależna, ciężko pracująca, odnosząca sukcesy, ciepła i nieufna wobec małżeństwa.

W salonie Claire i Abby siedziały na kanapie. Abby zwierzyła się Claire, że niepokoi ją Ivan, opowiedziała o Daphne Blake i jej sztuce.

– Wiem, że mnie nie zdradzi, ale ona jest taka w niego zapatrzona. I taka młodziutka, i ma bogatego ojca, który chce dać pieniądze na sztukę. Co będzie, jeśli w ten sposób go uwiedzie? Wiesz, jacy są mężczyźni. Tacy strasznie naiwni. – Claire pomyślała, że o Ivanie można powiedzieć wszystko, tylko nie to, że jest naiwny, ale nie powiedziała tego głośno. Próbowała pocieszać Abby, nie wspominając ponownie o tym, co sądzi o Ivanie.

– Rany boskie, przecież też nie jesteś jeszcze staruszką – zauważyła z rozdrażnieniem. Irytowało ją to, jak bardzo Abby nie jest świadoma swych rozlicznych zalet i równie licznych wad Ivana. Na samym szczycie tych wad plasowała się nieuczciwość. Claire była pewna, że Ivan okłamuje Abby w sprawie tej dziewczyny, ale nie chciała jej przygnębiać. – Ona jest tylko pięć lat od ciebie młodsza. No i kogo to obchodzi, że ma nadzianego ojca? Ivan cię kocha.

– Mam nadzieję, że masz rację – szepnęła Abby, już chyba spokojniejsza i bardziej pewna siebie. Niedługo potem obie poszły spać. Claire była prawie na sto procent przekonana, że Ivan zdradza jej przyjaciółkę i że prawdopodobnie czynił to już w przeszłości, i to nie raz. Tak często się zdarzało, że nie spędzał z nią wieczorów, wymawiając się jakimiś głupstwami. Zdarzało się też, że po prostu się nie zjawiał lub nie odbierał telefonów, gdy Abby dzwoniła do niego. Ale Abby zawsze go broniła.

Sasha już wcześniej poszła się położyć, wyczerpana po pracy i zrelaksowana po przyjemnym wieczorze, jaki zafundował im Max.

Następnego dnia rano Max wyszedł, zanim ktokolwiek się obudził. Szepnął do Morgan, że musi pojechać na targ rybny w Bronksie po świeżo złowione ryby. Lubił kupować ryby, mięso i inne produkty osobiście, zwykle pomagał mu szef kuchni, którego czasami wysyłał też po sprawunki samego. Max prowadził restaurację silną ręką, ale i tam wszyscy go lubili i szanowali. Był kochany przez wszystkich.

Morgan zjawiła się rano w biurze przed innymi. Chciała się przygotować do pierwszego zebrania, poza tym miała jeszcze do przeczytania raport, musiała też sprawdzić wyliczenia w arkuszu w komputerze. George miał zamiar dokonać pewnej inwestycji, a ona obiecała, że przed zebraniem przekaże mu swoją opinię. Przeglądała liczby w komputerze, gdy nagle coś przykuło jej uwagę. To było nazwisko na liście dyrektorów początkującej firmy, której się przyglądali – brzmiało znajomo. Wpisała je do google'a i przeczytała, że właściciel nazwiska przed pięciu laty miał sprawę sądową, która jednak została umorzona. Sprawę wniósł SEC, oskarżając mężczyznę o wykorzystywanie poufnych informacji, ale pozwany został oczyszczony z zarzutów. Tak czy inaczej, Morgan nie podobało się, że mężczyzna znajduje się w gronie dyrektorów firmy, i wspomniała o tym George'owi, on jednak tylko się roześmiał.

– To była pomyłka, nieporozumienie, głupi zbieg okoliczności. Ktoś z jego rodziny kupił i sprzedał jakieś akcje. Nie ma się czym przejmować... facet został oczyszczony. Ale i tak masz szóstkę za dobrze odrobioną pracę domową – pochwalił ją z uśmiechem. – Jestem z ciebie dumny. – Mimo to Morgan nadal nie podobał się pomysł, że będą inwestowali w firmę, której jeden z dyrektorów był oskarżony o oszustwo, nawet jeśli sąd oddalił zarzuty. Zdecydowanie uważała, że nie ma dymu bez ognia, i nie bardzo jej się uśmiechała perspektywa tłumaczenia tego klientowi. Ale temat nie wypłynął w rozmowie, bo przed spotkaniem George powiedział jej, że nie warto o tym wspominać. Morgan nie zgadzała się z tym, ponieważ jednak George był jej szefem, musiała go posłuchać. Klient był bardzo entuzjastyczne nastawiony do firmy, która w ciągu roku miała wejść na giełdę. Była to młoda firma z branży wysokich technologii i gdyby odniosła sukces, wszyscy mogliby na niej dużo zarobić.

Po zebraniu Morgan zapomniała o sprawie, miała do przejrzenia inne akta i raporty. George'a nie widziała cały ranek, a w południe zadzwoniła Claire.

– Wybacz, że zawracam ci głowę w pracy – zaczęła przepraszająco.

– Stało się coś złego?

– Nie... tak... Przez cały miesiąc walczę z moim szefem. To takie frustrujące. Potrzebuję dobrej porady zawodowej. – Zniżyła głos konspiracyjnie. – Nie wiem, czy mam zostać i dalej to ciągnąć, czy rozglądać się za inną pracą, a z tej się zwolnić. Spotkamy się jutro na kolacji i pogadamy o tym?

– Jasne. – Morgan pochlebiało, że koleżanka szuka jej porady, poza tym było oczywiste, że Claire bała się, czy znajdzie nową pracę, jeśli się zwolni. – U Maxa o w pół do ósmej? Powiem mu, żeby dał nam cichy stolik gdzieś z tyłu.

– Dziękuję – odparła z ulgą Claire. Była pewna, że Morgan pomoże jej zadecydować, co powinna zrobić. Miała lepszą głowę do interesów niż Abby czy Sasha, chociaż one też pewnie chętnie by jej wysłuchały.

– Ależ nie ma za co – zapewniła Morgan i wróciła do swojej pracy, tak jak Claire do szkicowania projektów do wiosennej linii, projektów, których nienawidziła. Walter przez cały czas zaglądał jej przez ramię, jakby jej nie ufał. I do szału doprowadzała ją ta mała kretynka z Paryża.

Sasha, która w poniedziałek miała się stawić w pracy dopiero w południe, mogła dłużej pospać, ale i tak o mało nie zaspała. Znowu biegiem dotarła do szpitala. Ubrana w czarne dżinsy i biały sweter pobiegła do szatni po kitel z wyszytym na nim jej nazwiskiem. Gdy weszła do pokoju lekarskiego, z zaskoczeniem stwierdziła, że jest tam ten stażysta z neonatologii.

– Widzę, że często do nas wpadasz. Na neonatologii pewnie za wiele się nie dzieje – zażartowała.

– Poprzednim razem nie zdążyłem się przedstawić – odparł stażysta nieco niezręcznie. Nie przyznał się do tego, ale wcześniej sprawdził grafik i specjalnie przyszedł o tej porze, żeby zaczekać na Sashę. Uważał, że jest tak śliczna, że aż dech zapiera, no i na dodatek była opanowana i bezpośrednia. – Alex Scott.

– Sasha Hartman – rzuciła krótko, spiesząc do drzwi. Już się dowiedziała, że czekają na nią trzy porody, a jedna z kobiet była prawie gotowa. Ta kobieta to surogatka, rodziła komuś bliźnięta, a ich rodzice zamierzali być obecni przy porodzie… zapowiadał się niezły cyrk. Surogatka była zamężna, po trzydziestce i miała troje własnych dzieci. Swojego ciała użyczała po raz drugi. Uważała, że cel jest szczytny, poza tym było to dla niej niezłe źródło zarobkowania. Biologiczni rodzice bliźniąt desperacko pragnęli mieć dziecko i byli skłonni zapłacić za to prawie każdą cenę.

– Czy mogę cię kiedyś zaprosić na kolację… albo na lunch? – wypalił Alex znienacka, gdy już prawie była za drzwiami. Odwróciła się zdziwiona. Nawet przez myśl jej nie przeszło, że mogliby wspólnie zrobić coś więcej niż wypicie kawy w pokoju lekarskim. Widziała w nim jedynie miłego faceta z pracy, kolegę, nic więcej. Nie zauważyła, że był nią zainteresowany.

– Jedno z dwojga – odparła niezobowiązująco i rzeczowo, bo myślami była już przy dzieciach, które miała odebrać i przekazać prawowitym rodzicom.

– Jutro? – spytał szybko z nadzieją.

– Co jutro? – Spieszyła się.

– Kolacja?

– Lunch. W bufecie. Mam dyżur. – Pojął, że jak na razie to wszystko, co zdoła uzyskać.

– Świetnie, bo ja też. Odezwę się w południe, żeby się dowiedzieć, czy grafik ci się nie zmienił. – Kiwnęła głową, zasalutowała jak żołnierz i wybiegła z pokoju, a on, odstawiając pustą filiżankę po kawie, ledwie się powstrzymał, żeby nie podskoczyć w górę z radości, a potem wrócił na swój oddział. Już teraz dzień był wspaniały, a było dopiero kilka minut po dwunastej. Ledwie się mógł doczekać jutrzejszego lunchu.

Sasha dotarła na porodówkę i zbadała pacjentkę. Dobrze znosiła skurcze porodowe. Rodzice byli tak podekscytowani, że płakali już teraz, a przecież rodząca jeszcze nawet nie odczuwała parcia. Biedacy nie mogli się doczekać, kiedy będą mogli wziąć w ramiona swoje nowonarodzone pociechy. Póki co jednak to surogatka była jej pacjentką, dlatego Sasha skupiła się na niej. Dzieci ładnie się ułożyły, monitory też wyglądały dobrze. Alex Scott był ostatnią osobą, o której teraz myślała.

Teatr w poniedziałek był nieczynny, ale Abby i tak poszła tam po południu. Musiała dokończyć malowanie scenografii i miała jeszcze do zrobienia kilka prac stolarskich. Ona i woźny zawsze odbębniali w poniedziałki większe sprzątanie, dlatego Abby od rana dzwoniła do Ivana, ale nie odbierał ani nie oddzwaniał. Zaginął już poprzedniego dnia i Abby była w panice, gdy o szóstej po południu wróciła do domu i wpadła na Claire. Weszły na górę razem i po drodze Abby wyjaśniła przyjaciółce, że nie widziała Ivana cały dzień.

76

– Pewnie jest zajęty albo śpi, albo czyta sztukę tej dziewczyny. Przecież go znasz. Zdarza mu się wyłączać nawet na kilka dni. – Claire starała się pocieszyć Abby, ale ona, choć Ivan faktycznie robił tak wcześniej, tym razem miała złe przeczucia. Nie podobało jej się adorujące spojrzenie dziewczyny. I dlaczego Ivan czytał czyjeś sztuki, skoro nadal nie wystawił żadnego z jej dramatów?

Obie były zdyszane, gdy dotarły na czwarte piętro. Reszta jeszcze nie wróciła. Claire wiedziała, że Morgan poszła na drinka z klientem, a Sasha zaczęła dyżur dopiero w południe.

– Postaraj się tym nie przejmować – poradziła. Było jej przykro, że Abby tak to przeżywa. – W końcu się odezwie. Zawsze się odzywa. – Niestety, dodała w myślach. Wiedziała, że dla Abby najlepiej by było, gdyby Ivan naprawdę zniknął, chociaż zarazem zdawała sobie sprawę, jak bardzo cierpiałaby jej przyjaciółka.

Claire poszła do swojego pokoju i usiłując nie myśleć o problemach z szefem, przebrała się z ciuchów do pracy. Jakiś czas póżnej zadzwoniła matka zapytać, co u niej słychać. Claire zwykle starała się rozmawiać z nią przynajmniej raz w tygodniu, ale czasami była zbyt zajęta, zapominała albo różnica czasu to uniemożliwiała.

Matka powiedziała jej, że dostała kolejne małe zlecenie dekoratorskie, ale że ojciec o tym nie wie. Nie chciała mu sprawiać przykrości, a zresztą zlecenie polegało jedynie na odświeżeniu salonu i dwóch sypialni u znajomej. Matka zawsze pomniejszała wagę swojej pracy, mówiła raczej o wyrządzaniu komuś przysługi, i tak właśnie przedstawiała to mężowi, jeśli ten zobaczył ją z próbkami albo odkrył, że coś dla kogoś robi.

Traktowała tę swoją pracę dekoratora wnętrz w ten sposób od lat, choć jej projekty były piękne, a klienci bardzo zadowoleni. Zwykle udawało jej się zrealizować zlecenie poniżej kosztów, miała też smykałkę do wynajdywania atrakcyjnie wyglądających dodatków i mebli za rozsądną cenę. To ona i Claire przed dziewięciu laty udekorowały loft, i od czasu do czasu dodawały coś nowego, żeby mieszkanie wyglądało modnie i interesująco. Pozostałym dziewczynom bardzo się podobało to, co Sarah dla nich robiła. Miała świetne oko do kolorów i potrafiła wyszukać w Internecie wspaniałe strony z rzeczami do dekoracji. Zawsze podsyłała Claire linki do tych stron, a czasami po prostu dawała im prezenty.

Claire i jej matka były sobie bardzo bliskie. Teraz, gdy już była starsza, Claire jeszcze bardziej doceniała wykształcenie, jakie zapewniła jej matka dzięki dochodom uzyskiwanym z drobnych zleceń dekoratorskich, które ukrywała przed mężem, żeby go nie przygnębiać. Claire uważała, że matka już dawno temu powinna była otworzyć firmę, zupełnie jawnie, bez przejmowania się zdaniem męża, ale to nie było w stylu Sarah. Całe jej małżeństwo polegało na schlebianiu ego małżonka, podtrzymywaniu w nim poczucia wartości i pocieszaniu go, gdy ponosił kolejną porażkę. Matka nigdy nie traciła wiary w ojca. Nawet pomagała mu w sprzedaży domów i szykowała je przed wizytą klientów. Claire uważała ją za świętą.

Sarah uwielbiała słuchać opowieści córki o Nowym Jorku. Po trzydziestu latach od wyprowadzki do San Francisco wciąż tęskniła za tym miastem i ciekawym życiem, jakie w nim wiodła. Tym bardziej, że jej życie w San Francisco z roku na rok coraz bardziej się kurczyło. Skrępowany swymi porażkami Jim nie miał ochoty ani na podróże, ani na inne rozrywki. Zdaniem Claire rodzice prowadzili ponury żywot. Ojciec nienawidził opery, filharmonii i baletu, które matka uwielbiała, nigdy nie chodzili do teatru i mieli bardzo niewielu znajomych. Jedynymi jasnymi punktami w życiu Sarah Kelly były jej córka i praca, co dla Claire nie wydawało się wystarczające. Chciałaby móc jakoś się zrewanżować matce za wszystko, co dla niej zrobiła, ale niestety rzadko bywała w San Francisco, nie licząc Święta Dziękczynienia i Bożego Narodzenia. Zresztą zawsze była przybita, gdy tam jechała. Najchętniej porwałaby matkę i zabrała z powrotem do Nowego Jorku, uwalniając ją w ten sposób od jej okropnego życia. Matka zasługiwała na więcej, a jednak upierała się, że jest jej dobrze. Rzeczy nie ułożyły się zgodnie z jej marzeniami, ale nie narzekała, bo była z natury pogodną osobą. I cieszyła się, że Claire mieszka w Nowym Jorku, tam, gdzie sama chciałaby przebywać.

– Kiedy znowu wybierasz się do Włoch? – spytała matka. Żyła życiem Claire i uwielbiała słuchać o jej wyjazdach do Europy.

– Nie wcześniej niż za kilka miesięcy. Może po Bożym Narodzeniu, kiedy wiosenna linia będzie w produkcji. Wciąż pracuję nad wzorami. – Nie opowiadała matce o tym, jak bardzo jest znużona i nieszczęśliwa w pracy. Nie chciała, żeby się o nią martwiła. I nie chciała dokładać swoich narzekań do narzekań ojca, których Sarah musiała wysłuchiwać.

Rozmawiały tak jakieś pół godziny, potem się rozłączyły. Claire była zadowolona, że pogadała z matką. A później usłyszała, że Abby wreszcie złapała Ivana i intensywnie go przepytuje, co zdaniem Claire było błędem. Abby poświęcała Ivanowi więcej uwagi niż na to zasługiwał, skoro zniknął i nie odbierał telefonów.

– Dlaczego nie oddzwaniałeś? – pytała piskliwie. – Wczoraj zostawiłam ci sześć albo siedem wiadomości, a dzisiaj pięć. I napisałam SMS-a.

– Wiesz, że tego nie znoszę – bronił się. – I padła mi komórka. I nigdzie nie mogłem znaleźć ładowarki. Dopiero teraz ją znalazłem, pod łóżkiem.

– No i co sądzisz o sztuce Daphne? – Abby od razu przeszła do sedna. W jej głosie była zazdrość, Ivan na pewno to słyszał. Claire aż się wzdrygnęła.

– Jest bardzo dobra – odparł Ivan z powagą. – Nie tak dobra, jak twoje, ale z całą szczerością mogę powiedzieć jej ojcu, że Daphne ma talent. Zamierzam jutro do niego zadzwonić, ale najpierw chciałem porozmawiać z tobą, dowiedzieć się, jak się czujesz. Martwiłem się o ciebie. – Ale nie aż tak, żeby zadzwonić wcześniej. A jednak Abby z miejsca dała się oczarować tym, co powiedział. Ze wszystkiego zrozumiała tylko to, że się o nią martwi, i to chciała usłyszeć – że mu na niej zależy. Gdy dorastała, jej rodzice byli zajęci. Zostawiali ją z nianią, a sami oddawali się pracy, dlatego Abby była tak głodna uczuć. Rodzice ją kochali, ale po prostu nie mieli dla niej czasu. Nawet teraz, gdy do nich dzwoniła, zwykle rozmawiała z asystentami. Ojciec zawsze był na jakimś zebraniu, a matka na planie nowego telewizyjnego serialu.

– Co robisz wieczorem? – spytała już łagodniejszym tonem, mając nadzieję, że Ivan zaproponuje, żeby się spotkali.

– Spotykam się z kolejnym potencjalnym sponsorem. Potrzebujemy pieniędzy na opłacenie czynszu. – Teatr nie przynosił zysków. Nigdy nie przynosił. Ivan pożyczał pieniądze od jednego, żeby spłacić drugiego, żebrał o pożyczki u byłych dziewczyn lub u przyjaciół. Był winien fortunę wszystkim. I miał rację. Bardzo potrzebowali jakiegoś hojnego opiekuna. Może ojciec Daphne się nim okaże. – Zobaczymy się jutro w teatrze – zakończył ciepło i rozłączył się.

– Gdzie był? – spytała Claire, starając się nie okazywać, jaka jest zła. Najwyraźniej Abby ulżyło, że Ivan zadzwonił, i wydawała się usatysfakcjonowana tym, co mówił.

– Padła mu komórka i nie mógł znaleźć ładowarki, nie odsłuchał moich wiadomości. Czytał sztukę Daphne i spotyka się ze sponsorem. – Wszystko to brzmiało dla Claire jak bełkot. Ivan był wytrawnym łgarzem, i to działało, bo Abby chciała mu wierzyć. – Rozczarowanie stało się jej sposobem na życie. Już nawet nie bywała zaskoczona.

– Co myśli o sztuce?

– Powiedział, że jest dobra. I przypuszczalnie jej ojciec będzie chciał wyłożyć jakieś pieniądze. Ivan naprawdę potrzebuje pomocy. – Claire uważała, że potrzebował raczej porządnego kopa w tyłek, ale kiwnęła głową. Nic więcej nie miała do dodania. Wszystko zostało powiedziane wcześniej.

Następnego dnia w teatrze Abby zwierzyła się Ivanowi ze swoich niepokojów.

– Nagle zaczęłam się bać, że jesteś z Daphne – rzekła, zawstydzona, że się przyznaje, a on otoczył ją ramieniem, mocno przycisnął do siebie, a potem zajrzał jej w oczy.

– Przecież to jeszcze dziecko. Wiesz, że cię kocham. – Ale Abby wiedziała, że Daphne to dziecko ze świetną figurą i śliczną buźką. I bogatym ojcem.

– Odchodziłam od zmysłów, zastanawiając się, gdzie jesteś – wyznała.

– Przetrawiałem sztukę Daphne. Musiałem ją przeczytać kilka razy, a dzisiaj rano pomyślałem, że może wydębię od jej ojca tyle, że uda nam się wystawić również twoją sztukę. Pogadam z nim o tym.

– Kiedy się z nim spotykasz? – spytała Abby, wciąż w jego objęciach, co było dla niej jak narkotyk.

– Prawdopodobnie w weekend. Czekam na jego sygnał. To bardzo zajęty człowiek. Mam nadzieję, że wie, jak utalentowana jest jego córka i że zasługuje na jego wsparcie. Ale wiesz, jacy są ci ważniacy, nie wiadomo, co jest dla nich ważne. – Była to przejrzysta aluzja do ojca Abby, który jasno dał do zrozumienia, że nigdy nie da Ivanowi żadnych pieniędzy na wystawienie sztuki córki. Ojciec Abby spotkał się z Ivanem i Ivan mu się nie spodobał. Jego referencje nie wywarły na nim wrażenia, uważał, że jest aroganckim, pretensjonalnym hochsztaplerem. Ojciec wolałby, żeby Abby wróciła do Los Angeles i pracowała nad powieścią. Ale oboje z matką uważali, że jest dość dorosła, żeby decydować i uczyć się na własnych błędach. Nie chcieli jej zmuszać do powrotu, odcinając pomoc finansową. Mieli tylko nadzieję, że pewnego dnia sama zobaczy, co jest istotne.

Jej kariera na Off-Off-Broadwayu zmierzała donikąd. Ivan stale zarzucał ją tysiącem wyjaśnień i wymówek i błagał, żeby nie rezygnowała i nie stała się taka, jak jej rodzice. Żywił pogardę dla twórczości jej matki, chociaż odniosła duży sukces. Uważał, że Abby ma większy i czysty talent, i błagał ją, żeby wytrwała. Na razie jej się to udawało. Ale w wieku dwudziestu dziewięciu lat nie miała się czym pochwalić. A jej rodzicom było przykro, że jest taka naiwna.

Tego wieczoru Ivan wyszedł z teatru wcześnie. Poszedł na spotkanie ze wspólnikiem sponsora, z którym widział się poprzedniego dnia. Abby odczuwała ulgę, nigdzie nie było widać Daphne, i jak zawsze zastępowała Ivana w roli managera. Do domu wróciła o północy, kiedy koleżanki już spały. W lofcie panowała cisza. Zanim poszła się położyć, otrzymała od Ivana wiadomość tekstową. Pisał w niej, że ją kocha. Wszystko znowu wróciło na właściwe tory. Abby już nie bała się Daphne – dziewczyna była tylko źródłem pieniędzy na teatr. I Ivan kochał Abby. Co za ulga. Tylko to się liczyło. Reszta wcześniej czy później jakoś się ułoży. Musi tylko dalej wierzyć w siebie i ufać Ivanowi, tak jak powiedział.

5

ALEX SCOTT POSZEDŁ SZUKAĆ SASHY na porodówce krótko
przed dwunastą we wtorek. Spytał o nią przy stanowisku pielęgniarek, a one powiedziały, że Sasha właśnie
kończy cesarkę i wyjdzie za jakieś pół godziny – już
zaszyła pacjentkę, która za kilka minut miała zostać
odwieziona do sali wybudzeń. Wrócił za pół godziny
i zobaczył, jak podchodzi do biurka pielęgniarek z sa-
tysfakcją na twarzy. Wszystko się udało. Złapał ją, zanim dotarła do biurka.

– Pracowity poranek? – spytał wesoło. Był szczęśliwy, że ją widzi, tego dnia jego sprawy też układały
się pomyślnie. Nie mieli poważniejszych przypadków
i kilkoro dzieci z poprzedniego dnia mogli przenieść na
oddział zdrowych noworodków.

– Do zniesienia – rzuciła lekko Sasha. Nie czekał
na nią żaden poród, miała tylko te pacjentki, które już
urodziły i te z poprzedniego dnia. Na chwilę zapanował
spokój. Na oddziale miała dwie kobiety zagrożone wczesnym porodem, kilka mam i dzieci wypisano do domu.

– W takim razie wykorzystajmy to, zanim znowu
rozpocznie się cyrk – zaproponował Alex. – Nadal chcesz
jeść w stołówce? Bo moglibyśmy wyskoczyć do jakiejś
knajpki, jeśli wolisz coś naprawdę jadalnego.

– Mój organizm doznałby szoku. Żyję wyłącznie na tym, co podaje nasza stołówka. Zresztą założę się, że gdybyśmy gdzieś poszli, natychmiast dostalibyśmy wezwanie do powrotu. Zawsze mi się to zdarza, kiedy próbuję jeść na mieście, będąc na dyżurze. – Zwykle w ogóle nie miała czasu na jedzenie, nie licząc batoników, które trzymała w kieszeni fartucha. I było to po niej widać. Figurę miała idealną, nie była grubsza od siostry modelki, która codziennie ćwiczyła na siłowni i utrzymywała drakońską dietę.

W stołówce Sasha wzięła dla siebie jogurt, sałatkę i talerz owoców, a potem dodała duże ciastko z kawałkami czekolady. Alex wybrał gorące danie. Stolik wybrali w cichym kącie, przy oknie, żeby mogli oglądać świat na zewnątrz. Sasha zauważyła, że Alex intensywnie się jej przygląda, gdy stawiała na stole talerze i dietetyczną colę, którą wzięła po drodze.

– Jesteś na jakiejś diecie? – spytał.

– Nie, moja siostra była, gdy dorastała. Wyćwiczyła mnie, żebym nie jadła niczego, co lubi, żeby jej nie kusiło. No i nadal tak jem. Siostra nienawidzi owoców i warzyw i gdyby mogła, żywiłaby się pączkami i innymi ciastkami. – Sasha roześmiała się. Sprawiała wrażenie osoby bezpośredniej, której dobrze we własnej skórze, przynajmniej w tej szpitalnej. – Siostra jest modelką – dodała.

– Ty też mogłabyś być – rzucił Alex z podziwem. Chyba nie wiedziała, jak wygląda, i nie była zarozumiała, jak większość ładnych kobiet. Miał słabość do ślicznotek i nie raz się o tym przekonał. Ale Sasha była zupełnie inna, mądra i świetna w swoim zawodzie.

– Nie, bo chcę pozostać przy zdrowych zmysłach – odparła. – To, co robimy, też chyba nie jest normalne, ale przynajmniej nie musimy tego robić w bikini na śniegu ani w futrze na plaży, w siedmiocentymetrowych szpilkach. Bycie modelką nie jest takie łatwe, jak na to wygląda, a poza tym wolę chodzić na płaskim obcasie. – Uśmiechnęła się do niego ponad stołem.

– Skąd jesteś? – Wydawało mu się, że Sasha mówi z lekkim akcentem, ale nie potrafił go określić.

– Z Atlanty. Przeprowadziłam się tu, żeby studiować na uniwersytecie, i zostałam na studiach medycznych. Miałam szczęście, że się dostałam. Podoba mi się tu.

– Mnie też. Ja pochodzę z Chicago. To miłe miasto i trochę za nim tęsknię. – Nie powiedział jej, że studiował zaocznie w Yale, a medycynę kończył na Harvardzie. Zabrzmiałoby to tak, jakby się pysznił. Jego ojciec i brat też tam studiowali. – W Chicago jest trochę spokojniej niż w Nowym Jorku.

– Moja matka stamtąd pochodzi. Jest prawnikiem – poinformowała zwięźle Sasha, a on kiwnął głową.

– To tak jak moja – prawo antymonopolowe. Ona to uwielbia, ale ja nie widzę w tym nic pociągającego. Chce kiedyś zostać sędzią. Będzie w tym doskonała.

– Moja jest prawnikiem od rozwodów – rzuciła cicho Sasha. Nie miała ochoty opowiadać o tym, jak trudna jest jej matka. – Dlaczego poszedłeś na medycynę? – spytała. Rozmowa sprawiała jej przyjemność. Prawie nigdy nie wychodziła na lunch, na pogawędki z kolegami.

– Mój ojciec jest kardiologiem, a brat chirurgiem ortopedą. Wydawało mi się to oczywiste. A jak było z tobą?

– Zawsze chciałam być lekarzem, już jako dziecko. Tylko nie wiedziałam jakiej specjalności. Ale myślę, że bezpłodność i patologia ciąży to coś dla mnie. Zwłaszcza w tych czasach, gdy jest tyle zagrożonych ciąż, bo matki są starsze. A przeciwdziałanie bezpłodności też daje satysfakcję, gdy jest skuteczne. Kocham to, co robię.

– Ja też. A jednak wybiorę pediatrię. Neonatologia jest fascynująca, ale wolałbym się zajmować dziećmi mniej zagrożonymi. – Zapytał ją, gdzie mieszka, a ona opowiedziała mu o lofcie w Hell's Kitchen.

– Mieszkam tam od pięciu lat. Z trzema współlokatorkami. Stały się dla mnie czymś w rodzaju rodziny, bo rzadko bywam w domu, zresztą moja prawdziwa rodzina trochę się rozpadła od rozwodu rodziców, gdy miałam dwadzieścia pięć lat. Ojciec ożenił się i ma dwie małe córeczki, mama została sama. Żyje swoją pracą. – Alex powiedział, że ma umeblowaną kawalerkę przecznicę od szpitala, którą wykorzystuje jedynie do snu i do niczego innego. Podobało mu się to, co Sasha mówiła o lofcie w Hell's Kitchen, i o tym, że mieszka z przyjaciółkami, na których jej zależy. Kiedy opowiadała o nich, ich rodzeństwie i bliskich znajomych, miała ciepło w oczach. Widocznie było tak, jak mówiła – znalazła rodzinę z wyboru.

Jego własna rodzina była zwyczajna, rodzice nadal byli małżeństwem. Miał starszego brata, trzydziestosześciolatka, który wciąż był singlem. Spotykali się w pełnym składzie podczas wakacji i świąt, bo żaden z synów się nie ożenił. Poza tym lubili spędzać ze sobą czas. Alex nie wyczuł, żeby tak samo było z Sashą, chociaż nie usłyszał od niej żadnych szczegółów. Ale wydawała się spięta, gdy mówiła o rodzicach, zwłaszcza o matce, i powiedziała, że nie chce wracać do Atlanty, woli zostać w Nowym Jorku. Była tu szczęśliwa. Alex oświadczył, że on się jeszcze nie zdecydował, czy chce wrócić do Chicago, żeby tam prowadzić praktykę, czy raczej zostanie w Nowym Jorku. W Chicago łatwiej się żyło, poza niedogodnościami pogodowymi, i byłby blisko rodziny, ale z drugiej strony samolotem to tylko jeden skok. Do domu mógł latać na weekendy.

– Rodziny takie jak twoja są teraz rzadkością – stwierdziła Sasha, gdy jej o nich opowiedział. Niemal mu zazdrościła, słuchając go i widząc wyraz miłości na jego twarzy. – Ludzie żyją z dala od rodzeństwa i rodziców. Moja siostra też tu teraz mieszka, często się widujemy, chociaż jesteśmy takie różne. Mimo to cieszę się, że tu jest. Wpada do mnie, gdy nie jest w jakimś Tokio, Paryżu czy Mediolanie. W porównaniu z moim życiem jej jest pełne blasku – wyjaśniała z żalem, chociaż tak naprawdę nigdy nie chciałaby żyć tak, jak Valentina, i nigdy nie wybierałaby takich mężczyzn, jak ona. – Większość ludzi uważa, że jej życie jest ekscytujące. Ale ja myślę, że jest po prostu smutne. Ludzie ze światka mody są powierzchowni, wszyscy próbują cię wykorzystać, a kiedy skończy się twój wielki moment, co wtedy? Trochę mnie to przeraża, bo tam chodzi tylko o blichtr i o nic więcej. Czasami martwię się o nią. – W rzeczywistości martwiła się przez cały czas. Mężczyźni, którzy pociągali Valentinę, zawsze wydawali się niedobrani do niej. Stanowili dokładne przeciwieństwo kogoś takiego, jak Alex, któremu Valentina nie poświęciłaby sekundy uwagi. Sashy spodobało się, że, jeśli mogła to ocenić, był taki normalny. Miał dobre pochodzenie, rodzinę, z którą nadal lubił przebywać. A jego opowieści o starszym bracie, Benie, trochę przypominały wczesne lata spędzone z Valentiną, przed rozwodem rodziców, zanim wszystko się rozsypało. Valentina była już wtedy supermodelką, ale od tamtej pory jej życiowym wyborom zawsze towarzyszyła jakaś desperacja.

Przez jakiś czas eksperymentowała z narkotykami, co było powszechne w jej światku. Teraz, jako trzydziestodwulatka, postępowała już rozsądniej. Nadal była topmodelką, ale pewnego dnia jej kariera się skończy. Sasha nie potrafiła sobie wyobrazić siostry przy boku męża i z dziećmi. Valentina potrzebowała szaleństwa i blasku, życia na wysokich obrotach. Uzależniła się od tego i w przeciwieństwie do Sashy uwielbiała być sławna i rozpoznawana. Powrót na ziemię pewnego dnia będzie dla niej bolesnym doświadczeniem. A starość i utrata urody to dla niej koszmar. Ilekroć o tym rozmawiały, w jej oczach pojawiał się strach. Z każdym rokiem biegła coraz szybciej, próbując uciec przez przyszłością i rzeczywistością.

– A co robisz w wolnym czasie, dla przyjemności? – spytał Alex, a ona przez chwilę patrzyła na niego, jakby nie rozumiała pytania.

– Mógłbyś powtórzyć? – Oboje się roześmiali, bo oboje prawie w ogóle nie mieli wolnego czasu, i to od lat. – Pracuję. Kocham to, co robię. – Mówiła to już wcześniej i Alex widział, że faktycznie tak było i że oddawała się pracy cała. Na więcej brakowało jej czasu. – A ty?

– Uwielbiam żeglować – odparł bez zastanowienia. – Mój brat trzyma małą łódź na jeziorze. Pływamy na niej, kiedy tylko mamy okazję. Kiedyś grałem w tenisa, ale tutaj nigdy nie mam na to czasu. Przedtem uprawiałem dużo sportów, ale teraz nie wszystko działa u mnie tak sprawnie, jak niegdyś. – On i Sasha byli w tym samym wieku, ale Alex twierdził, że doznał wiele kontuzji, uprawiając sport na studiach. – Lubię być na powietrzu. W dzieciństwie marzyłem, że zostanę bejsbolistą, strażakiem, leśnikiem, kimkolwiek, kto pracuje na dworze.

– Ja chciałam być lekarzem, pielęgniarką albo weterynarzem. – Uśmiechnęła się. – Moja matka za każdym razem, gdy mówiłam, że będę pielęgniarką, dostawała szału. Jest bardzo ambitna. Wolałaby, żebym marzyła o byciu prezydentem, ale dla mnie ta praca jest parszywa. Wszyscy cię nienawidzą, krytykują twoje decyzje i starają się zrobić z ciebie świnię i durnia. Myślę, że matka sama chciałaby zostać prezydentem, tylko dostałaby mało głosów. Jest dość ostra. – Aleksowi podobało się, że Sasha taka nie była. Czuł, że jest silna, ale miała w sobie jakąś łagodność, i podobało mu się również to, że jest tak otwarta i bezpośrednia.

– Możemy się umówić na kolację? – zdobył się wreszcie na odwagę, żeby zapytać. Sasha była tak piękna, że czuł się przy niej onieśmielony. Nie flirtowała z nim ani nie udawała nieśmiałej, traktowała go jak kolegę, nie faceta na randce. Nie był pewien, co to oznacza. Może nie była nim zainteresowana, może jej nie pociągał. Jeszcze tego nie rozgryzł, a Sasha przez chwilę wyglądała na zaskoczoną, kiedy zaproponował spotkanie, jakby o tym nie pomyślała. Nie potrafił ocenić, czy miała ochotę się z nim umówić, czy nie. Nie wspomniała, że kogoś ma, nie mówiła nic o swoim życiu osobistym, tylko o rodzinie i o pracy.

– Masz na myśli randkę? – Prawie się udławiła tymi słowami.

– Tak, coś w tym stylu – potwierdził ostrożnie. – Jesteś zainteresowana? – Zawahała się.

– Nie mam za dużo wolnego czasu – odparła szczerze, ale on też nie miał i nie powstrzymało go to przed pytaniem. Chciał się z nią spotykać, nawet jeśli miałoby to się zdarzać rzadko i nieregularnie. Przez cały okres studiów i stażu jego własne życie uczuciowe było takie incydentalne i nieregularne. To cecha pracy, jaką oboje wykonywali.

– Przecież musisz jeść – przekonywał. – A widzę, że karmienie ciebie nie będzie kosztowne. Nie jesz za wiele. – Nie zjadła wszystkich owoców i nie dokończyła sałatki – bardziej ją interesowała rozmowa – chociaż duże ciastko zniknęło.

Roześmiała się, znowu beztrosko.

– Jasne. Może. Chyba tak. Bo czemu nie?

– Nie nazwałbym tego entuzjastyczną odpowiedzią, ale mi wystarczy – uśmiechnął się.

– Po prostu akurat teraz mam opory przed umawianiem się z kimkolwiek. Wiesz, jak wygląda nasze życie. Za każdym razem, gdy coś zaplanuję, muszę to odwoływać. Co pięć minut zmieniają mi grafik albo jestem pod telefonem i dzwonią po mnie, a ja muszę wyjść, zanim jedzenie pojawi się na stole. To wkurza ludzi. I szybko im się to nudzi. Żyję w fartuchu i w kroksach. A to nie jest seksowny strój. – Nie jest, oboje to wiedzieli, ale Sasha była piękną, inteligentną kobietą, i Alex koniecznie chciał się z nią umówić. Podobało mu się w niej wszystko i miał idiotyczne przeczucie, że są sobie pisani. Nigdy nie poznał kobiety, która aż tak by mu się podobała.

– Rozumiem cię. Też jestem lekarzem. Ale pewnego dnia nasze życie będzie wyglądało normalnie – powiedział z nadzieją.

– Albo nie – odparła. – Jeśli zostanę na ginekologii.

– Więc co, chcesz przyjąć śluby czystości? – Uśmiechnęła się na tę sugestię.

– Nie. Ale nienawidzę zwodzić ludzi, a zawsze to robię. Zresztą randki wymagają tyle wysiłku.

– Kolacja to nic trudnego. Wyrwiemy się na nią w przerwie. I możesz przyjść w kitlu i w kroksach. – Miał minę, jakby mówił serio. Próbował jej ułatwić sprawę, a utrudnić odmowę. Poza tym ona też go polubiła. Nie potrafiła przewidzieć, co ich czeka w przyszłości, ale perspektywa zjedzenia z nim kolacji podobała jej się o wiele bardziej niż jej ostatnie spotkanie z modelem od bielizny. Przynajmniej mieli wspólny temat, medycynę, i oboje żyli według zwariowanego grafiku.

– Zgoda. Kolacja w kitlu i kroksach. Umowa stoi.

– Co powiesz na piątek lub sobotę? Ktoś schrzanił grafik i dał mi wolny weekend.

– Szczęściarz. Ja w piątek pracuję, a w sobotę mam dyżur na telefon. Ale możemy spróbować, mam nadzieję, że mnie nie wezwą.

– Świetnie. – Wymienili się numerami telefonów, akurat w chwili, gdy Sasha dostała wiadomość tekstową z porodówki. Jedna z pacjentek zaczęła rodzić, właśnie odeszły jej wody. Ci z porodówki chcieli, żeby Sasha na nią zerknęła, lekarz prowadzący nie mógł do niej zajrzeć, bo przeprowadzał operację. Sasha spojrzała z żalem na Alexa, ale i tak dali im dużo czasu. W stołówce siedzieli ponad godzinę, dzięki czemu mieli okazję zbudować dobre podwaliny pod przyjaźń lub cokolwiek innego, co się między nimi stało. Rozmowa była przyjemna, a Sasha czuła się przy Aleksie zaskakująco swobodnie, bardziej niż przy większości mężczyzn. Nie lubiła gierek, które trzeba było odgrywać, a których mężczyźni zwykle oczekiwali na „randce". Nie flirtowała, zawsze mówiła to, co myśli, wielu mężczyzn napawało to lękiem. Alexowi zdawało się to nie przeszkadzać – przeciwnie, podobało mu się. Ciekawe, jak się ułożą jego stosunki z Valentiną. Alex nie był w jej stylu, siostra uzna go pewnie za nudnego, ale ona tak nie uważa. Ich rozmowa była ożywiona, podobało jej się, że Alex nie jest sztuczny ani zadufany w sobie, co zdarzało się tak często u lekarzy płci męskiej. Wielu z nich uważało, że są bogami, byli zarozumiali. A Alex potrafił się z siebie śmiać, był dość skromny i traktował ją z szacunkiem.

Poszli na porodówkę, Sasha podziękowała Alexowi za lunch i Alex wrócił na oddział neonatologii, znajdujący się na tym samym piętrze. On też dostał wiadomość, co oznaczało, że oboje musieli pojawić się w pracy.

– Do zobaczenia w sobotę – pożegnał się lekkim tonem, ale to było udane. – I nie zapomnij przyjść w kitlu – zażartował. – Ja też będę mógł przyjść w swoim i nie będę musiał szukać czystej koszuli. – Sasha roześmiała się.

– Może raczej przyjdę w dżinsach – obiecała i Alex odszedł. Jego krok był sprężysty, a na twarzy widniał szeroki uśmiech.

– Co jesteś taki radosny? – spytała go Marjorie, kiedy dotarł na oddział. – Nałykałeś się czegoś? – Z Alexem dobrze się pracowało, pielęgniarki go lubiły, no i był z niego przystojniak.

– Umówiłem się na randkę – zwierzył się, uradowany jak dziecko. Trudno uwierzyć, że to dla niego aż tak wielka sprawa.

– Szczęściara – skomentowała pielęgniarka. Była zamężna i dziesięć lat starsza od Alexa, ale jak inne kobiety na oddziale uważała, że Alex to dobra partia, naprawdę niezłe ciacho. Chłopak nie miał pojęcia, że tak go widzą koleżanki, i może dobrze, że tak było.

– To ja jestem szczęściarzem – poprawił. Już teraz nie mógł się doczekać sobotniego wieczoru. A Sasha, gdy weszła na salę porodową, też się uśmiechała.

Claire i Morgan spotkały się na kolacji w restauracji Maxa. Claire wcześniej wpadła do mieszkania, żeby się przebrać, Morgan przyszła prosto z pracy. Max był szczęśliwy, że ją widzi, i pocałował ją, gdy weszła.

– Z kim się umówiłaś? – Widział jej nazwisko na liście rezerwacji.

– Z Claire. Chciała ze mną porozmawiać na osobności. Chyba o pracy. – Max kiwnął głową i odprowadził ją do stolika, jednego z niewielu, który był wolny, bo tego dnia w restauracji było tłoczno. Kilka minut później pojawiła się Claire z roztargnieniem w oczach. Przywitała się z Maxem cmoknięciem, potem dostrzegła Morgan, czekającą na nią przy kieliszku wina.

– Dzięki, że zgodziłaś się zjeść ze mną kolację – powiedziała, siadając. Spotkanie poza domem wyglądało trochę oficjalnie, ale przynajmniej nie przeszkodzi im Abby rozpaczająca z powodu Ivana ani powrót Sashy do domu. Chciała, żeby Morgan poświęciła jej całą uwagę i liczyła na jej profesjonalną poradę. Claire nie miała nikogo innego, do kogo mogłaby się zwrócić, matki nie lubiła niepokoić, nie chciała jej wytrącać z przekonania, że ma stabilną posadę. Ale Claire nie była tego taka pewna, nie wiedziała, czy powinna zostać. Jeśli zastosuje

94

się do tego, czego oczekiwał od niej Walter, zniszczy swoją karierę projektantki butów.

– Opowiadaj, o co chodzi? – zachęciła Morgan z ciepłym uśmiechem.

– Nienawidzę projektów, które dla niego robię. Prawie nie zmieniamy wzornictwa. Oni chcą się trzymać tego, co robią. Walter nie znosi zmian – wyjaśniła z ponurą miną. – Co będzie, jeśli ludzie pomyślą, że to wszystko, co potrafię? To takie frustrujące, nie projektuję niczego nowego. Nie wolno mi narysować takich butów, jakie chciałabym projektować. A Waltera przeraża wszystko, co zasugeruję.

– Czy wasi klienci kupowaliby kreatywne nowocześniejsze buty, gdyby Walter pozwolił ci je projektować?

Claire zastanowiła się nad tym.

– Prawdopodobnie nie. Ale on nie pozwala mi zrobić nawet jednego nowego wzoru. Nie podoba mu się wszystko, co robię. Jeśli tylko zmienię coś we wzorach z zeszłego roku, od razu siedzi mi na karku. Nawet nie muszę nic wymyślać na nowe sezony. Mogłabym dawać mu te same projekty trzy razy w roku. I jest coraz bardziej paskudny wobec mnie. On mi chyba nie ufa i wiem, że nie lubi mojego stylu. I co mam zrobić? Jeśli się zwolnię, mogę nie znaleźć innej pracy. Rynek pracy jest trudny, nie mogę sobie pozwolić na bezrobocie. Ale jeśli zostanę u Waltera, będę się czuła tak, jak już się czuję, że część mnie umiera, i to ta twórcza część.

– Masz jakąś sumę odłożoną na to, żeby przez chwilę być bez pracy? – spytała otwarcie Morgan.

– Na miesiąc, góra dwa. Nie na dłużej – odparła Claire. Lubiła modne ciuchy i czasami przepuszczała pieniądze, ale pracując w dziale mody, chciała być modnie ubrana, a ubrania były drogie, zwłaszcza tej marki, którą lubiła. Miała świetny gust. – Nie wytrzymałabym pół roku, jeśli tyle miałoby mi zająć szukanie pracy. Ale Walter i tak może mnie zwolnić. Myślę, że mnie nie lubi – nigdy nie lubił. Tylko że teraz kłócimy się już przez cały czas. Zupełnie jakbyśmy byli małżeństwem.

– No to niedobrze – mruknęła Morgan, ale się uśmiechała. – Czasami trzeba wykonać wielki skok, ale tylko ty możesz ocenić, czy już dotarłaś do tego punktu, czy nie. Może powinnaś się zacząć rozglądać i wypytywać dyskretnie o nową pracę.

– Jeśli Walter się o tym dowie, na pewno będzie po mnie – rzuciła z przestrachem Claire. To był prawdziwy dylemat i Morgan współczuła koleżance. Claire czuła się ograniczona, dusiła się w pracy. – I jeszcze ta mała idiotka, ta stażystka, którą mi przydzielił, córka jakiegoś jego znajomego z Paryża. Wszystko mu powtarza. Jest jego osobistym szpiegiem. – Sytuacja w opinii Morgan wyglądała naprawdę marnie, a Claire była tym zdenerwowana. Musiała dać upust złym emocjom i właśnie dlatego zaproponowała tę kolację. – Chciałabym mieć własną firmę, ale to się nigdy nie zdarzy. Na stworzenie nowej linii potrzeba fortuny.

– Może dałoby się znaleźć jakiegoś sponsora – podpowiedziała z nadzieją Morgan, żeby dodać Claire otuchy. Przyjaciółka była naprawdę załamana.

– Nie mam jeszcze wystarczającego doświadczenia ani nazwiska. A projektując buty dla Arthura Adamsa nigdy nie wyrobię sobie takiego, na które ktoś by zwrócił uwagę.

– I może to jest twoja odpowiedź – mruknęła Morgan z zastanowieniem. – Jeśli on nie płaci ci odpowiednio dużo i nie budujesz swojej reputacji, to chyba marnujesz tam czas.

– Zgodziłabym się na obcięcie pensji, bylebym tylko mogła pracować dla lepszej firmy, gdzie pozwoliliby mi pokazywać moje projekty.

– Może więc to jest właśnie to, co powinnaś zrobić – poszukaj firm, dla których chciałabyś pracować, i przedstaw im swoje propozycje. Oczywiście, jest szansa, że Walter się o tym dowie, ale jeśli nic nie zrobisz, dalej będziesz tkwiła w punkcie, w którym jesteś.

– Czuję się, jakbym tonęła i marnowała szansę na lepszą pracę.

– No to wystaw głowę i sprawdź, co słychać na świecie. – Claire przytaknęła, jakby już o tym myślała. Morgan dodawała jej odwagi, której potrzebowała. Wiedziała, że może liczyć na jej rozsądną radę. Nadal rozmawiały, gdy nagle Morgan ze zdziwieniem spojrzała w górę. Przy ich stoliku stał bardzo przystojny mężczyzna i uśmiechał się do niej. Miał kruczoczarne włosy, lekko szpakowate na skroniach, i elektryzujące błękitne oczy. Ubrany był w doskonale skrojony garnitur, na nadgarstku lśnił drogi złoty zegarek. Facet wyglądał jak wyjęty z okładki „Fortune" lub „GQ". Uśmiechnął się najpierw do Morgan, a potem spojrzał na Claire, która wpatrywała się w niego zachwyconym wzrokiem. Było oczywiste, że Morgan go znała, ale Claire nie miała pojęcia, kto to jest. Nigdy go nie widziała w ich mieszkaniu ani nigdzie indziej, chociaż jego twarz wydawała jej się znajoma, jakby go widziała w jakiejś gazecie. Morgan przedstawiła ich sobie. Nieznajomy nazywał się George Lewis i był szefem Morgan. Stojąc tam, uśmiechnięty, prezentował się niesamowicie elegancko.

– Postanowiłem wreszcie sprawdzić, o co chodzi z tą restauracją – powiedział do Morgan. – Właśnie zjadłem tu kolację z przyjacielem. Sława tego miejsca jest całkowicie zasłużona. Jedzenie mają naprawdę świetne. – Morgan uśmiechnęła się. Max będzie zachwycony, gdy to usłyszy. A George wysoko stawiał poprzeczkę. Wiedziała, że chadza do najlepszych restauracji w mieście. George znów spojrzał na Claire, z ciepłym, zaskakująco intymnym uśmiechem. Widać było, że jest zauroczony Claire, chociaż ta ubrana była w zwykłe dżinsy i prosty biały sweterek z dekoltem w szpic. Sweterek był od Céline, Claire zapłaciła za niego majątek, i było to widać. Jej paznokcie były idealnie wymanikiurowne, długie blond włosy spływały na plecy. Chociaż miała dwadzieścia osiem lat, wyglądała na znacznie młodszą i była po prostu piękna. Morgan dostrzegła, że George jest zachwycony Claire, co wcale jej nie zdziwiło. Miał słabość do pięknych kobiet, zwłaszcza młodszych. I był jednym z najbardziej pożądanych kawalerów w mieście. Przy drzwiach czekał na niego znajomy, ale on nie spieszył się, żeby do niego dołączyć.

– Wspaniale było panią poznać – zwrócił się do Claire, przez chwilę jeszcze przy nich stojąc, potem niechętnie odszedł.

– Jest zupełnie inny niż się spodziewałam – zauważyła Claire. Nie umknęło jej uwadze, że zrobiła na nim wrażenie – albo tylko tak udawał – i to wytrąciło ją lekko z równowagi. – Sądziłam, że jest starszy. Wygląda jak playboy.

– W grudniu kończy czterdzieści lat. A pracę traktuje bardzo poważnie. Chyba lubi piękne kobiety, trochę jak ładne przedmioty. Nie słyszałam, żeby z którąś związał

98

się na serio. Nie opowiada mi o swoim życiu prywatnym, ale często o nim piszą w „Page Six", umawia się ze sławnymi dziewczynami, przeważnie z aktorkami i modelkami. Valentina też chyba kiedyś gdzieś z nim była.

– Tak i mgliście sobie przypominam, że mówiła, że go nienawidzi. Nie pamiętam dlaczego.

– Nie jest wystarczającym draniem i starcem. – Morgan roześmiała się. Valentina traktowała mężczyzn jak papierowe chusteczki do nosa. Używała ich raz i wyrzucała. – Zapewne nie jest też wystarczająco wystrzałowy. Spotyka się ze sławnymi kobietami, ale jest dość dyskretny. Nigdy nie plotkuje. Chyba był tobą zafascynowany. – Morgan uważała, że Claire jest atrakcyjna, ale nie aż tak, jak kobiety, z którymi spotykał się George. Claire była prawdziwa i było to widać. George prawdopodobnie tylko z nią flirtował, chociaż nigdy nie próbował tego z Morgan, co bardzo szanowała. W biurze nie pozwalał sobie na wyskoki.

Porozmawiały jeszcze o problemach Claire z pracą i ostatecznie Morgan doradziła, żeby Claire zaczęła się dyskretnie rozglądać, nastawiła antenki i dała znać jakiemuś lepszemu producentowi butów, że jest otwarta na zmiany. Plan nie był pozbawiony ryzyka, ale bez niego nie można było liczyć na poprawę sytuacji. Claire oświadczyła, że jest gotowa je podjąć. Nie mogła dłużej żyć tak jak dotąd, niszczyć karierę tylko dla pensji i to na dodatek marnej. Oczekiwała wsparcia i zachęty ze strony Morgan i otrzymała je. Morgan nigdy jej nie zawiodła, a Claire ogromnie szanowała jej rady. A kiedy kelner przyniósł rachunek, to ona go uregulowała, w podziękowaniu za pomoc. Obie nie pamiętały już o George'u – spotkanie wydawało się nieistotne, choć Morgan była poruszona tym, że George chciał zobaczyć restaurację Maxa i że mu się podobało. A gdy wychodziły, Max ucałował obie i zapowiedział, że wpadnie do nich później i zostanie u Morgan na noc.

Wracały do mieszkania pieszo, Claire czuła się lepiej niż przez ostatnie miesiące. Miała plan i wiedziała, że jest słuszny. Jeszcze tego samego wieczoru zrobiła listę firm, które chciałaby odwiedzić. Przyszłość jawiła się jej w jaśniejszych barwach.

Max przyszedł na noc, tak jak obiecał. On i Morgan kochali się rano, bo w nocy oboje byli na to zbyt zmęczeni. Morgan spóźniła się przez to kilka minut do pracy, ale na szczęście nie miała żadnych spotkań. Do południa zaplanowała jedynie zbieranie danych i prace biurowe. Właśnie ślęczała nad jakimiś plikami w komputerze, gdy do gabinetu wszedł George. Podniosła głowę i uśmiechnęła się do niego.

– Dzięki, że wczoraj wpadłeś do Maxa. I cieszę się, że ci się podobało.

– Byłem zachwycony. I na pewno jeszcze nie raz tam zajrzę. To świetne miejsce na niezobowiązujący posiłek. – George miał legendarny piękny apartament w Trump Tower na Górnym Manhattanie, ale wiedziała, że często jadał w centrum, miał znajomych w Tribeca i SoHo, i uwielbiał wypróbowywać nowe restauracje. Lubił imponować kobietom, z którymi się umawiał, nowymi znaleziskami. Jego reputacja szczodrego towarzysza i lwa salonowego była zasłużona. – Spodobał mi się twój gość – rzekł po prostu, a ona przez chwilę myślała, że miał na myśli Maxa, ale wyraz jego oczu mówił coś innego. – To taka piękna dziewczyna. – Morgan zrozumiała swoją pomyłkę. – Dobrze ją znasz? Wyglądała jak modelka.

– Claire? – spytała Morgan, trochę zaskoczona pytaniem. – Od pięciu lat jesteśmy współlokatorkami.

– Czym się zajmuje? – Nigdy jej nie pytał o inne kobiety, była naprawdę zdumiona.

– Jest projektantką butów. Rozmawiałyśmy o tym wczoraj. Ma duży talent, ale utknęła w nudnej firmie.

– To nie brzmi zabawnie. Jest sama? – Morgan wiedziała, że chodzi mu o to, czy ma chłopaka.

– Tak. Dużo i ciężko pracuje i rzadko gdzieś wychodzi. Bardzo poważnie traktuje swoją karierę.

– To tak jak ja – rzucił George z uśmiechem. – Mimo to znajduję czas na wyjście na kolację. Dla kogo pracuje? – Był bardzo bezpośredni.

– Dla Arthura Adamsa – odpowiedziała Morgan niepewnie. Nie wiedziała, czy Claire spodobał się George i czy chciałaby z kimś takim się umówić. Czuła się więc niezręcznie, odpowiadając na pytania szefa, ale z drugiej strony Claire potrafi o siebie zadbać i zresztą George chwilę później wyszedł.

Tego popołudnia na biurku Claire pojawiły się trzy tuziny białych róż w wysokim wazonie i z kartką z tekstem: „Było mi ogromnie miło cię poznać. George." Claire oniemiała zaskoczona. Nigdy dotąd nikt nie przysłał jej takich kwiatów. Było ich dużo, były piękne i pochodziły z najlepszej kwiaciarni w mieście.

– Ktoś umarł? – spytał obcesowo Walter, gdy nieco później wszedł do jej pokoju omówić jakieś kwestie związane z cenami. Claire sugerowała, że powinni je podwyższyć, a Walter, jak zwykle, się z nią nie zgadzał.

– To kwiaty od znajomego – odparła bez wdawania się w szczegóły, skrępowana ogromem bukietu.

– Musi za tobą szaleć – stwierdził Walter kwaśno. – Ale takie rzeczy powinien ci przysyłać do domu. – Kiwnęła głową, a kiedy Walter wyszedł, popatrzyła na kwiaty, zastanawiając się, dlaczego George je przysłał. Wiedziała, z kim się umawiał. To nie była jej liga i uważała, że to dziwne, że George się nią zainteresował. Chciała powiedzieć Morgan o kwiatach, ale ostatecznie postanowiła nie dzwonić. Te kwiaty nic nie znaczą. George to bogaty człowiek sukcesu, który gra w jakąś grę. Ona nie zamierza do niej dołączyć. Ale kwiaty były piękne. Wysłała mu krótki uprzejmy mail z podziękowaniami i pod koniec dnia poszła do domu. Do tego czasu zdążyła już przekonać samą siebie, że pewnie nigdy więcej nie usłyszy o George'u. I wcale tego nie chciała. Świat George'a Lewisa leżał o lata świetlne od jej świata. A ona zamierzała pozostać w swoim. Dlatego ani słowem nie wspomniała o niczym Morgan.

Następnego dnia George posłał Claire pięknie wydany album o historii butów. Prezent był przemyślany, Claire doceniła to, ale czuła się nieswojo. Wyraźnie próbował ją uwieść, i chociaż nie dzwonił i nie zaprosił jej na randkę, bała się, że może to uczynić. Nie miała pojęcia, jak się z kimś takim postępuje, dlatego miała nadzieję, że straci zainteresowanie i nie zadzwoni ani nie przyśle kolejnych podarków. I nadal nie powiedziała nic Morgan ani nikomu innemu. George stawał się jej mroczną tajemnicą.

Tego tygodnia wysłała kilka maili ze swoim CV do ulubionych domów mody. Dwa z nich odpisały, że nie mają wolnych etatów, a trzy inne nie odpowiedziały. Było jej przykro, ale przynajmniej podejmowała jakieś próby. Walter irytował ją coraz bardziej – cały czas ją krytykował i to bez ogródek, prosto w oczy.

Nic dziwnego, że w tym momencie życia George stanowił dla niej jaśniejszy punkt, choć jego zainteresowanie wywoływało niepokój. Był tylko playboyem, który z nią flirtował, tego była pewna, ciągle się więc upominała, że musi się skupić na swoim celu, na poszukiwaniu pracy. Ale róże i album cały czas ją rozpraszały. George należał do mężczyzn, których trudno ignorować.

6

Jak się okazało, Sasha całe sobotnie popołudnie musiała spędzić w szpitalu. Wezwali ją o pierwszej do trzech porodów naraz. Porody były proste, więc przebiegły gładko. Skończyła tuż przed siódmą, a ponieważ z Alexem była umówiona na siódmą trzydzieści, nie miała czasu wrócić do domu, żeby się przebrać.

Zadzwoniła do niego ze szpitala z zamiarem przesunięcia randki na inny termin, jeśli by tego chciał. Nawet jeśli pójdzie na kolację, istniała szansa, że ją wezwą, choć Alex wiedział, że miała tego dnia dyżur i zapewniał, że mu to nie przeszkadza.

– Spełniło się twoje życzenie – oznajmiła, gdy odebrał. – Jestem w kitlu i kroksach. Cały dzień spędziłam na porodówce i właśnie skończyłam odbierać trzy porody. Chyba trochę za późno na pójście do domu i przebranie się. Co chcesz robić? Spotkamy się kiedy indziej?

– Jadłaś już coś? – spytał po prostu.

– Poza śniadaniem i dwoma batonikami między porodami – nie.

– Idealnie. Ja umieram z głodu. Za dziesięć minut przyjdę po ciebie pod wejście na Izbę Przyjęć. Nie masz już innych porodów?

– Nie, chyba że wezwą mnie podczas kolacji. – Uśmiechała się, Alex był taki rzeczowy i tak łatwo się z nim rozmawiało. Inni faceci zawsze robili raban, kiedy musiała odwołać spotkanie lub zmienić plany. Ale on żył tak samo jak ona, jego dotychczasowym partnerkom też się nie podobało, że ciągle coś musi zmieniać.

– No to w porządku. Też mogę włożyć kitel, jeśli ma ci to poprawić humor. Zabawimy się w lekarza. – I oboje wybuchnęli śmiechem. – Wybacz, nie to miałem na myśli. A może właśnie to – droczył się. – Lubisz sushi?

– Uwielbiam.

– Niedaleko na tej samej ulicy jest świetne miejsce. Jedzenie mają dobre i obsługa jest szybka. Jeśli cię wezwą, przynajmniej zdążysz coś wcześniej zjeść. Widzimy się za pięć minut.

Czekał na nią przed Izbą Przyjęć w dżinsach, czystej, starannie wyprasowanej niebieskiej koszuli i w mokasynach, co dla niej wyglądało na strój formalny. Ona była w szpitalnym kitlu, ale Alex zapewnił, że wygląda ślicznie i widać było, że naprawdę tak myśli. Ruszyli ulicą w ciepły wrześniowy wieczór. Miło było wyjść ze szpitala, poczuć się trochę jak na wagarach i rozmawiać z Alexem o czymś innym niż o pracy. Alex miał rację, dania, które wybrał, były wyśmienite i szybko je podano. Po kolacji siedzieli zrelaksowani, rozmawiając o jeździe na nartach i o żeglowaniu, i o ulubionych książkach. Lubili tych samych autorów i oboje z niejakim zawstydzeniem przyznali się, że byli dobrymi studentami.

– Jakie jest twoje wyobrażenie idealnej randki? – spytał Alex w pewnym momencie, wciąż pragnąc dowiedzieć się o niej więcej.

– Właśnie ją odbyliśmy. Dobra rozmowa, dobre jedzenie, bez pośpiechu, miły rozmówca, który nie robi awantury, że się spóźniłam i że być może za pięć minut będę musiała wrócić do pracy, i który się nie przejmuje, w jakim ubraniu przyszłam. Czasami lubię się wystroić, ale przeważnie brak mi na to czasu i jestem zbyt zmęczona, żeby się przejmować, gdy wracam do domu po pracy. Zdarza mi się zasypiać przy stole, bo poprzedniej nocy się nie kładłam.

– Trochę jestem zawiedziony – rzucił z zasmuconą miną. – Nie wspomniałaś o seksie. Nie wchodzi do programu twoich randek? – spytał z nadzieją, a ona parsknęła śmiechem.

– Zapomniałam – odrzekła szczerze. – To ludzie nadal go uprawiają? Kto ma czas na seks w naszym zawodzie?

– Słyszałem, że niektórzy mają – zapewnił z udawaną powagą. – To wprawdzie archaiczny koncept, ale ja jestem dość staroświeckim gościem, lubię tradycję i stare zwyczaje, chociaż nie na pierwszej randce. Może na drugiej albo trzeciej? Lub dziewiętnastej? – Patrzył na nią z nadzieją, a ona uśmiechała się. Naprawdę go lubiła i czuła, że on też ją lubi, taką, jaka jest, nie w ciuchach pożyczonych od siostry i niedorzecznie wysokich szpilkach Claire. Jeszcze nigdy nie czuła się tak swobodnie na pierwszej randce.

– Tak, seks na dziewiętnastej randce, to brzmi świetnie – droczyła się. – Chociaż do tego czasu mógłbyś się ożenić i zupełnie zapomnieć o czymś takim, jak seks. – Jej rodzice nie spali ze sobą lata przed rozwodem i mieli oddzielne sypialnie.

– Nie wiem, czy mogę się z tym zgodzić – odparł poważnie. – Moi rodzice wciąż chyba są w sobie zakochani, choć Bóg wie, jakim cudem, zważywszy, jak mój brat i ja doprowadzaliśmy ich do szaleństwa, gdy dorastaliśmy. Ale to przetrwali i całkiem nieźle się dogadują. Chciałbym kiedyś mieć taki związek, jak ich. Chociaż podejrzewam, że wymaga on pracy. – Sasha kiwnęła głową. Była przekonana, że jej rodzice nie wkładali wysiłku w małżeństwo, dlatego odsuwali się od siebie, aż w końcu ich miłość zupełnie obumarła. Ojciec wyznał jej kiedyś, że był nieszczęśliwy i chciał czegoś więcej niż to, co łączyło go z byłą żoną. Był zgłodniały uczuć, co nie dziwiło, jeśli poznało się charakter matki. – No to co, stworzyliśmy jakiś plan? Seks na dziewiętnastej randce? I czy lunch w stołówce się liczy, jeśli intencją była właśnie randka? Bo jeśli tak, to ta jest druga, a to oznacza, że zostało nam jeszcze siedemnaście. Jesteś wolna przez następne dwa i pół tygodnia? Ja mogę wyczyścić kalendarz, jeśli chcesz. – Śmiała się z tego, co mówił.

– Może moglibyśmy to rozciągnąć na trzy tygodnie – zaproponowała, nie był to tylko żart, ale wesołe przekomarzanie się. Sashy podobało się poczucie humoru Alexa oraz jego opowieści o bracie i rodzicach. Byli chyba taką rodziną, jaką sama chciałaby mieć, w przeciwieństwie do jej zawsze zagniewanej matki i nieobecnego ojca.

– Na mojej ostatniej randce zasnąłem na kanapie podczas oglądania filmu. Kiedy się obudziłem, przekonałem się, że moja partnerka poszła do łóżka beze mnie, zamknęła się w sypialni i zostawiła mi liścik, w którym napisała, żebym sam się wypuścił, gdy wstanę. To już trzeci raz, gdy zrobiłem jej coś takiego. Powiedziała: „Zadzwoń, gdy się porządnie wyśpisz". Nie zadzwoniłem, uznałem, że do trzech razy sztuka, poza tym była naprawdę nudna. Może gdybyśmy ze sobą rozmawiali, udałoby mi się nie zasnąć. A idea seksu uprawianego z obcą osobą albo jako forma gimnastyki jakoś nigdy do mnie nie przemawiała. Jestem beznadziejnym romantykiem i hołduję idiotycznemu przekonaniu, że ludziom powinno na sobie zależeć. Może to brzmi głupio, a ostatnia osoba, której to powiedziałem, pielęgniarka z pogotowia, spytała mnie, czy nie jestem gejem. Ona sypia z facetami poznanymi w Internecie, na pierwszej randce, i uznała mnie za dziwaka, bo nie wylądowaliśmy w łóżku w dniu, gdy ją poznałem. To może jest fajne, jak się ma osiemnaście lat. Ale gdy się jest starszym, miło jest, jeśli ci zależy albo przynajmniej znasz tę drugą osobę. Sypianie z obcymi to zbyt wiele wysiłku. – Podobało jej się to, co mówił, i podzielała jego zdanie. Wyznawał podobne zasady co ona, w przeciwieństwie do Valentiny, która otwarcie przyznawała, że sypia z facetami na pierwszej randce. I tak samo odważna w sprawach seksu była już w liceum. Nie musiała być zakochana, żeby pójść z kimś do łóżka. Sasha była bardziej staroświecka, i Alex też.

– Zgadzam się z tobą – powiedziała cicho. – I sądzę, że jesteśmy jakimiś przeżytkami z dawnych czasów. Teraz już prawie nikt nie myśli jak my. Faceci, z którymi się umawiałam, uważają, że seks to coś, czym im się rewanżujesz za to, że ci postawili hamburger czy stek. – Alex uśmiechnął się. Znał tę teorię. I nie czuł się w ten sposób od czasów studiów.

– Nic się nie stanie, jeśli seks nie pojawi się w grafiku aż do randki numer trzydzieści sześć lub nigdy. Lubię cię i podoba mi się pomysł, żebyśmy się najpierw zaprzyjaźnili. Może kiedyś się umówimy i razem zaśniemy przed telewizorem albo w kinie. Wsadź mnie do ciemnego pomieszczenia po trzech dniach dyżuru i masz jak w banku, że po pięciu minutach będę chrapał. Ale budzę się na napisy końcowe. Lubię wiedzieć, kto wyreżyserował film, który przegapiłem. – Sasha parsknęła śmiechem, a potem przyznała, że robi tak samo.

– Przytrafiło mi się to w filharmonii w zeszłym roku. Ktoś podarował mi bilety i przy zgaszonych światłach i muzyce przespałam całą imprezę. Uznałam, że chyba lepiej zaczekam, aż skończę staż, zanim znowu spróbuję. Bo to strata czasu.

– Dlatego właśnie sport jest taki dobry. Nie da się zasnąć, grając w piłkę. Chociaż w zeszłym roku zasnąłem na U.S. Open, na które poszedłem z bratem. O mało mnie nie zabił i powiedział, że więcej nie zmarnuje na mnie dobrego miejsca na widowni. Wobec powyższego jestem naprawdę pod wrażeniem, że podczas tej kolacji jesteśmy tacy rozbudzeni. – Aż promieniał, gdy to mówił. Uwielbiał rozmawiać z Sashą. Była tak piękna, że dech mu zapierało, i chętnie by się z nią przespał, ale nie chciał naciskać, wolał posuwać się wolno. Dzięki temu czuła się przy nim swobodnie i bezpiecznie, co wyczuwał. Nie należała do kobiet, które decydują się na cokolwiek bez zastanowienia.

Do końca kolacji nikt ze szpitala nie zadzwonił, więc gdy wyszli z restauracji, postanowiła wrócić do domu, ale zaprosiła do siebie Alexa na kolację na następny dzień. Miała wolne, podobnie jak on. Gotować miał Max, przychodzili wszyscy, była to więc dobra okazja, żeby Alex ich poznał. Jeszcze im o nim nie wspomniała, ale na razie byli tylko znajomymi, a Alex mówił, że chciałby poznać jej współlokatorki. Po wyjściu z baru wsadził ją do taksówki, obiecując, że się zjawi u niej nazajutrz.

– Dzięki za kolację. Była wyśmienita – powiedziała, uśmiechając się do niego. – I jeszcze lepsza od jedzenia była rozmowa.

– Do zobaczenia, do jutra – odparł, a potem, gdy taksówka odjeżdżała, pomachał na pożegnanie. Sasha podała mu adres w Hell's Kitchen, a on cieszył się, że spędzi z nią wieczór i że znowu ją zobaczy. Cieszył się też, że pozna jej współlokatorki, przybraną rodzinę. Czekało go spotkanie z grupą fajnych ludzi.

W niedziele Morgan poszła z Maxem na spacer do parku, potem Max miał przyjść do nich i zająć się szykowaniem kolacji. Claire pojechała do miasta na zakupy, chciała też zajrzeć do działu z butami w Bergdorfie, żeby sprawdzić, czy nie przegapiła jakichś firm, do których mogłaby wysłać CV. Abby miała spędzić dzień z Ivanem, ale zadzwonił rano z wiadomością, że jest chory, przeziębił się, została więc w domu i zajęła się pracą nad nową sztuką. A Sasha spała do wczesnego popołudnia, odsypiając tydzień. Ten wrześniowy dzień był słoneczny, ale mimo wszystko pogoda stawała się coraz bardziej jesienna, było coraz chłodniej.

Przed powrotem wszystkich Sasha nakryła do stołu, a o szóstej, gdy już wróciły pozostałe dziewczyny, nadszedł Max z produktami na kolację. Niedługo potem zjawili się Oliver z Gregiem. Rozmawiali i śmiali się, Max i Morgan nalewali wino, gdy pojawił się Alex. Sasha uprzedziła koleżanki, że przyjdzie, wyjaśniając, że to kolega z pracy. Nikt się tym specjalnie nie emocjonował, bo na niedzielnych spotkaniach mile widziany był każdy.

– A gdzie Ivan? – zainteresował się Oliver, zwracając się do Abby.

– Rozchorował się. – I zaraz potem uwaga wszystkich skupiła się na Aleksie, przedstawianym przez Sashę i wyglądającym na lekko przytłoczonego. Sasha opisała mu, kim są jej współlokatorki i że Oliver jest bratem Morgan, Greg jego partnerem, że Max to chłopak Morgan, który ma w pobliżu wspaniałą restaurację.

– Brakuje mojej siostry. Nadal jest na wyspie Świętego Bartłomieja i wraca dopiero jutro. – Ale poza nią i Ivanem wszyscy inni byli obecni. Alex rozmawiał z każdym i po pierwszych pięciu minutach, dyskutując z Olivierem i Gregiem o hokeju, poczuł się jak u siebie w domu. Opowiadał, że w poprzednim sezonie był na kilku meczach Rangersów, że widział, jak Greg w dogrywce zapewnił drużynie wygraną i że uważa, że to, co zrobił, było po prostu genialne.

W spokojniejszym momencie, gdy Alex nie patrzył, Claire zerknęła na Sashę i wskazując oczami na Alexa, szepnęła:

– Co to za gość? Jest fajniusi.

Sasha zawstydziła się i starała się udawać obojętność.

– To tylko kolega. W tym tygodniu pracujemy razem na porodówce.

– No tak… ale poza tym jest bardzo przystojny i wydaje się miły. – Sasha skinęła głową, ale nie powiedziała Claire o kolacji ani o lunchu w stołówce. Nie wiedziała, dokąd to zmierza, jeśli w ogóle dokądś zmierzało, i podobał jej się pomysł, że najpierw się z Alexem zaprzyjaźnią. Mimo to cieszyła się, że przyszedł, dzięki czemu mogli go poznać wszyscy, a on mógł zobaczyć, gdzie ona mieszka i z kim.

Jak zawsze jedzenie było wyśmienite. Max zrobił udziec jagnięcy po francusku z mnóstwem czosnku, puree ziemniaczane i zieloną fasolkę. A na deser przyniósł z restauracji tiramisu. Kolacje Maxa były najlepszym posiłkiem tygodnia, czerwone wino, które przyniósł, smakowało wyjątkowo. Max uwielbiał to gotowanie i uznał, że Alex jest świetnym nowym nabytkiem. Rozmawiali o francuskich winach, a Alex zwierzył się, że też lubi gotować. Po kolacji Morgan, Max, Oliver i Alex rozegrali kilka rozdań pokera, reszta sprzątała.

Kiedy o północy Max i Morgan poszli do pokoju Morgan, Sasha i Alex w końcu zostali sami. Inni albo już wyszli do domów, albo poszli spać.

– Cóż za wspaniały wieczór – rzekł serdecznie Alex. – Uwielbiam twoje współlokatorki, a Max to świetny gość. Chciałbym kiedyś odwiedzić jego restaurację. Jest doskonałym kucharzem. – Miał uczucie, jakby spędził wieczór z rodziną, a nie z grupą znajomych. Oni też się tak czuli i zawsze dobrze się ze sobą bawili. Alex stwierdził też, że loft bardzo mu się podoba, a Sasha opowiedziała mu, że to matka Claire pomogła im urządzić go tak, żeby wyglądał jak dom i miał domową atmosferę.

Rozmawiali bardzo długo, w końcu Alex z żalem wstał i Sasha odprowadziła go do drzwi. Jaki to szczęśliwy traf, że ją poznał i że go zaprosiła na kolację z przyjaciółmi!

– Dzięki za zaproszenie, Sasha. Od lat się tak dobrze nie bawiłem. Jak wygląda twój plan na ten tydzień?

– Przez następne pięć dni mam dyżury albo jestem na dyżurze telefonicznym, ale weekend mam wolny.

– W takim razie wymyślmy coś wspólnego na ten weekend.

– Chętnie – zgodziła się, a on delikatnie ją przyciągnął i pocałował. To było idealne zakończenie pięknego wieczoru. Sasha popatrzyła na niego szeroko otwartymi oczami.

– Nie jestem pewien, czy to właściwe na trzeciej randce – szepnął Alex. – Ale mnie się strasznie podoba. A tobie?

Kiwnęła głową i Alex znowu ją pocałował, i stali tak jeszcze chwilę przy drzwiach, całując się, a potem, bardzo niechętnie, Alex sobie poszedł. Randka numer trzy przebiegła wyjątkowo pomyślnie. Alex nie mógł się już doczekać kolejnych.

7

Valentina wróciła z wyspy Świętego Bartłomieja następnego dnia i od razu zadzwoniła do Sashy, żeby jej opowiedzieć, jak dobrze się bawiła. Szalała za Jean--Pierre'em, opowiadała, że traktował ją jak królową. Wrócili jego prywatnym samolotem, co dla Valentiny nie było niczym wyjątkowym, ale twierdziła, że Jean--Pierre różni się od wszystkich jej dotychczasowych partnerów i że zna wszystkich na całym świecie.

Sasha słyszała już takie opowieści wcześniej, cieszyła się jednak, że siostra jest szczęśliwa. Pod warunkiem, że ten Jean-Pierre to porządny człowiek, co w wypadku Valentiny nigdy nie było pewne.

– Kiedy cię zobaczę? – spytała.

– Jutro lecę do Tokio na zdjęcia do japońskiego „Vogue'a". Dlatego w ogóle wróciliśmy. – Japończycy ją kochali, szaleli za jej blond włosami i zielonymi oczami. Już nie występowała w reklamach, do których wynajmuje się czternastoletnie modelki, mimo to wciąż miała mnóstwo propozycji. Jej agencja cały czas rezerwowała ją do zdjęć, nawet dla amerykańskiego „Vogue'a". Valentina zwierzyła się, że ludzie z agencji są na nią wściekli za to, że siedziała na wyspie tak długo, ale ona nie żałuje, bo świetnie się bawiła.

– A może wpadniesz do mnie dzisiaj po pracy? – zaproponowała Sasha.

– Nie mogę. Idę z Jean-Pierre'em na otwarcie galerii i potem na kolację z jej właścicielem. – Wymieniła jedną z najbardziej prestiżowych galerii w mieście.

– Jestem dzisiaj w pracy. – Telefon siostry złapał Sashę w szpitalu. – Może wpadniesz na lunch do stołówki? Wtedy zobaczę cię przynajmniej na chwilę przed wyjazdem.

Valentina nie wydawała się zachwycona pomysłem, ale się zgodziła. Też chciała się spotkać z siostrą.

– No to do zobaczenia w południe – powiedziała Sasha, a Valentina obiecała, że przyjdzie.

Przyszła, ale dwadzieścia minut spóźniona. Sasha siedziała przy stoliku i jadła jogurt i banana, gdy pojawiła się siostra. Była ubrana w czarny obcisły kombinezon, klasyczny płaszcz z lamparciego futra od Diora z lat pięćdziesiątych, który znalazła w jakimś secondhandzie w Paryżu, i oszałamiające szpilki. Wywołała sensację już w chwili, gdy weszła i zmierzała do stolika Sashy, trzymając futro przewieszone przez ramię. W kombinezonie wyglądała wyjątkowo szczupło, jak prawdziwa gwiazda.

– Ktoś cię kiedyś zabije za ten płaszcz – rzuciła Sasha cicho.

– Do diabła z ekologami. To prawdziwy Dior, na dodatek zapłaciłam majątek.

– A za coś takiego nie aresztują? – Sasha była naprawdę zdenerwowana, ale Valentina tylko się roześmiała. Miały identyczne twarze, sylwetki, włosy, ale pod każdym innym względem różniły się kompletnie, jak zawsze. Sasha była w kitlu i w chodakach.

– Aresztować to powinni ciebie, za to świństwo, które masz na nogach. Nie możesz nosić w pracy czegoś przyzwoitego? – spytała Valentina, zdegustowana wyborem siostry.

– Nie, bo jestem na nogach osiemnaście godzin bez przerwy. – Ale mimo tych uwag Sasha była szczęśliwa, że widzi siostrę, dlatego mocno ją uściskała. Nie widziały się prawie dwa tygodnie. – Tęskniłam za tobą. Jak długo będziesz w Japonii?

– Trzy albo cztery dni. W drodze powrotnej spotkam się z Jean-Pierre'em w Dubaju. Zostaniemy tam na weekend, bo ma tam do załatwienia jakieś sprawy.

– Czym on się właściwie zajmuje, ten twój Jean--Pierre? – zainteresowała się Sasha. W jej głosie brzmiał niepokój. Valentina sięgnęła po jej banana, mówiąc, że tylko to chce na lunch, oraz łyk dietetycznej coli od siostry. Za kilka dni miała pracować, a wtedy zawsze mało jadła. – Chyba nie jakimś handlarzem narkotyków, co? – W ostatnich dziesięciu latach trafiło się takich dwóch, z samej góry łańcuszka, jeden z nich znalazł się nawet w więzieniu. Valentina nigdy nie miała problemów z prawem, ale mężczyźni w jej życiu tak.

– Oczywiście, że nie. To bardzo porządny człowiek. Jest biznesmenem. I nie lubi mówić o swojej pracy.

– To niezbyt dobry znak – westchnęła Sasha, ale Valentina ją zbyła. Opowiedziała jej za to o wyspie Świętego Bartłomieja, gwiazdach filmowych i ważnych ludziach, których poznała. Nie było to dla niej nic nowego, zważywszy jej zawód, ale na Valentinie sławni ludzie zawsze robili wrażenie. W dodatku Jean-Pierre ma największy samolot, jaki w życiu widziała. Sasha roześmiała się i zażartowała niewinnie: – Sądziłam, że największe ma coś innego.

– To też – zapewniła Valentina z miną o wiele mniej niewinną. Była zmysłowym stworzeniem i lubiła, gdy jej partnerzy byli nieco perwersyjni, co nigdy nie pociągało Sashy.

Sasha dostała wiadomość z porodówki i powiedziała, że musi wracać do pracy. Widziały się tylko pół godziny, ale lepsze to niż nic.

– Kiedy wracasz? – spytała, gdy opuszczały stołówkę, Valentina w futrze z lamparta. Odwracały się za nimi wszystkie oczy, nie ze względu na futro z chronionego zwierzęcia, bo pewnie ludzie myśleli, że jest sztuczne, ale dlatego, że Valentina w wysokich szpilkach wyglądała, jakby miała trzy metry wzrostu.

– Za jakiś tydzień, w zależności od tego, jak długo zostaniemy w Dubaju. Po powrocie poznam cię z Jean-Pierre'em. – Sasha wątpiła, czy nowa znajomość jej się spodoba, ale chciała sprawdzić na własne oczy, z kim spotyka się siostra. Chciała sama ocenić jej partnera, zwłaszcza że od zawsze robiła to lepiej, była bardziej krytyczna niż Valentina, która przymykała oczy prawie na wszystko, gdy zainteresowała się jakimś mężczyzną. A Jean-Pierre'em była wręcz zauroczona...

Właśnie wymieniały uścisk na pożegnanie, gdy na korytarz, zmierzając do stołówki, wszedł Alex. Gdy tylko dostrzegł Sashę, uśmiechnął się wesoło, chociaż był zaskoczony jej strojem i szkarłatną szminką na ustach. Odniósł też wrażenie, że urosła kilka centymetrów.

– Sasha?

– Cześć, Alex – odpowiedziała ta Sasha, którą znał. Przeniósł spojrzenie na stojącą obok bliźniaczkę i nagle pojął, że jest ich dwie.

– O kurczę! – Tylko tyle mógł z siebie wydusić, patrząc to na jedną, to na drugą. Te same twarze, te same zielone oczy i blond włosy, ale jedna z nich wyglądała jak przebrana na Halloween albo jak z okładki „Vogue'a" z lat pięćdziesiątych.

Sasha przedstawiła ich sobie, a Alex wypomniał jej, że nie powiedziała mu, iż jej siostra to identyczna bliźniaczka. Obie dziewczyny śmiały się z jego zaskoczonej miny. Valentina była rozbawiona, Alex wyglądał na zszokowanego. I rzeczywiście jej strój działał niczym porażenie prądem, chociaż w jej opinii był stonowany.

– Zapomniałam, że nie wiesz – usprawiedliwiła się Sasha z przepraszającym uśmiechem. Alex właśnie został poczęstowany pełną dawką jej siostry. Jeden obraz wart był tysiąca słów.

– A skąd miałbym wiedzieć? – obruszył się, a potem zwrócił się do Valentiny. – Cóż, jestem szczęśliwy, że mogę cię poznać – rzekł szczerze. – Może kiedyś wybierzemy się we troje na jakąś kolację.

– Byłoby miło – odparła uprzejmie Valentina. Nie miała pojęcia, kim on jest ani czy znaczy coś dla jej siostry. Sasha nic jej o nim nie mówiła. – W tym tygodniu będę w Tokio i w Dubaju. Może, gdy wrócę.

– Oczywiście – zgodził się Alex. Sasha musiała już iść, zostawiły więc Alexa, by zjadł lunch i mógł rozmyślać o dwóch zjawiskowych istotach, z którymi przed chwilą rozmawiał. Dobrze chociaż, że dzięki odmiennemu stylowi nie było obawy, że je pomyli.

Sasha odprowadziła Valentinę do holu i ucałowała przy drzwiach obrotowych.

– Uważaj na siebie – przestrzegła, jak starsza siostra, którą zasadniczo była, nawet jeśli chodziło jedynie o trzy minuty. Ale to ona była wrażliwsza. – I nie zapędzaj się za daleko z tym Jean-Pierre'em, dopóki nie dowiesz się o nim więcej.

– Nie mów jak stara baba – ofuknęła ją Valentina. – Wiem o nim tyle, ile potrzeba. To wspaniały facet. I jest milionerem – dodała na wszelki wypadek.

– Nie wszystko jest takie, na jakie wygląda. Jeszcze go dobrze nie znasz.

– No błagam, daj już spokój z tym krakaniem – zbyła ją Valentina, a Sasha się roześmiała. Valentina była stuknięta, zresztą od zawsze, ale obie kochały się nawzajem bezwarunkowo. – Do zobaczenia w przyszłym tygodniu – zawołała do Sashy, przechodząc przez drzwi, i wyszła przed budynek, żeby zatrzymać taksówkę. Kiedy odjechała, Sasha wróciła na oddział, gdzie kilka minut później, przed salą porodową, odszukał ją Alex.

– Jak mogłaś mi nie powiedzieć, że masz siostrę bliźniaczkę?

– Może po prostu założyłam, że o tym wiesz. Niezły z niej numer, prawda? Kiedy byłyśmy małe, doprowadzała mnie do szaleństwa. Ciągle się przez nią wstydziłam. I zawsze miałam przez nią kłopoty z rodzicami. Zrzucała na mnie winę za wszystko. Ona i mama nadal są ze sobą dość blisko. Tata się jej czepia, nie dogadują się. A Valentina nie znosi jego żony i dzieci.

– Jest niesamowita – mruknął Alex. Valentina wywarła na nim wrażenie futrem z lamparta, jaskrawą szminką i wysokimi szpilkami. – Ale przynajmniej będę potrafił was odróżniać, chyba że włoży kitel i chodaki.

– Czasami tak robi. Uwielbia zwodzić ludzi. Często udaje mnie przed moimi współlokatorkami i strasznie ją to bawi. Tylko Claire potrafi nas odróżnić. Poza nią nikt, nawet rodzice. Nawet fajnie być bliźniaczką oprócz tych momentów, gdy dostawałam burę nie za swoje winy. Ale cieszę się, że poznałeś Valentinę przed jej wyjazdem.

– Ja też – zapewnił Alex, gdy jednak oboje wrócili do pracy, wciąż nie mógł się otrząsnąć. Valentina zdecydowanie była kimś innym. Alex nie miał cienia wątpliwości, w której z sióstr się zakochuje, i nie była to supermodelka w płaszczu z lamparta.

Po wysłaniu kolejnego niesamowitego bukietu kwiatów George zaczął wydzwaniać do Claire. Działał stopniowo i delikatnie. Najpierw kilka razy zadzwonił tylko po to, żeby się przywitać i zapytać o zdrowie, i dopiero potem zaproponował spotkanie. Po tygodniu telefonów i kwiatów zaprosił ją na kolację, a ona grzecznie wyjaśniła, że musi pracować. George uwodził ją z taką determinacją, że była tym przestraszona. Kiedy czegoś pragnął, nic nie stanowiło dla niego przeszkody. Miał to wypisane na sobie, nie godził się na odmowę. Gdy słyszał „nie", po prostu ponawiał próby.

– Czego się boisz, Claire? – zapytał w końcu pewnego wieczoru przez telefon. – Nie chcę cię skrzywdzić. Chcę cię tylko zabrać na kolację, żeby cię poznać. – Ale oboje wiedzieli, że to, co mówił, nie było prawdą. Mógł ją skrzywdzić, gdyby się w nim zakochała, albo ją rozczarować. Nie lubiła ryzykować. I nic nie powinno przeszkadzać jej w pracy. Gdyby się w nim zadurzyła, mogłoby to zagrozić jej karierze, co się przytrafiło jej matce. Pozwoliła, by mężczyzna ograbił ją z obiecującej przyszłości zawodowej. Claire nie miała zamiaru dopuścić, by coś takiego stało się i z nią. Podjęła tę decyzję już w dzieciństwie. A George był ogromnie pociągający. Łatwo mogła sobie wyobrazić, że się w nim zakochuje, w dodatku te jego telefony i hojne prezenty.

– Jestem zbyt zajęta na randki – odparła spokojnie. – Pracuję nad wiosenną kolekcją.

– Musisz jeść – przypomniał nieco ironicznie – żeby mieć siły. Obiecuję, że nie będziemy siedzieli długo. Chcę tylko spędzić z tobą przyjemny wieczór. Coś mi mówi, że to może być ważne dla nas obojga. – Był przekonujący i niezmiernie czarujący, dlatego następnego dnia, gdy całą rozmowę prowadził lżejszym tonem, poddała się. Zgodziła się pójść z nim na kolację. Kiedy się rozłączyła, była wściekła na siebie i przerażona. George był w tej grze o wiele lepszy niż ona. Miała do czynienia z mistrzem. I zawsze stawiał na swoim.

Ubrała się w prostą czarną sukienkę i parę wysokich szpilek. Blond włosy upięła w elegancki koczek, w uszy wpięła maleńkie diamentowe kolczyki, które kupiła sobie sama. Gdy George przyjechał po nią, wyglądała prosto, elegancko i zarazem oszałamiająco.

– O! – Tylko tyle potrafił powiedzieć na początku, w co trudno było uwierzyć, bo przecież od dwudziestu lat spotykał się ze sławnymi aktorkami i supermodelkami, ale Claire emanowała tak nieskazitelną harmonią, jej naturalne piękno oświetlało restaurację niczym blask latarni. Przyjechał po nią czarnym ferrari, którym codziennie jeździł do pracy, i zabrał do ulubionej restauracji na przedmieściach, La Grenouille, na bajeczny posiłek. A tam zasypywał ją milionem pytań. Chciał o niej wiedzieć wszystko i bardziej mu się podobało to, jak jest oddana pracy. Nie opowiedziała mu o matce i o tym, dlaczego każdy związek traktuje jako zagrożenie dla planów zawodowych. Po drugim kieliszku szampana zapytała, dlaczego się jeszcze nie ożenił, a on na chwilę się zamyślił.

– Szczerze mówiąc, szukałem idealnej kobiety. Ojciec porzucił moją matkę, gdy byłem jeszcze niemowlakiem, matka zmarła, gdy miałem pięć lat. Myślę, że zapamiętałem ją właśnie jako kobietę idealną i takiej szukam przez całe życie, ale jeszcze nie znalazłem.

– Jakie to przykre. – Claire miała na myśli to, że stracił matkę jako pięciolatek. – Kto cię wychowywał?

– Babka, wspaniała kobieta. Młodo owdowiała, zmarła w tym samym roku, w którym skończyłem liceum. Zostałem sam. I przez to szybko wydorośłałem, stałem się niezależny i chyba trochę się bałem zaangażowania, chyba że chodziłoby o właściwą osobę. Ale jej nie spotkałem. – I wtedy dodał tak cicho, że prawie go nie usłyszała: – …może aż do dzisiaj. – Popatrzył jej poważnie, głęboko w oczy. – Coś się ze mną stało tamtego dnia, gdy cię poznałem, byłaś z Morgan. Nie wiem, co to jest, ale poczułem się tak, jakby świat przewrócił się do góry nogami. Nigdy nie poznałem kogoś takiego, jak ty. Świecisz od środka. Nie wiem, czy będziemy dla siebie odpowiedni ani co się między nami wydarzy, ale wiem, że nigdy nikt nie był tak bliski ideału jak ty. Gdy cię ujrzałem, serce mi stanęło. – I czule ujął jej dłoń pod stołem.

O mało nie dostała zawału. Była przerażona. A jeśli mówił to poważnie? Jeśli był „tym właściwym" dla niej, jeśli się w sobie zakochają? Co będzie musiała poświęcić? Prawie się rozpłakała, gdy tak trzymał jej dłoń. Ale nie mogła zignorować jego słów. Stracił wszystkich, których kochał. Całą rodzinę, gdy miał osiemnaście lat. I sam się przyznawał, że od tamtej pory nigdy nie oddał nikomu serca. A teraz to serce niepewnie ofiarowywał jej. Nie miała pojęcia, co zrobić. W pierwszym odruchu chciała uciec, ale George był taki kochany, taki delikatny i taki miły, że właściwie pragnęła utonąć w jego objęciach.

Później opowiadał jej zabawne historie, rozśmieszał, jakby z jego ust nie padło nigdy to poważne wyznanie. I sprawił, że poczuła się swobodnie. Spędzili w swoim towarzystwie miły wieczór, zjedli wyśmienitą kolację, po czym George odwiózł ją z powrotem do Hell's Kitchen swoim ferrari, a ona, będąc z nim, czuła się ważna. Wszystko ją w nim pociągało, z przemożną siłą. Już nie mówił o swoich uczuciach do niej, ale czule pocałował ją w usta, a potem odprowadził do drzwi. Nie tknął jej, nie chciał jej popędzać, choć znów pocałował ją przy drzwiach. Potem zbiegł pospiesznie na dół, a ona, oszołomiona, weszła do mieszkania.

Dziewczyny już spały. Chwilę posiedziała przy desce kreślarskiej, próbując skupić się na szkicach, ale widziała jedynie twarz George'a. Chciałaby mu powiedzieć, żeby zostawił ją w spokoju, żeby jej nie kusił, nie wciągał do swojego życia, ale w rzeczywistości pragnęła z nim być. Zgasiła światło i położyła się, rozmyślając o nim i o tym, jak ją całował.

Na granicy jawy i snu nadal rozmyślała o George'u. Był jednocześnie spełnieniem jej marzeń i największym koszmarem.

Następnego dnia w pracy nadal o nim myślała. Na stacji kupiła „Post" i we wkładce „Page Six" znalazła taką oto wzmiankę: „Kim była oszałamiająco piękna blondynka w La Grenouille z Georgem Lewisem zeszłego wieczoru? George wyglądał, jakby nie mógł oderwać od niej oczu. Coś nam mówi, że wkrótce będziemy tę panią oglądali o wiele częściej". Serce jej stanęło, gdy to czytała. Poczuła się okropnie, że nie powiedziała o spotkaniu Morgan. Nigdy wcześniej tak nie robiła, przecież były przyjaciółkami.

Zaraz po dotarciu do pracy zadzwoniła do niej i wyspowiadała się.

– Wczoraj wieczorem byłam na kolacji z George'em – wypaliła bez zbędnych wstępów.

– Z George'em Lewisem? – Morgan była zaskoczona. Pamiętała, że się spotkali, gdy były na kolacji w restauracji Maxa, ale od tamtej pory od żadnego z nich nic nie słyszała, chociaż George następnego dnia wypytywał ją o Claire. Morgan o tym zapomniała.

– Od tamtego czasu, gdy go poznałam, gdy byłam z tobą, ciągle do mnie dzwonił. Nie chciałam się z nim umówić, ale w końcu mnie zmęczył. Poszliśmy do La Grenouille. – Morgan wiedziała, że odmowa Claire tylko sprowokowałaby George'a do większych wysiłków. Jeszcze mocniej przekonywałby Claire, żeby się zgodziła. Po drugiej stronie linii zapadła cisza.

– Uważaj, Claire. On jest w tym dobry. Może z tobą będzie inaczej, ale złamał już wiele serc. Kiedy tylko któraś złapie się na haczyk, on ucieka. Myślę, że to ma związek z tym, że jako dziecko stracił matkę. Jedna z jego dziewczyn powiedziała mi o tym kiedyś. Spotkałam ją na jakimś przyjęciu, kiedy już przestali się spotykać. – Claire pamiętała, co mówił George poprzedniego wieczoru, ale musiała przyznać, że coś do niego czuje. Nie wiedziała, czy to uczucie było tak silne, jak jego, ale z nią też coś się stało, gdy się poznali. Może George miał rację. Tym akurat nie chciała się dzielić z przyjaciółką. Nagle zapragnęła chronić George'a, zachowując dyskrecję.

– Nie musisz się martwić. Jestem bardziej przerażona od niego. I nie chcę, żeby jakikolwiek mężczyzna przeszkodził mi w pracy. Ona jest dla mnie najważniejsza. – Morgan rozumiała koleżankę. Sama też tak się czuła, chociaż kochała Maxa. Ale gdyby Max w jakiś sposób miał zagrozić jej karierze lub upierał się, że muszą się pobrać, zakończyłaby związek natychmiast. – Nie dam mu złamać sobie serca.

– To dobrze. I nie chcę, żebyś ty złamała jemu serce. To dobry człowiek.

– Nic takiego się nie zdarzy – zapewniła ją Claire z przekonaniem, którego nie miała. Ale przynajmniej chciała powiedzieć Morgan, że się spotykali. Co z tego wyniknie, to już zależy tylko od nich. Na razie nic, choć dobrze pamiętała gorący pocałunek i jak się po nim czuła. George miał magiczną moc i był bardzo doświadczonym mężczyzną.

Zadzwonił do niej niedługo potem i powiedział, że był zachwycony ich wieczorem. Powiedział też, że chce ją gdzieś zabrać w sobotę, na jakąś przejażdżkę, dla zaczerpnięcia świeżego powietrza. Chyba do Connecticut.

– Przywiozę cię wieczorem, jeśli masz coś do roboty w weekend. – Ucieszyła się, że słuchał tego, co mówiła o swojej pracy. I był taki miły, że nie mogła mu odmówić. Zapowiedział, że przyjedzie po nią o dziewiątej rano w sobotę, i poprosił, żeby ubrała się swobodnie, w coś ciepłego.

Tydzień mijał, a ona ciągle o nim myślała. Dzwonił kilka razy, z samego rana zaraz po jej przebudzeniu lub późnym wieczorem. W ciągu dnia przysyłał jej śmieszne SMS-y. I twierdził, że może myśleć tylko o niej. Ani słowem nie zdradził się z niczym przed Morgan, i ona też nic nie mówiła. To było jego prywatne życie, nigdy się nim z nią nie dzielił. Nigdy nie opowiadał o tym, z kim się spotyka, był dyskretny.

Przyjechał po Claire w sobotni poranek punktualnie o dziewiątej. Claire wyszła ubrana w krótki barani kożuszek w naturalnym kolorze, ładne buty, dżinsy i gruby sweter. Blond włosy spływały jej luzem na plecy, jak u dziewczynki. Była zaskoczona, że George zabiera ją do New Jersey, a nie do Connecticut, jak przypuszczała, ale wiedziała, że tam też są piękne małe wioski i dobre knajpki, w których będą mogli zjeść lunch. Po półgodzinnej jeździe przekonała się, że dotarli na lotnisko Teterboro, a George podjechał pod swój olbrzymi samolot. Claire popatrzyła na maszynę, potem na George'a i na chwilę znowu ogarnął ją lęk. Dokąd chciał ją wywieźć?

– Pomyślałem, że wpadniemy na dzień do Vermont – oznajmił, nachylając się do niej, żeby ją pocałować. – Tam są piękne parki i śliczne małe zajazdy. Zjemy gdzieś lunch i wrócimy po południu. – Trochę oszołomiona weszła po schodkach do samolotu, w wejściu przywitali ich stewardesa i starszy steward. Kapitan i drugi pilot uzyskali pozwolenie na wylot, samolot startował za kilka minut. Claire i George rozsiedli się w wygodnych siedzeniach i gdy samolot wzbił się w powietrze, stewardesa podała śniadanie.

– Wszystko dobrze? – spytał czule George, znowu ją całując. Śniadanie było wyśmienite. Claire zjadła jajecznicę i jagodziankę, popiła cappuccino, George jadł gofry z bekonem. Podczas krótkiego przelotu nad Nową Anglią gawędzili swobodnie i po półtorej godziny od startu z Teterboro wylądowali w Vermont, na lądowisku przy maleńkiej wiosce. George powiedział, że zimą jeździ na nartach w tej okolicy i że odkrył tę wioskę rok temu. Liście były czerwone, pomarańczowe i żółte, a pilot wynajął samochód, który już na nich czekał, gdy wylądowali. Gdy wyjechali z lotniska, George nagle zatrzymał się i pocałował ją namiętnie, a ona, czując jego dłoń na udzie, odpowiedziała mu równie ogniście. Gdy jej dotykał, czuła tylko, że chce więcej. I czuła, że jego namiętność rośnie.

– Działasz na mnie tak, że szaleję – powiedział ochryple, a ona uśmiechnęła się.

– Ty też tak na mnie działasz – szepnęła. George ruszył, zanim dali się ponieść namiętności w samochodzie. Dowcipkował sobie z tego, oboje się śmieli.

– Znowu czuję się jak dziecko, i to niegrzeczne na dodatek. Przykro mi, Claire. – Ale jej nie było przykro... uwielbiała jego towarzystwo.

Zaparkował samochód na skraju lasu, blisko niewielkiego jeziora, po którym pływały łabędzie. Wysiedli i poszli na krótki spacer. Było chłodno – jesień zdążyła już nadejść do Nowej Anglii, choć jeszcze nie było tak zimno jak w Nowym Jorku.

Na lunch poszli do małego wiejskiego zajazdu. Po posiłku oboje poczuli się senni. George zerknął na zegarek.

– Powinniśmy się chyba zbierać, jeśli chcesz dziś wrócić do Nowego Jorku. – Potem popatrzył na nią podstępnie, jak niegrzeczny chłopiec. – Albo... możemy zostać. Nie musimy, niczego nie zaplanowałem, ale nie mam ochoty wyjeżdżać. Wszystko zależy od ciebie, Claire, ty jesteś szefem. Zrobię tak, jak postanowisz. – To była dopiero druga randka, Claire chciała się zachować rozsądnie. Ale zajazd, w którym jedli lunch, był magiczny, a ona pragnęła teraz jedynie być z George'em i nigdy nie wracać. Przyglądała mu się długo, a potem, gdy wziął ją za rękę, powiedziała szeptem:

– Zostańmy. – George przymknął oczy, jakby jej słowa były zbyt słodkie, by ich słuchać, a potem spojrzał na nią.

– Kocham cię, Claire. Wiem, pomyślisz, że zwariowałem, bo mówię to tak szybko, ale uważam, że było nam pisane, byśmy się spotkali. – I ona też zaczynała czuć to samo. Już się nie bała – chciała z nim być. George poszedł do recepcji i wynajął pokój, a potem zadzwonił do załogi z informacją, że zostają na noc. Śmiejąc się jak dwójka dzieciaków, poszli do sklepiku kupić szczoteczki do zębów i wszystko, czego mogliby potrzebować. Żadne z nich nie planowało pobytu w Vermont. George nie zastawił na nią uwodzicielskiej zasadzki, pozwolił jej podjąć decyzję, dlatego Claire czuła się swobodnie, do niczego nie przymuszana. Z pośpiechem wrócili do zajazdu i wzięli klucz do pokoju. Był mały, ale uroczy, z kominkiem i obiciami z perkalu w kwieciste wzory. Stało tam wielkie staroświeckie łoże z czterema kolumnami, nakryte pikowaną kapą.

Nie mogli dość szybko pozbyć się ubrań. Spleceni w uścisku, spragnieni siebie, całując się, rzucili się na łóżko i zaczęli kochać. Claire nigdy jeszcze nie przeżyła tak namiętnego seksu, narodzonego z pożądania i desperackiego pragnienia zaspokojenia.

– Szukałem cię przez całe moje życie – mówił George po wszystkim, całując ją, i zaraz potem znów był podniecony. Tej nocy kochali się raz za razem, a gdy zasypiali, George trzymał ją w objęciach.

Następnego dnia znów się kochali i oboje cierpieli, że muszą wracać. Stali przy szerokim łożu, czując się, jakby stało się ono ich domem. To w nim zrodziła się ich miłość, rozpoczęło się wspólne życie. Wiedzieli, że nigdy tego nie zapomną.

Do Nowego Jorku przylecieli późnym popołudniem. Nim wylądowali w Teterboro, George uśmiechnął się i pocałował Claire.

– Dziękuję, że pojawiłaś się w moim życiu – powiedział.

– Kocham cię – odparła. Udowodnili to sobie poprzedniej nocy.

– To dopiero początek – przypomniał. Przelatywali właśnie nad rozświetlonym miastem. Wszystko było takie piękne. Claire miała wrażenie, że patrzy na Nowy Jork nowymi oczyma. Samolot wylądował gładko kilka minut później, a oni nadal trzymali się za ręce. I czy tego chciała, czy nie, wiedziała, że w jej życiu rozpoczął się zupełnie nowy rozdział.

Rozdział 8

Alex i Sasha spędzali ze sobą czas, ilekroć tylko pozwalały im na to ich grafiki, co nie zdarzało się tak często, jakby sobie tego życzyli. Jedli razem lunch w szpitalnej stołówce, spotykali się tam o północy, żeby coś przegryźć, gdy oboje mieli dyżur nocny, w dni wolne chodzili na kolacje. Jak na razie ten układ się sprawdzał, nawet poszli do kina na film, który lubili oboje, i pogratulowali sobie nawzajem, że nie zasnęli w jego trakcie. I jeśli wyjście na kolację potraktować jako randkę, to zgodzili się, że mają ich już za sobą pięć lub sześć. I tak było dobrze.

Żadne z nich nie chciało niczego przyspieszać, najpierw chcieli się dowiedzieć o sobie wszystkiego. By mieć pewność, z kim się wiążą.

Kiedy Valentina wróciła z Dubaju, spytała o Alexa, a Sasha powiedziała, że się spotykają.

– To znaczy, że się pieprzycie, tak? – zapytała bez ogródek Valentina, a Sasha jęknęła.

– Nie znasz innych określeń? Nie przeszkadzają mi przekleństwa, gdy się uderzę w palec u nogi albo gdy coś się chrzani w pracy, na przykład odwołują mi dzień wolny, ale nienawidzę tego słowa na określenie uprawiania miłości.

– Nie bądź taką cnotką – obruszyła się Valentina. Zawsze lubiła to słowo i zresztą dla niej było ono prawdopodobnie odpowiednie.

– A odpowiadając na twoje pytanie, to nie. Nie chcemy się spieszyć.

– On jest gejem? – Valentina wyglądała na zdumioną. I rozczarowaną.

– Oczywiście, że nie. Chcemy się najpierw poznać.

– Jak długo się spotykacie?

– Nie wiem, kilka tygodni. Zależy, jak to liczyć.

– Jesteście nienormalni.

– Żadne z nas nie chce popełnić błędu. – Sasha sprawiała wrażenie pewnej tego, co mówi, nawet jeśli dla jej siostry brzmiało to jak chińszczyzna. Ona nigdy nie czekała, zwłaszcza jeśli chodzi o mężczyzn.

– A co złego w tym, że go popełnicie? Rozstaniecie się i będziecie żyli dalej. Nie zawsze musi chodzić o „Tego Jedynego".

– Dla mnie musi. I dla Alexa – sprzeciwiła się Sasha. Bardzo szanowała Alexa, że tak do tego podchodzi – tak jak ona.

– Rany boskie – fuknęła Valentina, wznosząc oczy do nieba. – Kiedy ty ostatnio z kimś spałaś?

– Nie twój interes – odparła Sasha. Ale siostra miała rację: dawniej, niż chciałaby przyznać. Teraz był Alex, na horyzoncie majaczyła więc nadzieja. Ale wszystko w swoim czasie. – No, to kiedy wreszcie poznam twojego Jean-Pierre'a? – zmieniła temat. Były w mieszkaniu Valentiny w Tribeca, Sasha miała dzień wolny.

– Za jakieś dziesięć minut – poinformowała Valentina. – Powiedział, że przyjedzie, i też chce ciebie poznać. Jutro leci do Paryża. Spotkam się tam z nim w przyszłym tygodniu przy okazji zdjęć do francuskiego „Vogue'a". – I dodała, że zdjęcia w Tokio poszły dobrze.

Kilka minut później odezwał się dzwonek przy drzwiach i Valentina poszła otworzyć. Chwilę potem do salonu pewnym krokiem wszedł Jean-Pierre. Był wysoki, ciężki, silnie zbudowany, miał szpakowate włosy, ciemne i badawcze oczy. Gdyby Sasha spotkała go na ulicy, powiedziałaby, że ma bardzo nieprzyjemny, wręcz podły wyraz twarzy. Ale teraz, gdy ją wziął w objęcia i ucałował w oba policzki, Jean-Pierre bardziej przypominał olbrzymiego pluszowego miśka. Miśka, który mógłby pożreć własne małe. Uśmiech był szeroki, ale oczy zawzięte.

– Bardzo chciałem cię poznać – rzekł wylewnie i wydawało się, że mówi szczerze. – Piękna młoda pani doktor, która sprowadza na świat dzieci. Twoi rodzice muszą być z ciebie dumni.

– Nie do końca – odparła Sasha z uśmiechem. – Nasza matka chciała, żebym została prawnikiem... moją pracą się brzydzi. A ojciec jest dumny z Valentiny. Jego żona też jest modelką. – Zbył jej słowa, jakby żartowała, choć w rzeczywistości zawierały sporo prawdy. Potem objął Valentinę i pocałował ją. Valentina była w czarnej skórzanej spódniczce, ledwie zasłaniającej krocze, i sięgających za kolano zamszowych botkach na wysokich obcasach. Zdaniem Sashy ubranie siostry wyglądało trochę jak ze sklepów sado-maso, ale Jean-Pierre wydawał się zachwycony, gdy wsuwał dłoń pod spódnicę Valentiny. Sasha była przyzwyczajona do tego, że mężczyźni siostry tak ją traktują, zresztą Valentina to lubiła. Gdyby w ten sam sposób w miejscu publicznym zachował się wobec Sashy Alex, dałaby mu po głowie.

Uśmiechnęła się, bo uzmysłowiła sobie, że na osobności też się tak nie zachowywał.

– Jestem bardzo zakochany w twojej siostrze – oznajmił Jean-Pierre sentymentalnie. – To cudowna kobieta, która mnie uszczęśliwia. – Sasha wolała sobie nie wyobrażać, co to oznacza. – Tak szczęśliwy nie byłem od czasów młodości. – Dla Sashy znaczyło to, że używa viagry, ale o tym też nie chciała myśleć. Jean-Pierre wyglądał bardziej szacownie niż inni kochankowie Valentiny. Był ubrany w poważny garnitur i czarny krawat od Hermèsa. I był odrobinę młodszy od jej ostatniego partnera. Niemniej miał w sobie coś twardego, co wzbudzało w Sashy lęk. Instynktownie przeczuwała, że lepiej go nie drażnić, bo to się źle skończy. No i Valentina nie wiedziała, czym on się właściwie zajmuje.

– Prowadzisz interesy w Stanach? – spytała Sasha, próbując coś z niego wyciągnąć, ale był na to za sprytny.

– Prowadzę interesy na całym świecie. A świat jest teraz bardzo mały. W zeszłym tygodniu byliśmy z twoją siostrą w Dubaju, a za dwa tygodnie jedziemy do Marrakeszu na krótkie wakacje.

– To wspaniałe. – Sasha udawała, że jest szczerze zachwycona, ale coś w oczach Jean-Pierre'a napawało ją strachem. Wyglądał, jakby miał w nich rentgen. Nie, nie można mu ufać. Nie powiedział ani nie zrobił niczego złego, ale coś w nim po prostu jej nie odpowiadało, budziło podejrzliwość.

Posiedzieli na kanapie w mieszkaniu Valentiny, pogawędzili, aż w końcu Sasha podniosła się i powiedziała, że musi już iść. Była umówiona z Alexem w lofcie. Dziewczyn miało nie być, a ona obiecała, że przygotuje dla niego kolację. Ostrzegła go oczywiście, że może tego pożałować, jednak on zapewnił, że zaryzykuje. Widać był bardzo odważny.

Jean-Pierre na odchodne uściskał ją i ucałował w oba policzki, a Valentina promieniała. Była przekonana, że Sasha pokochała Jean-Pierre'a, ale tak się nie stało. Sasha nie wiedziała, na czym polegają jej zastrzeżenia, ale była pewna, że przeczucia jej nie mylą. Miała nadzieję, że Valentina nigdy nie będzie musiała się o tym przekonać, i że Jean-Pierre zniknie z jej życia na długo przed tym, gdy stanie się problemem. W jakikolwiek sposób zarabiał na utrzymanie, była pewna, że jest w tym dobry, a jeśli to było coś nielegalnego, może nie zostanie złapany.

Do Hell's Kitchen wróciła metrem, Alex zjawił się kilka minut po niej z produktami na kolację. Pocałował ją i spytał, czy wszystko w porządku. Wydawała się rozkojarzona.

– Tak. Właśnie poznałam partnera Valentiny i coś mi się w nim nie podoba, chociaż nie umiem powiedzieć, co. Ale z nią jest tak zawsze. Dopiero później się dowiadujemy, że jej kochanek handlował heroiną i sprzedawał ją dzieciom. Ten jest trochę lepszy, a może raczej trochę bardziej elegancki, ale ma najbardziej zawzięte spojrzenie, jakie w życiu widziałam. Pocieszające jest tylko to, że jej związki nigdy nie trwają długo. Valentina za nim szaleje, jednak w jej przypadku nic to nie znaczy.

– Nie rozumiem, jak bliźniaczki mogą być tak różne – oświadczył Alex, rozpakowując zakupy. – Nie znam dwóch bardziej różnych osób niż ty i twoja siostra. – I bardzo dobrze, pomyślał.

– Wiem, to dziwne – zgodziła się Sasha. – Valentina to wariatka i ma okropny gust, jeśli chodzi o facetów,

ale mimo wszystko ją kocham. – Alex rozumiał to i sza-
nował, dlatego bardzo uważał na to, co mówi.

Oboje zabrali się za szykowanie kolacji, ciesząc się
z wieczoru, bo wiedzieli, że reszty dziewczyn długo nie
będzie, mieli więc mieszkanie tylko dla siebie.

Oprócz Morgan Claire nadal nikomu nie powiedziała
o romansie z George'em. A romans rozwijał się całkiem
nieźle. W przyszłym tygodniu wybierali się samolotem
George'a do Palm Beach i w ogóle nagle pojawiło się
milion planów, a każdy strasznie jej się podobał. George chciał ją zabrać na Super Bowl, na który sam chodził co roku, na World Series, na narty w Courchevel
i Megève, do Aspen, Sun Valley, na Karaiby i latem
na południe Francji. Chciał z nią robić tysiące rzeczy
a w międzyczasie powtarzał, że chce spędzić z nią całe
życie w łóżku. Claire starała się, żeby tak się nie stało,
ale nie umiała temu zapobiec – George ją rozpraszał.
Ilekroć siadała do deski kreślarskiej, w domu lub w biurze, odpływała myślami, widziała go przed sobą nagiego.
Nawet go naszkicowała, a szkic schowała w szufladzie.
I ciągle sobie powtarzała, że on też wie, że to jest to.
Nie spodziewała się, że ktoś taki pojawi się w jej życiu
tak szybko. Czasami się zastanawiała, czy właśnie coś
takiego spotkało jej matkę, gdy zakochała się w ojcu
i pojechała za nim do San Francisco. Ale Claire wiedziała również, że z nią samą jest inaczej. George był
legendą Wall Street, genialnym biznesmenem. Ludzie
mówili, że jest jak Midas. I nigdy nie poprosiłby jej,
żeby rzuciła swoją pracę.

Zaczęła myśleć o rzeczach, o jakich wcześniej nigdy
nie myślała: żeby wyjść za mąż i mieć dzieci. George

otwierał przed nią nowe horyzonty i zamknięte dotąd miejsca w jej sercu. Było zbyt wcześnie na zastanawianie się nad którąkolwiek z tych rzeczy i na dokonywanie zmian w życiu, ale nie ulegało wątpliwości, że coraz bardziej zakochiwała się w George'u.

Tydzień później, gdy zabrał ją na Florydę, spędzili noc w Miami i drugą w Palm Beach i bawili się tam nawet lepiej niż w Vermont. Już lepiej się znali i każdego dnia dowiadywali się o sobie coraz więcej. George nie lubił opowiadać o swoim dzieciństwie, ale Claire w końcu opowiedziała mu o zgorzkniałym ojcu i matce, która poświęciła dla męża wszystko. To tłumaczyło, dlaczego tak bardzo chciała pozostać niezależna. Nie chciała nigdy poddać się woli mężczyzny, nawet jego. I George to rozumiał.

W Miami wynajęli jacht, jeździli na nartach wodnych, jedli w najlepszych restauracjach. Claire czuła się jak księżniczka w bajce.

– Co się dzieje z Claire? – spytała Sasha w sobotni poranek, kiedy razem z Morgan robiły sobie kawę. Były same, bo Abby, która w nocy siedziała długo przy komputerze i pracowała nad nową sztuką, jeszcze spała. – Ciągle jej nie ma, co weekend gdzieś wyjeżdża. – Morgan przez chwilę milczała, bo nie wiedziała, co ma odpowiedzieć. Nie znała szczegółów, ale wiedziała, że Claire spędza weekend z George'em.

– Claire się z kimś spotyka – powiedziała w końcu.

– Łał, nic mi nie mówiła. Wiesz, kto to jest? – dopytywała się Sasha.

Morgan skinęła głową, starając się nie pokazywać, że się martwi.

– To George. – Dopiero po chwili Sasha załapała i szeroko otworzyła oczy.

– Twój szef? – Morgan potwierdziła skinieniem głowy. – Jak to się stało?

– Jadłyśmy kolację u Maxa, George też tam był i zatrzymał się przy stoliku. Przedstawiłam mu Claire. A reszta, jak to mówią, to już historia. Od tamtego czasu szaleją za sobą. – Związek nie trwał długo, ale był intensywny. A za każdym razem, kiedy Morgan ją widziała, Claire wyglądała, jakby unosiła się w powietrzu. Morgan miała tylko nadzieję, że ten związek przetrwa, choć nie była tego wcale pewna. George'a trudno było rozszyfrować, a jeszcze trudniej przewidzieć, jak się zachowa.

– Myślisz, że on to traktuje poważnie? – spytała Sasha.

– Nie wiem. Możliwe. Któregoś dnia jakaś kobieta go uziemi, równie dobrze może to być Claire. George ma za sobą historię wielu przelotnych związków, ale z tego, co wiem, tyle że wiem niewiele, i z tego, co słyszę od Claire, chyba pierwszy raz podchodzi do związku tak poważnie.

– No, no – powtórzyła Sasha. – Gdzie pojechali tym razem?

– Chyba na Florydę. Polecieli jego samolotem.

– Świetna sprawa dla Claire, jeśli wypali. – Morgan uśmiechnęła się. Uważała tak samo.

– A co u ciebie? – spytała, gdy usiadły przy stole. – Jak ci idzie z tym młodym doktorem?

– Miło. Powoli, ale pewnie. Żadne z nas nie chce wykonywać pochopnych kroków i zepsuć wszystkiego.

– To fajnie.

– Nam to odpowiada. – Sasha została w kuchni, a Morgan poszła się ubrać. Miała pomóc Maxowi z księgowością w restauracji. Teraz wszystkie były w związkach, na różnym etapie, trzy z nich z dobrymi, interesującymi, wartościowymi mężczyznami. Jedynym zgniłym jabłkiem w koszu był Ivan, a Sasha ze względu na dobro Abby miała tylko nadzieję, że przyjaciółka szybko się go pozbędzie.

9

W PAŹDZIERNIKU, podczas przeglądania danych do prezentacji, Morgan poprosiła księgowość o pewne akta
i już po kilku minutach zorientowała się, że dali jej
złe. Zadzwoniła i poprosiła o właściwe, ale gdy na nie
czekała, coś wpadło jej w oko w bilansach. Przelew
w kwocie stu tysięcy dolarów i wypłata dwudziestu
tysięcy, które jej zdaniem nie były prawidłowe. Te
pieniądze nie powinny być na tym koncie. Widziała, że tydzień wcześniej doszło do niewytłumaczalnej
wpłaty dwudziestu tysięcy, a potem sto tysięcy zostało
przelane z powrotem na właściwe konto. Zastanawiała
się, czy to błąd księgowości, który został poprawiony.
Wszystkie sumy się zgadzały, ale wystąpiły jakieś przesunięcia i przeniesienia, których nie potrafiła wyjaśnić.
Pomyślała, że powinna powiedzieć o tym Geroge'owi,
ale ponieważ pieniądze trafiły ostatecznie na właściwe
miejsce, tak naprawdę nie było to istotne. Chociaż ją
dziwiło. Mnóstwo pieniędzy wpływało i wypływało
z ich konta klientów, i wiedziała, że George ma niesa-
mowitą głowę do liczb i że wszystko monitoruje, łącznie
z księgami finansowymi. W takiej firmie jak ich było to
ważne, może więc George o wszystkim wiedział i zażą-
dał korekty. Sprawa nie była niepokojąca, niczego nie

brakowało, mimo wszystko Morgan nie potrafiła sobie tego wytłumaczyć. Dla pewności, w razie gdyby temat wypłynął później, skopiowała akta i skopiowane strony schowała do szuflady biurka. A potem zajęła się pracą nad analizą, którą miała przygotować na następny dzień. A później zupełnie zapomniała o błędzie w księgach. Mieli kilku nowych klientów i była zawalona robotą.

Jeśli chodzi o George'a, nie umknęło jej uwadze, że był w bardzo dobrym nastroju, odkąd zaczął spotykać się z Claire. Nic o tym nie mówił, ale wyglądał na zakochanego. Morgan jeszcze nigdy nie widziała go tak szczęśliwego i odprężonego, a Claire była jak łąka kwiatów na wiosnę. Przestała nawet narzekać na szefa.

I Sasha sprawiała wrażenie szczęśliwej. Była zajęta, zadowolona i spokojna, ona i Alex dobrze się razem bawili. Dużo się śmiali, gdy do niej przychodził, i przynajmniej raz w tygodniu jedli kolację w restauracji Maxa. A w niedzielne wieczory kolację w lofcie szykowali teraz razem Max i Alex. Max nadal był szefem, a Alex jego zastępcą, chętnie się uczył nowych tricków. Alex doskonale się dopasował do ich rodziny zastępczej i wszyscy mieli nadzieję, że z nimi zostanie. Ale było za wcześnie, żeby stwierdzić to na pewno.

Jedyną osobą nieszczęśliwą, a nawet załamaną, była Abby. Ivan torturował ją. Wymówek, dlaczego go nie ma lub nie można się z nim skontaktować, pojawiało się coraz więcej. Tłumaczył się, że był chory, miał migrenę, nadwyrężył sobie plecy, przesuwając dekoracje, musiał się spotkać ze sponsorami albo z księgowym, był wyczerpany, bo czytał nowe sztuki, wyładowała mu się bateria w komórce, raz lub dwa razy na tydzień gubił gdzieś telefon albo tam, gdzie się znajdował, nie było zasięgu. Był jak kropla rtęci, którą się goni po podłodze. Abby nieustannie go poszukiwała i wysłuchiwała jego wymówek, gdy się w końcu pojawiał. I coraz częściej w jego pobliżu kręciła się Daphne, ale on twierdził, że tylko próbuje uczyć ją biznesu. Jej ojciec rzekomo ciągle go unikał, stale był w podróżach, więc jeszcze się nie spotkali. A konto teatru było już prawie puste. Ich sytuacja finansowa wyglądała tragicznie.

W teatrze, gdy Abby malowała dekoracje i sprzątała, Daphne kręciła się pod nogami, ale Ivan nie chciał, żeby pomagała. Powiedział Abby, że Daphne ma astmę i że byłoby to niedobre dla jej zdrowia, poza tym jej ojciec byłby wkurzony. Abby dalej była niewolnicą, a Daphne nową księżniczką. Abby starała się być cierpliwa, ale przychodziło jej to coraz trudniej. A Ivan albo był chory, albo zbyt zmęczony, albo zbyt zajęty, żeby wpaść do niej i pobyć z nią, lub nie spał od wielu dni i nie chciał, żeby ona przychodziła do niego na noc. Sytuacja wyglądała niedorzecznie, nawet Abby to rozumiała. Ale Ivan nie chciał tego zauważyć. Abby była już zmęczona jego wymówkami, zaczynało do niej docierać, że ją oszukuje.

I kiedy pewnego popołudnia z uprzejmości spytała Daphne o ojca i o to, dokąd udał się w podróż tym razem, Daphne popatrzyła na nią ze zdziwieniem i ze smutkiem wyjaśniła, że ojciec zmarł przed dwoma laty. Abby nie odpowiedziała nic, ale tego wieczora czekała na Ivana w teatrze. Miał spotkanie z Daphne, które trwało ponad godzinę, i gdy Daphne wymknęła się z biura, rozpalona i spocona, Abby spokojnie weszła do środka. Nie zamierzała dać się dłużej zbywać. Już zbyt długo Ivan robił z niej idiotkę.

Kiedy weszła, zapinał pasek przy spodniach. Nie trzeba być geniuszem, żeby się domyślić, co robili. Ale starała się o tym nie myśleć, chociaż czuła, że łzy zatykają jej gardło.

– Gdzie byłeś dzisiaj po południu? Z ojcem Daphne? Rozmawiałeś z nim o pieniądzach na sztukę?

– Tak, właśnie tak. – Z całą powagą i wyniosłością patrzył jej prosto w oczy. – Ale facet chce się jeszcze zastanowić.

– To musiało być dla ciebie trudne spotkanie – rzuciła współczująco. Ręce jej się trzęsły, ale Ivan tego nie widział.

– A dlaczego? To miły człowiek. I jest nam wdzięczny za to, co robimy dla jego córki. – Abby kiwnęła głową.

– Byłeś na seansie spirytystycznym? – spytała poważnym tonem.

– Nie. Skąd taki pomysł?

– Stąd, że ojciec Daphne nie żyje od dwóch lat. Trzeba było ją spytać, zanim wymyśliłeś bajkę o jej ojcu. Bo teraz to ty wyszedłeś na głupka. A w zasadzie nie na głupka, tylko na gnojka, którym jesteś. Masz z nią romans, a ja o tym wiem. – Przerwał jej, był blady.

– O tym też ci powiedziała? – Był przerażony.

– Nie, ty to właśnie zrobiłeś. Ja się tylko domyśliłam. Podejrzewałam już wtedy, gdy przyszła tu pierwszy raz, a ty sprzedałeś jej te same kłamstwa, które mówiłeś trzy lata temu, o tym, że wystawisz moją sztukę. Jej sztuki też nigdy nie wystawisz. Po co mnie tu trzymasz, skoro masz ją? Tylko po to, żebym zmywała podłogi i malowała dekoracje? Dlaczego kłamałeś o tym, gdzie jesteś, z kim, opowiadałeś o migrenach, bolących plecach, zgubionej komórce i innych bzdurach? Wiesz co? Nie obchodzi mnie to już. Nie interesuje mnie, kogo rżniesz ani kogo oszukujesz. Przez trzy lata zamykałam oczy, uszy i umysł, bo cię kochałam i wierzyłam ci. Ale już cię nie kocham ani ci nie wierzę, i tak samo któregoś dnia będzie z nią. I możesz sobie znaleźć inną blondynę, żeby ci robiła laskę w biurze i pieprzyła się z tobą. Jesteś żałosny. Naprawdę jesteś taki, jak wszyscy o tobie mówią – żałosny, arogancki fiut. Koniec. Weź sobie Daphne, jej sztukę, swoje kłamstwa i wykręty i wsadź je sobie wiesz gdzie. Mam nadzieję, że ona nie będzie taka głupia jak ja. I życzę powodzenia przy wyciąganiu kasy od jej zmarłego ojczulka, bo jest ci taki wdzięczny. Pierdol się, Ivanie Jones! – Szarpnięciem otworzyła drzwi biura, wyszła i zamknęła je za sobą z głośnym trzaskiem. Nie czuła się tak dobrze od miesięcy. Kiedy szła przez scenę do wyjścia, dostrzegła Daphne stojącą w rogu.

– Żegnam – rzuciła, mijając ją.

– Odchodzisz? – Dziewczyna wyglądała na zdumioną.

– Tak, odchodzę.

– A kto sprzątnie teatr przed dzisiejszym spektaklem? – spytała Daphne z niepokojem.

– Ty – odpowiedziała Abby z uśmiechem. – To nie jest tylko miejsce zabawy i robienia lasek. Pracować też trzeba. Życzę powodzenia.

Z biura wychylił się Ivan, oszołomiony tempem wydarzeń. Chyba naprawdę myślał, że może mieć je obie. I nagle Abby uzmysłowiła sobie, jak musiała być szalona, że go kochała i wierzyła w jego kłamstwa.

– Nie możesz odejść – rzucił za nią słabym głosem, zachowując się, jakby został śmiertelnie urażony.

– Owszem, mogę.

– Sprzedasz się, jak twoi rodzice, i do końca życia będziesz pisała jakieś gówna – przepowiedział złowieszczo.

– Możliwe – zgodziła się z furią w oczach. – Ale przynajmniej nie będę przymierającym głodem krętaczem, za którego robotę odbębniają inni. Nie masz pieniędzy i właśnie straciłeś niewolników. – Daphne wyglądała na zdenerwowaną tym, co mówiła Abby. Wpatrywała się w Ivana wyczekująco.

– Nie będę sprzątała teatru – oświadczyła. Abby zabrała torebkę i wyszła. – Mówiłeś, że wystawisz moją sztukę. – Daphne była bliska łez.

– Musisz – powiedział surowo Ivan.

– Pieprz się – krzyknęła Daphne i ruszyła śladem Abby, oszczędzając sobie co najmniej rocznego cierpienia.

Abby szła w stronę domu szybkim krokiem, bo w jej żyłach buzowała adrenalina. Po twarzy lały jej się łzy, ale ona o tym nie wiedziała, a nawet gdyby wiedziała, nic by jej to nie obchodziło. Kiedy pojawiła się Daphne, zrozumiała, że Ivan nigdy jej nie kochał, a tylko ją wykorzystywał, i że nie jest wart, by po nim rozpaczać. Była skończoną idiotką.

Gdy dotarła na Trzydziestą Dziewiątą ulicę, biegiem wspięła się na górę i po wejściu do mieszkania przekonała się, że są w nim wszystkie współlokatorki. Z rozwianymi włosami i zapłakaną twarzą musiała wyglądać jak wariatka.

– Co się stało? – z przestrachem zapytała Sasha.

– Właśnie powiedziałam Ivanowi, żeby się pierdolił. – Gdy to mówiła, na jej twarzy malował się wyraz zdumienia. – W końcu pojęłam, że zdradzał mnie z Daphne. I nie mogłam już dłużej znosić jego kłamstw i wymówek. Oszukiwał mnie we wszystkim. Skończyłam z nim. – Po tym oświadczeniu w salonie rozległy się okrzyki radości. Abby wiedziała, że w nocy, gdy zacznie rozmyślać o zerwaniu, wspominać dobre chwile z Ivanem, będzie jej smutno, ale miała dwadzieścia dziewięć lat i nie mogła pozwalać na to, żeby tacy faceci jak Ivan wykorzystywali ją. Musi rozpocząć wszystko od nowa, ale tym razem tak jak należy, i musi pracować z ludźmi, którzy dotrzymują słowa.

Ostatnio dużo pisała, wróciła do pracy nad powieścią. Zrozumiała, że eksperymentalny język, jaki przyjęła dla Ivana, zagłuszał jej własny głos. Nie pozwoli, żeby Ivan zniszczył jej karierę, zamieniając ją w swoją marionetkę. Pragnęła wrócić do pracy, podążać własną ścieżką i zapomnieć o Ivanie. W każdy możliwy sposób zmarnowała trzy lata.

– Jak mogłam być taka głupia? – powiedziała do przyjaciółek, siadając na kanapie. – Próbowałyście mi to uzmysłowić, a ja was nie słuchałam. Chciałam, żeby to, co mówił, było prawdą.

– Ivan jest przebiegły – zauważyła Morgan. Nazwisko Rasputin wcale nie było tu aż tak nie na miejscu. – Wykorzystuje naiwność i łatwowierność ludzi. I kobiety, które się w nim kochają. Ale wszystko, co robi i mówi, to tylko zasłona dymna, jak w *Czarnoksiężniku z Oz*.

– A ja byłam tą kretynką w czerwonych bucikach. Co ja powiem rodzicom? Zmarnowałam trzy lata życia. – Docierało to do niej teraz wyraźnie i była przerażona, no ale przynajmniej zobaczyła prawdę.

– Oni prawdopodobnie wiedzieli i czekali, aż się ockniesz. Będą szczęśliwi, że tak się stało – powiedziała ciepło Claire, otaczając Abby ramieniem i przytulając do siebie.

– Daphne chyba też odeszła. Widziałam, że wyszła z teatru zaraz za mną. Ale pewnie znajdą się inne Abby i Daphne, które mu uwierzą i zostaną jego niewolnicami.

– Wcześniej czy później straci wszystkie. Już stracił. Jako czterdziestoszcściolatek jest o wiele mniej przekonujący niż ten czterdziestotrzylatek, którego poznałaś – wtrąciła Morgan.

Tego wieczora zjadły kolację razem. Abby czuła się jak z siostrami, które są przy niej, kiedy ich potrzebuje. Rodzicom zamierzała wszystko wyznać, ale jeszcze nie dziś. Tego wieczoru wypiły dużo wina i poszły wcześnie spać. Za miesiąc, jak zawsze, wybierała się do domu na Święto Dziękczynienia, a przedtem planowała dużo czasu poświęcić powieści. Musiała wyrzucić z głowy Ivana.

Kładąc się, płakała, ale była zmęczona, pijana i było jej wstyd. Wiedziała, że od tej chwili może być tylko lepiej.

Odczekała kilka dni, zanim zadzwoniła do matki i powiedziała jej, co się stało. Joan Williams nie była na nią zła – ulżyło jej.

– Wiedzieliśmy, że on nie jest dla ciebie, ale musiałaś zobaczyć to sama – powiedziała ciepło.

– Szkoda tylko, że to tak długo trwało. Trzy lata. Strata czasu – lamentowała Abby.

– Jestem przekonana, że czegoś się w tym czasie nauczyłaś i że znajdzie to wyraz w twojej twórczości – oświadczyła matka. Wierzyła w córkę, w jej talent i inteligencję. Ivan nie mógł jej tego odebrać. I ku własnemu zaskoczeniu Abby przekonała się, że matka miała rację. Z powodu wściekłości na Ivana, która wylewała się z niej każdym porem, jest styl był mocniejszy, wyrazistszy i bardziej szczery niż dotąd. Gniew dodawał jej siły, dzięki niemu to, co pisała jak nigdy od lat było dobre. Zamknięta w mieszkaniu, pisała przez cały czas, dzień po dniu, w czasie gdy przyjaciółki były w pracy. Nie próżnowała. Robiła to, co zawsze chciała robić, przelewając całą furię na papier. To był jej sposób na pozbycie się Ivana z głowy i z życia, na zawsze. Wreszcie. A ozdrowienie nastąpi, gdy już to się wydarzy.

10

Claire czuła się tak, jakby żyła w bajce. Jej matka, gdy Claire do niej zadzwoniła, od razu to zrozumiała. Domyślając się, że coś się stało, spytała, czy córka dostała awans. Nawet przez myśl jej nie przeszło, że w życiu Claire pojawił się mężczyzna, i że Claire jest zakochana. Jej życie intymne od tak dawna praktycznie nie istniało. Matka z góry założyła, że radosne nuty w głosie córki mają związek z pracą. Claire nie okłamała matki, chociaż podobnie jak współlokatorkom powiedziała bardzo niewiele o George'u. Nie chciała niczego zapeszać, pragnęła sama się nacieszyć tym, co ich łączyło.

– Kiedy to się zaczęło? – Sarah była szczęśliwa ze względu na córkę. Claire wydawała się uskrzydlona.

– Kilka tygodni temu, jakiś miesiąc.

– A jak się poznaliście? – Matka była ostrożna, nie chcąc naruszać granic wytyczonych przez córkę.

– To szef Morgan.

– Ten geniusz z Wall Street? – Sarah nie posiadała się ze zdumienia.

– Tak.

– Ma mnóstwo kasy – zauważyła matka po chwili milczenia, a Claire roześmiała się.

148

– Tak. W weekendy latamy do różnych miejsc jego samolotem. Byliśmy na Florydzie, w Vermont. – W przyszłym tygodniu zabierał ją na przyjęcie w Bostonie. I było jeszcze wiele innych miejsc, o których rozmawiali, w Europie. Snuli mnóstwo marzeń i planów.

– To musi być trochę przytłaczające, kochanie? – Matka martwiła się o nią, ale też cieszyła. Nie chciała, żeby złamał jej serce, a jakoś sobie przypominała, że George cieszył się sławą playboya, co nie było zaskakujące w przypadku względnie młodego mężczyzny, który zbił fortunę. Miał świat u stóp, a teraz i jej córkę w ramionach. Miała nadzieję, że nie chodzi mu tylko o zabawę.

– Czy to coś poważnego? – spytała.

– To dopiero początek, ale wydaje mi się, że tak. Dla nas obojga. Mówi, że czekał na mnie całe życie. – Sarah uśmiechnęła się do siebie. Była zachwycona ze względu na córkę. Takie wyznanie pragnie usłyszeć każda kobieta.

– Ten związek zupełnie zmieni twoje życie – rzekła z zastanowieniem.

– Tak, zmieni – zgodziła się Claire.

A potem Sarah pomyślała o czymś.

– Ale decyzji nie zmieniłaś? Przyjeżdżasz na święta?

– Oczywiście. – Claire zawsze jeździła do domu zarówno na Święto Dziękczynienia, jak i Boże Narodzenie. Nie chciała zawieść rodziców, szczególnie matki. Święta byłyby dla niej okropne, gdyby musiała siedzieć sama z przygnębionym mężem, który prawie się do niej nie odzywał.

– Przywieziesz ze sobą George'a?

– Nie wiem. Jeszcze o tym nie rozmawialiśmy. – Ale Claire nie chciała, żeby George zobaczył, jacy straszni są jej rodzice. W ostatnich latach ich święta były bardzo ponure, ojciec nieustannie rzucał jakieś pesymistyczne komentarze o stanie gospodarki i świata. Nie chciała w to wciągać George'a, chociaż pewnego dnia może będzie musiała, ale jeszcze nie teraz. Uprzedzi go, że musi pojechać do domu na kilka dni. Nienawidziła myśli o rozstaniu, lecz nie miała wyboru.

Gdy mu o tym wspomniała, on też odczuł ulgę.

– Nie przejmuj się – zapewnił. – Nienawidzę świąt. Zawsze mnie przygnębiają. Nawet jako dziecko ich nienawidziłem. – Nic dziwnego, pomyślała Claire, skoro jego rodzice nie żyli i wychowywała go babka, ale nie powiedziała tego na głos. – Zwykle w Święto Dziękczynienia jadę na narty do Aspen, a na Boże Narodzenie i Nowy Rok na Karaiby. Ty spędź święta z rodzicami i nie przejmuj się mną. – I cieszył się, że nie poprosiła, aby z nią pojechał. I tak by tego nie zrobił, ale nie chciał być zaproszony, bo wtedy musiałby odmówić. Tak więc wszystko ułożyło się idealnie dla obojga. I choć do świąt pozostał jeszcze miesiąc, George był zadowolony, że mają tę rozmowę za sobą. Teraz mogli się udać każde w swoją stronę, ale obiecał, że polecą do San Francisco w jakiś zwyczajny weekend, by mógł poznać jej rodziców.

W każdej innej sytuacji – poza świętami – chciał być z Claire nieustannie, dlatego widywali się niemal codziennie. Ona spędziła kilka nocy w jego apartamencie w Trump Tower, on planował wspólne ciekawe weekendy. Uwielbiał chodzić z nią na przyjęcia, chociaż stanowczo odmówił zostawania u niej na noc w lofcie.

– Jestem za stary, żeby spędzać noc w mieszkaniu pełnym ludzi. – Lubił prywatność i wygodę, cały ten luksus, do którego był przyzwyczajony. I lubił spać we własnym łóżku, najchętniej z Claire. Powiedział jej, że może u niego zostawać, kiedy tylko zechce, i przydzielił jej szufladę na jej rzeczy i miejsce w szafie dla gości. Ale ona jeszcze nic u niego nie zostawiła, wydawało jej się, że jest na to za wcześnie. Kiedy u niego spała, zabierała ze sobą małą torbę, z którą wracała do domu. Nie chciała, żeby myślał, że się do niego wprowadza. Szanowała jego przestrzeń. Od dawna mieszkał sam i miał głęboko zakorzenione przyzwyczajenia. W mieszkaniu miał służącego i pokojówkę, którzy dbali o niego. Claire czuła się niezręcznie, gdy rano służący podawali jej śniadanie, ale oboje byli dla niej mili. Przyjemne życie, do którego łatwo się przyzwyczaić. A George chyba oczekiwał, że Claire zostanie z nim długo, najlepiej na zawsze. Nigdy nie wspominał o małżeństwie, a ona tego nie oczekiwała ani nie chciała, choć nieustannie sugerował, że jest kobietą jego życia, tą, na którą czekał od lat. Nawet któregoś dnia na spacerze spytał ją, ile dzieci chciałaby mieć, a ona udzieliła mu szczerej odpowiedzi.

– Żadnego. – Wyglądał na zaskoczonego. – Tak naprawdę nigdy nie chciałam mieć dzieci. Są obciążeniem. – Doskonale pamiętała, jak ojciec się na to skarżył, gdy dorastała. Miała wrażenie, że jest niechcianym dzieckiem. – Wolę robić karierę.

– Możesz mieć jedno i drugie – zauważył łagodnie.

– Nie wiem, czy to prawda, i czy byłoby to w porządku wobec dzieci.

– O wiele łatwiej się je wychowuje, gdy się ma pieniądze – przypomniał. – Moglibyśmy wynająć opiekunkę. Szczerze mówiąc, ja też nigdy nie chciałem mieć dzieci, ale od kiedy cię poznałem, zacząłem się nad

151

tym zastanawiać. Gdybym kiedykolwiek miał się zdecydować, to nie wyobrażałbym sobie lepszej matki dla moich dzieci. – Kiedy to powiedział, aż jej się zakręciło w głowie. To był największy komplement. Wszystko toczyło się tak szybko przez te jego uwagi. Zachowywał się tak, jakby byli ze sobą od roku czy dwóch, a nie od miesiąca. I jeszcze nikt nigdy nie powiedział jej „kocham cię" tak szybko. Czasami przerażało ją to i wtedy próbowała się od niego odsunąć, żeby zyskać nieco lepszą perspektywę, ale gdy tylko tak się działo, George robił wszystko, żeby z powrotem ją do siebie przyciągnąć.

Wiedział, że bała się o swoją pracę, gdyby za bardzo się zaangażowała, zapewniał jednak, że nie będzie jej przeszkadzał. I chociaż od czasu do czasu czuła niepokój, podobało jej się to, co mówił. Bo komu by się nie podobało? Pisał i dzwonił do niej trzy lub cztery razy dziennie, co niezmiernie irytowało Waltera. Głośno kazał jej przekazać chłopakowi, żeby nieco ochłonął. Był po prostu niegrzeczny, co się nasiliło, gdy przeczytał wzmiankę o ich romansie w „Page Six". Zupełnie, jakby był zły na to, co się dzieje w jej życiu. Powtarzał plotki o George'u i mówił, że Claire prawdopodobnie nie zależy już na pracy, na co ona odpowiadała, że to nieprawda. Nadal sama się utrzymuje, bez niczyjej pomocy, i potrzebuje pieniędzy. Atmosfera w pracy stawała się coraz gorsza. Na szczęście w weekendy George jej to rekompensował, na całe dwa dni mogła zapomnieć o Walterze Adamsie i o jego brzydkich, nudnych butach.

Rozesłała kilka następnych maili ze swoim CV, ale nikt jej jak dotąd nie zaoferował posady. Nadal była zależna od Waltera. Jedynym miłym punktem w jej życiu był George, przeżywała z nim fazę miesiąca miodowego, oboje wszystko widzieli w różowych barwach. I jak dotąd ani razu się nie pokłócili. Claire miała nadzieję, że to się nie zmieni.

U Sashy i Alexa też działo się dobrze. Spędzali ze sobą tyle czasu, ile mogli, i dużo rozmawiali o pracy. Próbowali wynegocjować zmiany w grafiku, tak żeby mogli pracować i być na dyżurach w te same dni i mieć te same dni wolne. Czasami się to udawało i wtedy robili razem różne fajne rzeczy. Chodzili na koncerty w Lincoln Center, na kolacje ze znajomymi Alexa, Sasha większość z nich polubiła. Któregoś weekendu Alex wynajął małą żaglówkę, popłynęli nią na Long Island Sound. Chodzili na bazar na Union Square po zakupy i na pchli targ w Hell's Kitchen. Kupili dynie do szpitala i wyrzeźbili w nich buźki na Halloween. Dwie ustawili na stanowisku pielęgniarek na porodówce, resztę zanieśli na pediatrię, żeby zrobić przyjemność dzieciom. I mniej więcej w tym czasie Alex przypomniał Sashy, że dziewiętnastą randkę prawdopodobnie mają już za sobą. Oboje stracili rachubę, ale odpowiednia okazja, żeby spędzić ze sobą noc jakoś się jeszcze nie pojawiła. Podobnie jak George, Alex czuł się niezręcznie na myśl, że miałby nocować w lofcie ze współlokatorkami Sashy. Na pewno byłoby tak za pierwszym razem. Z kolei, jak twierdził, w jego mieszkaniu był stały bałagan, za ciasno nawet dla niego, co dopiero dla dwojga. Valentina od czasu do czasu pytała Sashę, czy już się kochali, i śmiała się z siostry, że jeszcze się to nie stało. Twierdziła, że ona i Jean-Pierre kochają się ciągle, w każdym możliwym miejscu, nawet w samolocie. Uważała, że z Sashą i Alexem jest coś nie tak, i upierała się, że Alex prawdopodobnie jest gejem albo impotentem, co Sasha uznała za niesmaczną uwagę. Wbrew temu, co mówiła siostra, ona i Alex świetnie się dogadywali i zwłoka w kwestii seksu wcale im nie przeszkadzała. A tuż przed Halloween Alex wpadł na pewien pomysł.

– A może byśmy wyjechali na weekend do jakiegoś miłego zajazdu w Connecticut lub Massachusetts? Oboje mamy wolne. Fajnie byłoby uciec z miasta na dwa dni. – Sasha była zachwycona, Alex zarezerwował pokój w motelu, o którym usłyszał od kolegi stażysty, w Old Saybrook, w Connecticut.

Wyjechali w piątek o północy prosto ze szpitala i o dziewiątej rano w sobotę byli na autostradzie prowadzącej do Connecticut. Kiedy się meldowali w maleńkim motelu, który stał nad samą wodą, czuli sól w powietrzu i z pokoju słyszeli skrzeczenie mew. W pobliżu było kilka knajpek. Sasha przywiozła ze sobą małą walizeczkę, którą Alex wstawił do pokoju. Motel prowadziła para starszych państwa, pokoje po szkole sprzątała ich wnuczka. Było tak, jak sobie wymarzyli. Gdy się rozpakowali, postanowili pójść na spacer na plażę, ale zanim wyszli, Alex zatrzymał Sashę i pocałował ją namiętnie. Nie całowali się po raz pierwszy, robili to już od miesiąca, ale teraz mieli dla siebie cały weekend. Alex zastanawiał się, czy Sasha nie będzie przy nim onieśmielona, ale ona tylko się uśmiechnęła i najpierw rozpięła mu koszulę, potem spodnie, a potem on rozebrał ją. Mieli za sobą długi okres pełnego szacunku oczekiwania i czuli się ze sobą jak para starych przyjaciół. Nie było między nimi tajemnic, sekretów, niewypowiedzianych i niezałatwionych spraw, wiedzieli o sobie wszystko, nie znali tylko swoich ciał. I nagle ani Sasha, ani Alex nie mogli czekać ani minuty dłużej. Szybko rzucili się na łóżko, śmiejąc się, gdy zaskrzypiało, zaraz jednak zapomnieli o tym, ogarnięci pożądaniem, którego siła zaskoczyła ich oboje. Po miesiącu oczekiwania, podczas którego się poznawali, teraz pragnęli tylko tego. A gdy już było po wszystkim, leżeli obok siebie zdyszani i Alex podziwiał ciało Sashy. Uważał, że jest piękna, ona tak samo myślała o nim. I znowu zaczęli się całować.

– Kocham cię – wyszeptał czule Alex. Czekał z tym wyznaniem, choć tak naprawdę przez ostatni miesiąc mówili to sobie na tysiąc różnych sposobów, tysiącem różnych gestów.

– Ja też cię kocham – odparła Sasha. Była szczęśliwa i czuła, że teraz już w pełni do siebie należą. Ostatni most został przekroczony. – Moja siostra twierdzi, że jesteśmy nienormalni, ale ja się cieszę. – Leżeli w łóżku długo, a potem razem wzięli prysznic, ubrali się i poszli zwiedzać miasteczko. Potem, trzymając się za ręce, spacerowali chwilę po plaży, w końcu wrócili do zajazdu i znowu się kochali. Wieczorem poszli do restauracji, która była romantyczna i miła, oświetlona tylko świecami. To był idealny miesiąc miodowy. Dwa dni spędzili w całkowitej błogości.

W drodze powrotnej w milczeniu słuchali muzyki i rozmyślali o tym, co się wydarzyło. W pewnej chwili Sasha nachyliła się do Alexa i pocałowała go, a on uśmiechnął się do niej. Tak uniesiony i spokojny nie czuł się jeszcze nigdy.

– Chcesz zanocować u mnie? – spytała, gdy dojeżdżali do Nowego Jorku. Alex zawahał się, ale było mu trudno rozstać się teraz z Sashą.

– Tak, chcę. – I wpadł na kolejny pomysł, tylko najpierw musiał porozmawiać z rodzicami.

Po przyjeździe pod dom Sashy bez trudu znaleźli wolne miejsce postojowe. Weszli na górę i przekonali się, że wszystkie dziewczyny są w domu. Byli też Max, który zrobił kolację, Oliver i Greg. To miłe, że ich tam zastali. Jakby wrócili po miesiącu miodowym do domu, do kochającej rodziny. W drodze niczego nie jedli i byli głodni, na szczęście zostały jeszcze jakieś resztki z kolacji. Max podał im ją i nalał wino. Morgan i Claire wciąż siedziały przy stole, a na kanapie Abby z przejęciem dyskutowała z Gregiem o swojej książce. George też był na kolacji, ale zdążył wyjść. Następnego dnia miał zebranie. Claire postanowiła zostać w domu, żeby mógł się wyspać. Mieli za sobą wyczerpujący weekend. Samolotem George'a polecieli na Bermudy i pływali tam jachtem.

– Gdzie się podziewaliście przez cały weekend? – spytał Max, gdy pałaszowali przyrządzoną przez niego pieczeń, którą wszyscy uwielbiali. Przyrządzał ją według przepisu babki i podawał z tłuczonymi ziemniakami i kremem szpinakowym, na deser był suflet z kremem.

– Pojechaliśmy do Connecticut – odparł tajemniczo Alex, uśmiechając się do Sashy. Wszyscy od razu zrozumieli, o co chodzi, i ucieszyli się ze względu na nich. Wśród tych przyjaciół nie było żadnych sekretów.

Tak jak zawsze długo jeszcze rozmawiali. Na stole paliły się świeczki, wszyscy byli syci i wypoczęci. A kiedy już Sasha pomogła pozmywać naczynia, ona i Alex poszli do jej pokoju i położyli się spać, jakby robili to od lat. Przytulili się do siebie pod kołdrą i znowu się kochali. Tuż przed zaśnięciem Alex znowu powiedział, że ją kocha, a ona przytuliła się do niego i pocałowała w policzek.

– Ja też cię kocham – wyszeptała czule i chwilę później spała już w jego ramionach jak mały kociak. O szóstej rano, dzwonił budzik i trzeba było wychodzić do pracy. Tego dnia pracowali w tych samych godzinach. Sasha wykąpała się pierwsza, a gdy Alex się kąpał, przygotowała mu śniadanie. Kiedy wyszedł z łazienki, jedzenie już czekało na stole. Reszta wciąż jeszcze spała. Sasha i Alex musieli być w szpitalu o siódmej, dyżur mieli do dziesiątej wieczorem.

– Dziękuję – rzucił Alex z uśmiechem. Zostanie u niej na noc wypadło lepiej niż się spodziewał. Nikt nie robił z tego wielkiej sprawy, a on nie czuł się intruzem. Max też został i to również nikomu nie przeszkadzało. Loft był duży, miejsca starczyło dla wszystkich, zwłaszcza że każdy miał inny rozkład dnia. Sasha dzieliła łazienkę z Abby, która wstawała najwcześniej koło południa. – Czuję się, jakbym znowu był na studiach – zauważył Alex, tyle że tutaj otaczały go kobiety, które uwielbiał, a nie banda ledwie znajomych chłopaków.

– Czasami ja też się tak czuję. Ale wolę to, niż mieszkanie w pojedynkę. Chyba czułabym się wtedy samotna. – Sasha mieszkała z dziewczynami od pięciu lat i nie potrafiła sobie wyobrazić życia gdzie indziej.

Kwadrans przed siódmą cicho opuścili mieszkanie i Alex zawiózł ich do szpitala. Samochód zostawili w szpitalnym garażu i razem udali się do wejścia. Tam się pocałowali, życząc sobie nawzajem miłego dnia. Sasha uśmiechała się, gdy dotarła do stanowiska pielęgniarek i spojrzała na tablicę na ścianie, żeby sprawdzić, która z pacjentek akurat rodzi, które już urodziły i ile pacjentek mieli jeszcze na oddziale.

– Widzę, że mamy full – rzuciła do pielęgniarek.

– No co ty powiesz. W Halloween odebraliśmy sześć porodów. Dwie cesarki i pięć normalnych. Całą noc mieliśmy tu dom wariatów. Miałaś szczęście, że cię nie było. – Sasha z uśmiechem skinęła głową. Chodziło o coś więcej niż szczęście. To był jej miesiąc miodowy. Sięgnęła po karty i poszła sprawdzić stan pacjentek, które urodziły w nocy.

Zbadała cztery, kiedy pojawił się Alex z cappuccino, ale szybko wrócił do siebie.

– Co zrobiłaś, żeby sobie na coś takiego zasłużyć? – zakpiła jedna z pielęgniarek. Dziewczyna wcześniej widywała ich razem i widziała, że Alex świata nie widzi poza Sashą.

– Lepiej, żebyś nie wiedziała – mruknęła Sasha z uśmieszkiem winowajczyni, a wszyscy się roześmiali.

11

Alex zadzwonił do rodziców, żeby ich zapytać o plany na Święto Dziękczynienia. Rodzice zawsze szykowali świąteczną kolację, na której zjawiali się on i jego brat oraz kilku znajomych, którzy nie mieli nikogo innego, do kogo mogliby pójść.

– Chciałbym przywieźć ze sobą przyjaciółkę, jeśli wam to nie przeszkadza – powiedział do matki przez telefon, a ona odparła, że przecież wszyscy znajomi jego czy Bena są zawsze mile widziani. Alex w przeszłości kilkakrotnie zapraszał do domu znajomych ze studiów, ale od tamtego czasu nigdy nie była to dziewczyna. To był pierwszy raz. Ben miał dziewczynę przez dwa lata i przyprowadzał ją do domu, jednak latem zerwali ze sobą. Teraz przyszła kolej na Alexa. Wprawdzie przypuszczał, że rodzice się ucieszą, ale wolał zapytać, zanim cokolwiek powie Sashy.

– Kto to jest? Znamy ją? – dopytywała się matka.

– Nie, to dziewczyna, z którą się umawiam. Nazywa się Sasha Hartman, też jest na stażu w szpitalu i pochodzi z Atlanty. – Podał o Sashy tyle informacji, ile mógł.

– To interesujące – odparła uprzejmie matka. Helen Scott kochała swoich synów i zawsze ciepło przyjmowała ich przyjaciół.

– Czy ona może u nas zostać, mamo? – Alex poczuł się nagle jak dziecko.

– Ależ oczywiście. Przecież nie zatrzyma się w hotelu. No i wszyscy jesteśmy już dorośli. Może spać w twoim pokoju, jeśli tego chcesz, tak jak Angela spała w pokoju Bena. A wiesz, bardzo mi jej będzie brakowało. – Dom, poza nią, składał się z samych mężczyzn, matka Alexa zawsze żałowała, że nie urodziła córki. A ponieważ żaden z jej synów jeszcze się nie ożenił, nie miała też synowej. Sądziła, że Ben poślubi swoją dziewczynę, ale okazało się, że bardzo przeszkadzał jej rozkład dnia Bena, który był chirurgiem ortopedą, i dlatego odeszła od niego. Helen zgadzała się, że Ben nieco zbyt obsesyjnie traktuje swoją pracę i przyjmuje zbyt wielu pacjentów, ale przecież kochał to, co robi. Dlatego powiedziała mu, że właściwa kobieta to zrozumie, i że najwyraźniej Angela nie była tą właściwą. I chociaż Ben mocno przeżył to rozstanie, niedawno zaczął się znowu umawiać z kobietami, ale jak dotąd w jego życiu nie było nikogo ważnego.

Alex porozmawiał z matką jeszcze kilka minut i był bardzo podekscytowany, gdy spotkał się z Sashą tego samego popołudnia, kiedy oboje wyszli z pracy. Znowu zostawał u niej na noc.

– Dzwoniłem dzisiaj do matki – powiedział, gdy jechali samochodem. – Chciałem to z nią ustalić, zanim zapytam ciebie, a ona była zachwycona. Chciałbym, żebyś pojechała ze mną na Święto Dziękczynienia do moich rodziców – wyjaśnił, uśmiechając się. A potem dodał ciepło:

– Będziesz pierwszą kobietą, którą przywiozę do domu. – Sasha odwróciła się do niego i pocałowała go.

– Bardzo mi to pochlebia. – Alex powiedział, że jest z niej dumny i nie może się doczekać, aż pozna jego rodzinę. A ona wiedziała, że to dla niego dużo znaczy, dla niej zresztą też.

– Mam zabrać ze sobą Valentinę? – zażartowała i jęknęła, gdy sobie to wyobraziła.

– Nie jestem pewien, czy są już na nią gotowi – odparł Alex, a Sasha roześmiała się.

– Moja rodzina też nie jest, a przecież jesteśmy z nią spokrewnieni – powiedziała po prostu. I tak nie planowała wyjazdu do domu, nie musiała się więc tłumaczyć matce. Odwiedziny w domu były teraz niezbyt przyjemne. Nie lubiła przeciągania jej na swoją stronę przez każde z rodziców, którzy zc sobą rywalizowali. Nie lubiła macochy, chociaż była ona słodką kobietą, a jej matka po prostu furiatką trudną do zniesienia, a poza tym od lat nie szykowała niczego na święta. Co roku chodziła na świąteczny obiad do znajomych i była szczęśliwa, że nikt nie zawraca jej głowy. Tak więc to święto miało być dla Sashy pierwszym od bardzo dawna. Jechała z Alexem do Chicago i bardzo jej się to podobało.

– Będę chyba musiała kupić sobie jakąś sukienkę – oświadczyła, gdy wchodzili do mieszkania. – Bo nie mam żadnej odpowiedniej na takie okazje. – Mogła też pożyczyć coś od współlokatorek, co zresztą często czyniła. Abby była drobniejsza i niższa od nich wszystkich, ale Morgan i Claire nosiły mniej więcej ten sam rozmiar. I była jeszcze Valentina, tyle że jej egzotyczne stroje zdecydowanie się nie nadawały.

– Mój ojciec i brat są lekarzami. Jeśli chcesz, możesz wystąpić w kitlu i w kroksach. – Alex nie posiadał się z radości, że Sasha z nim pojedzie i że będzie mógł jej pokazać wszystkie ulubione miejsca w Chicago. Zapowiadało się, że czeka ich fantastyczny weekend. Jeszcze tego samego wieczoru Sasha zadzwoniła do Olivera, żeby powiedzieć mu o zmianie planów, że nie będzie u niego na świątecznym obiedzie, ale Oliver nie był na nią zły. Cieszył się razem z nią.

George i Claire przeżyli pierwszą kłótnię dwa dni przed świętami. Poszło o targi firmowe w Orlando, na które musiała pojechać z Walterem. George chciał, żeby towarzyszyła mu na uroczystej kolacji u burmistrza, a ona powiedziała, że nie może.

– To jakiś idiotyzm – oburzał się George przy kolacji w Le Bernardin, najlepszej rybnej restauracji w Nowym Jorku, kolejnej z ulubionych knajp George'a. – Powiedz mu, że nie możesz jechać. Przecież nie powiem burmistrzowi, że nie przyjdziesz na kolację, bo sprzedajesz buty na Florydzie. – W jego ustach zabrzmiało to tak, jakby mówił o bazarze w Maroku.

– A ja nie powiem Walterowi, żeby sam sobie sprzedawał te swoje paskudne buty, bo jem kolację u burmistrza.

– Przecież sama mówisz, że nie lubisz tych jego butów.

– Nie, nie lubię, ale to moja praca. – George po raz pierwszy usiłował zmusić ją do czegoś, ale ta kolacja była dla niego ważna. Burmistrz i jego żona byli jego klientami, nie chciał ich obrazić. Ale Claire nie chciała obrazić swojego szefa. Walter już i tak był dla niej okropny i na pewno przeczyta o kolacji u burmistrza w gazetach. Przeglądał je teraz codziennie, szukając wzmianek o niej, mógłby więc zacząć narzekać, że

162

zamiast pracować, ciągle tylko baluje. Nie zamierzała dolewać oliwy do ognia i odmówić wyjazdu z nim na ważne targi, nawet jeśli George uważał je za idiotyczne.

– Przecież nie lubisz swojej pracy – przypomniał jej. – Chcesz się zwolnić.

– To prawda, ale nie chcę, żeby mnie wylali. Możesz to nazwać prostactwem, ale ja potrzebuję pieniędzy i tak właśnie je zarabiam.

– Nie twierdzę, że to prostactwo, mówię tylko, że tyrasz dla tego potwora. Niech sam sobie sprzedaje te swoje przeklęte buty w Orlando.

– Za to mi właśnie płaci. – Nie było sposobu na zakończenie tej kłótni poza tym, że Claire zgodziłaby się pójść z George'em. Ale ona nie mogła tego zrobić, bez względu na to, czy George to rozumiał, czy nie. To było właśnie to, czego się obawiała od początku: że w pewnym momencie będzie próbował zmusić ją do porzucenia pracy i stanie się od niego zależna. Tak nie będzie, a już na pewno nie na tak wczesnym etapie związku. Czy mu się to podoba, czy nie, musi zarabiać na swoje utrzymanie. Było jej przykro, że nie pójdzie na przyjęcie, ale jeśli nie chciała, żeby ją zwolniono, nie miała wyboru. Nie powinna porzucać pracy dla Arthura Adamsa, dopóki nie będzie miała innej, lepszej, której nie zdobędzie, jeśli ją teraz zwolnią. George doskonale wiedział, o co chodzi, tylko mu się nie podobało, że usłyszał słowo „nie". Nie był do tego przyzwyczajony.

Dokończyli kolację w milczeniu, po czym George, obrażony, odwiózł ją swoim ferrari do Hell's Kitchen i szybko odjechał. Choć i tak nigdy nie zostawał u niej na noc, tego wieczoru nie zaproponował, żeby ona zanocowała u niego. Był na nią wściekły. Claire wytrzymała

to, nie ugięła się, ale następnego dnia była przygnębiona i siedziała posępna przy biurku, gdy do biura wszedł
posłaniec z olbrzymim bukietem róż z liścikiem, w którym było napisane: „Przepraszam, byłem wczoraj takim
dupkiem. Jedź do Orlando. Kocham cię. G." Od razu
się rozchmurzyła i zadzwoniła do George'a, żeby mu
podziękować za wyrozumiałość.

– Przepraszam, Claire. Po prostu byłem rozczarowany. Chciałem, żebyś ze mną poszła, chciałem się
tobą pochwalić.

– Sto razy bardziej wolałabym pójść z tobą niż jechać do Orlando – wyznała szczerze i wtedy zauważyła, że Walter stoi nieopodal i słucha, powiedziała
więc George'owi, że musi kończyć. Nie potrzebowała
dodatkowego bólu głowy.

– No to w końcu jedziesz do Orlando czy nie? –
spytał gniewnie Walter.

– Oczywiście, że jadę.

– To o co chodzi z tymi kwiatami?

– Kocha mnie, to wszystko – odparła nerwowo.

– Skończy się na tym, że wyjdziesz za niego i zwol-
nisz się z pracy – burknął Walter.

– Nigdzie się nie wybieram – odparła stanowczo –
poza wyjazdem z tobą do Orlando.

– Dobra – rzucił szorstko i wyszedł z pokoju. Ostatnio stale miała wrażenie, że stąpa po kruchym lodzie.
Ale lepiej, że spierała się z Walterem niż z George'em.
I ogromnie jej ulżyło, że ta pierwsza kłótnia szybko się
zakończyła i że George ją przeprosił.

Tego samego dnia wieczorem powiedział, że bierze
ją na weekend, a dokąd, to jest niespodzianka. Kazał jej
spakować letnie rzeczy, a ona umierała z ciekawości,

dokąd ją zabierze. George potrafił zachować tajemnicę, dlatego dowiedziała się dopiero w sobotę rano, kiedy wsiedli na pokład jego samolotu. Zabierał ją na Turks i Caicos, a ponieważ uprzedził, że mogą korzystać z plaży, zabrała ze sobą odpowiednie ciuchy. George wynajął dla nich prywatną willę z basenem w najlepszym kurorcie na wyspie. Nadal czuł się winny i chciał jej to wynagrodzić, co też uczynił. Przez cały weekend prawie w ogóle się nie ubierali, większość czasu spędzając w łóżku lub wylegując się przy basenie, kochając się albo racząc kolacjami, które wieczorami podawano im na patio. To był weekend najwspanialszy z możliwych.

Dwa dni po powrocie Claire poleciała z Walterem do Orlando, klasą ekonomiczną, i zatrzymała się w Holiday Inn, a George poszedł na kolację do burmistrza. Zadzwoniła do niego od razu po zameldowaniu się w hotelu.

– Rozpuściłeś mnie. Czy ty wiesz, co to znaczy lecieć klasą ekonomiczną i spać w Holiday Inn po tym niesamowitym weekendzie? Czuję się jak Kopciuszek po balu, ale bez szklanych pantofelków. Jest okropnie. – George śmiał się z niej i powiedział, że sama jest sobie winna, bo nie wybrała kolacji z nim. Ale oprócz tego powiedział również, że tęskni i nie może się doczekać jej powrotu.

Targi były nudne i wyczerpujące jak zawsze. Kiedy z nich wróciła po dwóch dniach, George jeszcze tego samego wieczoru zabrał ją na kolację do restauracji Maxa. W jej trakcie opowiedział jej o przyjęciu u burmistrza. Siedział między jego żoną a Lady Gagą, ale bez Claire strasznie się nudził, w co trudno było uwierzyć. Jego słowa sprawiły Claire przyjemność. George nie był już na nią zły, tylko szczęśliwy, że ma ją znowu w Nowym

Jorku. W przyszłym tygodniu wybierał się do Aspen, a ona miała lecieć do San Francisco na Święto Dziękczynienia do rodziców. Claire niechętnie go zostawiała, ale widziała, że George lubi narty, a poza tym miał w Aspen znajomych. Jeździł tam kilka razy w roku. Bez wątpienia czekała go o wiele lepsza zabawa niż ją.

We wtorek wieczorem przed świętem George urządził im ich własne święta w jego apartamencie. Catering zapewniła firma „21", jedzenie było wyśmienite. Indyk nie był wyschnięty, nadzienie doskonałe, była galaretka z żurawin, puree ziemniaczane, różne sałatki i na deser dynia, orzeszki pekan i szarlotka z bitą śmietaną.

– Pomyślałem, że skoro nie możemy ich spędzić razem, to powinniśmy urządzić sobie swoje własne święta – oznajmił George ciepło. – Przykro mi, że jestem takim nieużytkiem świątecznym, ale święta mnie przygnębiają, zwłaszcza Boże Narodzenie. Dla mnie to najgorszy dzień w roku, wychodzą wtedy wszystkie stare bolesne wspomnienia. Wolę je ignorować i zajeździć się na nartach w Aspen, ale będzie mi cię brakowało – powiedział i ją pocałował. Po kolacji poszli do łóżka. Ustalili, że Claire nie zostanie na noc, bo George wyjeżdżał z samego rana i zamierzał wstać o piątej. Ale przed wyjazdem chciał z nią być jeszcze raz.

– Muszę coś ci dać, żebyś o mnie pamiętała w San Francisco – żartował. I faktycznie, ten wieczór był godzien zapamiętania. Kochali się tak namiętnie, jak za pierwszym razem. George był wspaniałym kochankiem i Claire wiele się od niego nauczyła. Był cierpliwy, delikatny, dobrze poznał jej ciało i wiedział, co sprawia jej przyjemność, choć czasami tak się dawał ponieść namiętności, że bywał wręcz gwałtowny. Zawsze jednak,

166

bez względu na to, co z nią robił, sprawiał, że pożądała go jeszcze bardziej. Kochali się dwukrotnie i po drugim razie, gdy leżeli obok siebie, patrząc na nią, powiedział coś, co ją do głębi poruszyło.

– Chcę mieć z tobą dzieci, Claire. Proszę, powiedz, że zostaniesz matką moich dzieci. – Gdy to mówił, był tak poważny, że nie zdołała zaprzeczyć. Po raz pierwszy w życiu powiedziała „tak", i naprawdę tak myślała. A on przywarł do niej jak tonące dziecko. – Tak strasznie cię kocham – wyszeptał. Potem, niestety, musieli się już zbierać. George odwiózł ją do domu i zanim wysiadła z samochodu, długo ją całował. – Będę tęsknił. Uważaj na siebie. Do zobaczenia w niedzielę. – Claire szła do domu, czując, jakby płynęła w powietrzu. Była już prawie druga w nocy, za trzy godziny będzie musiał wstawać. Miał mało czasu na sen. Ale będzie mógł się przespać w samolocie w drodze do Kolorado. Jej samolot odlatywał o dziesiątej rano, ona również musiała wcześnie wstać.

Wieczór był piękny, George to sprawił, a ona ciągle powracała myślami do tego, co powiedział, że chce mieć z nią dzieci. Nigdy o nich nie marzyła, teraz jednak potrafiła sobie wyobrazić, że je ma, z George'em. Tej nocy jeszcze się nie oświadczył, ale powiedział, że chce, żeby została matką jego dzieci, a to prawie to samo. Jej przyszłość była teraz związana z nim. I wiedziała, że czeka ją przy nim piękne życie. Tego była pewna. Można na nim polegać. Jest odpowiednim mężczyzną, żeby wyjść za niego za mąż, nie takim, jak jej ojciec. George to spełnienie jej marzeń.

12

CLAIRE I ABBY POJECHAŁY NA LOTNISKO KENNEDY'EGO jedną taksówką, bo ich samoloty odlatywały prawie o tym samym czasie – Claire do San Francisco, Abby do Los Angeles. Claire wyobrażała sobie, że w czasie, gdy jej samolot startował, George już pewnie wylądował w Aspen, ale nie miała od niego żadnych wieści. Ona leciała do rodziców, zamierzając spędzić u nich spokojne święta. Gdy u nich była, zwykle tylko kilka dni, już się nie spotykała ze starymi znajomymi. Od czasu jej wyjazdu z rodzinnego miasta minęło dziesięć lat, jej styl życia się zmienił, nic jej już nie łączyło z dawnymi czasami, bardziej była związana ze współlokatorkami w Nowym Jorku. Czasami jednak, gdy wychodziła z matką na miasto, spotykała kogoś ze starych przyjaciół i zawsze była zdumiona, że w ich życiu tak niewiele się zmieniło. Pobrali się z tymi, z którymi chodzili, lub żyli z nimi na kocią łapę. Niektórzy mieli dzieci, niektórzy pracowali u rodziców lub w innych mało ciekawych miejscach. Miasto było niewielkie i poza światem Krzemowej Doliny mało w nim było interesujących miejsc pracy. Jej bardziej zaradni przyjaciele przeprowadzili się do Nowego Jorku i do Los Angeles. I nie było tu wartego uwagi środowiska mody, Claire nie znalazłaby tu niczego dla siebie. Dlatego była zadowolona, że wyjechała na studia do Nowego Jorku i że tam została. A matka, choć za nią tęskniła, też się z tego cieszyła, w przeciwieństwie do ojca, który nie rozumiał, dlaczego córka nie wraca do San Francisco i nie szuka pracy na miejscu. Claire nawet nie próbowała mu tego tłumaczyć.

W drodze na lotnisko miały wreszcie chwilę, żeby ze sobą porozmawiać. Od czasu gdy Abby rozstała się z Ivanem, prawie się nie widywały, bo Abby pisała dniami i nocami. Było tak, jakby wolność ją napędzała. I dużo rozmawiała z rodzicami, którzy zawsze dawali jej dobre rady, a ona potrzebowała podpowiedzi, w którą stronę powinna iść. Przede wszystkim jednak chciała skończyć powieść. I była na dobrej drodze.

Ivan kilka razy do niej dzwonił, próbował tłumaczyć swoje zachowanie i mówił, że jest teraz zupełnie sam. Abby w końcu przestała odbierać jego telefony i Ivan szybko przestał ją nimi nękać. Chyba zrozumiał, że już jej nie obchodzi i że nie zmieni zdania. Chciał, żeby mu współczuła, ale tak nie było. Ciągle była zła na siebie, że jak idiotka zmarnowała tyle czasu. Musiały minąć trzy lata, żeby pojęła, jaki z niego nieudacznik, że wciągał ją za sobą w bagno i wykorzystywał w każdy możliwy sposób, a ona mu na to pozwalała.

– Do zobaczenia w niedzielę – powiedziała Claire, gdy ściskały się na pożegnanie przed terminalem. Claire musiała jeszcze nadać bagaż. Abby miała ze sobą tylko torbę podręczną, ale Claire zawsze zabierała ze sobą zbyt wiele rzeczy. Kiedy Abby zniknęła, Claire, czekając na zdanie bagażu, zerknęła na swoją komórkę. George nie dzwonił, prawdopodobnie jeszcze nie wylądował. Miała nadzieję, że pogoda w Aspen jest dobra, bo George opowiadał, że lądowanie tam bywa trudne ze względu na góry. Zbytnio się nie martwiła. Pilot latał tam już wiele razy.

Samolot Alexa i Sashy odleciał do Chicago dwie godziny wcześniej. Sasha na cztery dni w Chicago zabrała jeszcze więcej rzeczy niż Claire. Nie była pewna, w co się powinna ubrać, wzięła więc kilka różnych kreacji, swobodnych i tych eleganckich, pożyczonych od Morgan i od Claire. Chciała wywrzeć dobre wrażenie na rodzicach Alexa, chociaż ilekroć go o to pytała, twierdził, że jej strój nie będzie ich obchodził. Ich codzienny styl opisał jako stonowany. Na świąteczny obiad ojciec i brat założą garnitury, tak jak i on, ale poza tym zwykle chodzili w blezerach i spodniach, ojciec nosił krawat, przez co wyglądał jak bankier. Twierdził, że tego oczekują od niego pacjenci. A brat przez większość czasu chodził w kitlu. Sasha z dumą poinformowała Alexa, że ona swojego nie wzięła, kroksów też nie. Za to spakowała trampki, w razie gdyby mieli pływać łódką, bo przecież rodzina Alexa to zagorzali żeglarze. Alex twierdził, że prawdopodobnie na łódce byłoby dla niej za zimno i że gdy oni będą pływali, ona mogłaby zostać w domu z jego matką lub sama zwiedzać miasto. Dom jego rodziców stał nad jeziorem, brat mieszkał w dzielnicy Wicker Park, porównywalnej do śródmieścia w Nowym Jorku. Alex wyjaśnił, że brat świetnie zarabia, ale mówił to bez zazdrości, raczej z dumą. Sasha wiedziała, że są ze sobą bardzo zżyci.

Wylądowali o pierwszej lokalnego czasu, godzinę wstecz w porównaniu z czasem w Nowym Jorku. Rodzice Alexa byli jeszcze w pracy, brat przychodził na kolację wieczorem. Alex wiedział, że jego bliscy są bardzo ciekawi Sashy, jednak jej o tym nie mówił – i tak była wystarczająco zdenerwowana.

Na lotnisku O'Hare panował straszny tłok – odebranie bagażu zajęło im godzinę, dotarcie do domu – kolejną. Drzwi otworzyła im gospodyni, która na widok Alexa rzuciła mu się na szyję, zerkając przy tym z uprzejmym uśmiechem i zaciekawieniem na Sashę. Dom przy Lake Shore Drive wyglądał dla Alexa zawsze tak samo, był domem jego dzieciństwa, eleganckim i tradycyjnym, wypełnionym antykami i tkaninami o ciepłych barwach. W salonie stały kwiaty, rustykalna kuchnia była przestronna i wygodna. Alex pokazał Sashy swój pokój z dzieciństwa, zastawiony sportowymi trofeami i pamiątkami z lat szkolnych. Rozglądając się, Sasha dostrzegła na ścianie dyplomy z Yale i Harvardu, i uśmiechnęła się do Alexa. Tuż obok znajdował się pokój jego brata, wyglądał prawie tak samo. Oba były połączone wspólną łazienką i utrzymane w granatach i kratkach, z obu widok wychodził na ogród. Na tym samym korytarzu znajdowała się też słoneczna sypialnia rodziców. Potem Alex zaprowadził Sashę do pokoju gościnnego, w którym mieli spać. Jego stary pokój miał wąskie pojedyncze łóżko, zresztą Alex dziwnie by się czuł, śpiąc w nim z Sashą, nawet gdyby łóżko było większe. Sypialnia gościnna znajdowała się na parterze i Alex nigdy w niej z nikim nie spał. Wniósł bagaż Sashy, która z zaciekawieniem rozglądała się po pokoju. Był cały w niebieskożółte kwieciste wzory, widać było, że do jego urządzenia wykorzystano dekoratora, chyba że matka Alexa miała do tego talent. Pokój był piękny, w stylu angielskim, a pomalowane na żółto ściany sprawiały, że wydawał się słoneczny nawet przy chicagowskiej zimowej aurze. Na weekend zapowiadano opady śniegu.

Wrócili do kuchni i zrobili sobie kanapki, a potem Alex zaproponował, żeby pojechali do centrum. Chciał pokazać Sashy miasto. Wciąż miał w garażu starą toyotę, której nie pozwalał rodzicom sprzedać. Korzystał z niej, gdy przyjeżdżał do domu, a gdy go nie było, jeździła nim gospodyni, po zakupy. Auto bez problemów dało się uruchomić i ruszyli z Lake Shore Drive w Michigan Avenue na wycieczkę krajoznawczą, którą Alex planował od wielu dni. Był podekscytowany, że ma Sashę ze sobą w swoim rodzinnym mieście, tym bardziej że nigdy wcześniej nie była w Chicago.

– Tam jest Wrigley Building i Centrum Johna Hancocka. Mama ma tam biuro, a tata gabinet w Uniwersyteckim Centrum Medycznym w pobliżu Hyde Parku. Ben też tam urzęduje, tylko że na innym piętrze. – W Centrum mieli swoje gabinety wszyscy najlepsi lekarze. Ben rozpoczął tam praktykę zaraz po zakończeniu stażu.

Jeździli po mieście, które wydawało się mniejsze od Nowego Jorku, ale równie elektryzujące i pełne ludzi. Bardzo się różniło od Atlanty, w której dorastała Sasha. A sklepy przy Michigan Avenue wydawały się bardzo ekskluzywne, były tam te same znakomite marki i luksusowe butiki, co w Nowym Jorku, jak zresztą w każdym większym mieście. Mimo to Chicago posiadało swój własny urok, budynki były wyższe nawet od tych w Nowym Jorku. Alex wyjaśnił, że zostały zaprojektowane z myślą o pogodzie, tak by ludzie nie musieli się zmagać z siłami natury. Zwykle pierwsze dwadzieścia pięter zajmowały biura, potem jakieś cztery należały do sklepów i często restauracji, a reszta, czyli trzydzieści do czterdziestu pięter, to były mieszkania. Wszystko po to, żeby ludzie nie musieli wychodzić na mróz i śnieg.

– To takie życie w jednym miejscu – rzekł Alex z uśmiechem. – Bardzo wygodne, zwłaszcza zimą. – Sasha pomyślała, że nie chciałaby mieszkać na sześćdziesiątym piętrze, ale w sumie miało to sens.

Zaparkowali, wysiedli i przez jakiś czas spacerowali. Zajrzeli do księgarni, potem do galerii sztuki i wszędzie Sashę uderzało to, że ludzie są tacy przyjacielscy. Sprzedawcy byli mili, chętni do pomocy i do pogawędki.

W drogę powrotną wyruszyli około w pół do szóstej. Sasha wierciła się niespokojnie na siedzeniu, Alex nachylił się i pocałował ją. Rozumiał jej zdenerwowanie, chociaż uważał, że te obawy są bezpodstawne – znał swoich rodziców, wiedział, że są gościnni i że matka bardzo się cieszy, że przywiózł kogoś do domu.

– Będą tobą zachwyceni – powtórzył po raz setny, ale Sasha nie wyglądała na przekonaną i nadal miała wystraszoną minę.

– A jeśli mnie nie polubią? – spytała żałośnie. Jeszcze nigdy przed żadnym spotkaniem tak się nie denerwowała. Kochała Alexa i nie chciała zrobić czegoś, co by wszystko popsuło.

– Jeśli tak się stanie, natychmiast z tobą zerwę i będziesz musiała się przenieść do hotelu – odparł z powagą, a kiedy Sasha spojrzała na niego z przerażeniem, parsknął śmiechem. – Przestań! Po pierwsze na pewno cię pokochają. Po drugie, mam trzydzieści dwa lata, a nie szesnaście. Sam o sobie decyduję i wiem, że jesteś najlepszym, co mi się w życiu przytrafiło. I moi rodzice są wystarczająco inteligentni, żeby to wiedzieć. To ty jesteś wygraną, nie ja.

173

– Ale ty jesteś ich synem. Na pewno chcą cię chronić przed złymi ludźmi i wyrachowanymi kobietami – stwierdziła.

– Chcesz powiedzieć, że jesteś wyrachowana? Jakoś mi to umknęło. Posłuchaj, dopóki nie będziesz się zachowywała i ubierała jak twoja siostra, wszystko będzie dobrze. Ale znając moich rodziców, nawet gdybym powiedział, że kocham Valentinę, a ona pojawiłaby się w ich domu w bikini i w szpilkach, też by nic nie powiedzieli. To są bardzo otwarci ludzie, mimo że wyglądają na konserwatystów. Przestań się zadręczać. Zresztą sama zobaczysz, o czym mówię, gdy ich poznasz. Moja matka to najmilsza kobieta pod słońcem. Kocha wszystkich. Gdybyś jej przedstawiła seryjnego mordercę, zaczęłaby go bronić, tłumacząc, że pewnie miał straszne dzieciństwo.

– Chciałabym móc powiedzieć to samo o swojej – odparła z żalem Sasha. – Moja matka wszystkich nienawidzi i we wszystkim widzi tylko złe strony. Jest najostrzejszym prawnikiem rozwodowym w Atlancie i każdego, łącznie z klientami, podejrzewa o najgorsze. Gdzieś tam w głębi na pewno kryje się dobra osoba, ale z czasem stała się okrutna. O moim ojcu i jego żonie potrafi mówić tylko same złe rzeczy. Charlotte nie jest zbyt interesująca, ale to słodka dziewczyna, ojciec jest z nią szczęśliwy, no i mają bardzo fajne dzieci. Matka o mało nie padła, kiedy się okazało, że ojciec będzie je miał. Od tamtej pory nie przestaje nam powtarzać, jak mało ojciec o nas dbał, gdy rozwijał swój biznes. – Był właścicielem dochodowych sklepów odzieżowych w Atlancie i galerii handlowych na całym Południu. – Nie wiem, jak to się stało, że matka zrobiła się taka zła i zgorzkniała, ale tak jest, i to się pogłębia z wiekiem. Lepiej się dogaduje z Valentiną, bo Valentina nie przejmuje się jej gadaniem. Ja, ilekroć widuję się z matką, czuję się, jakby przejechał po mnie pociąg.

– Moja taka nie jest – zapewnił Alex. – Prawdopodobnie będzie cię chciała zaadoptować. Bardzo jej było smutno, gdy Ben i Angela się rozstali. Chciałaby, żebyśmy z bratem byli tak szczęśliwi, jak ona z ojcem. Są dobrą parą. – Alex mówił to z uczuciem, a Sasha, słuchając go, uzmysłowiła sobie, że jeszcze nigdy nie widziała takiego małżeństwa. Jej ojciec był miły dla nowej żony i troszczył się o nią, ale nie byli dla siebie intelektualnymi partnerami. Czasami ojciec zachowywał się tak, jakby uważał, że Charlotte jest głupia i nie potrafi myśleć sama za siebie. A Charlotte traktowała go jak ojca i była od niego zależna we wszystkim. Nie miała własnego zdania i ważne sprawy pozostawiała na jego głowie. Z kolei matka Sashy była zbyt krytyczna wobec byłego męża, czasami nawet go obrażała. Zawsze miała go za kogoś gorszego od siebie, bo nie był tak wykształcony jak ona, choć to on odniósł ogromny sukces. Miał dryg do interesów i bywał błyskotliwy. Jego osiągnięcia w biznesie matka przypisywała łutowi szczęścia i temu, że był we właściwym miejscu i o właściwym czasie. Sasha wiedziała jednak, że to nieprawda, i uważała, że to podłe oskarżać ojca o to i inne rzeczy, jak choćby to, że był kiepskim ojcem, z czym Valentina się zgadzała, a Sasha nie. Valentina uważała matkę za geniusza prawniczego, Sasha przyznawała, że jest mądra, ale wredna. Z pewnością była taka wobec niej. Poza tym bardziej szanowała zawód Valentiny i to że była międzynarodową gwiazdą, niż medyczną karierę

Sashy. Zawsze ją ostrzegała, że przez rygory obowiązujące w medycynie i przez to, jak obecnie wygląda stan służby zdrowia, Sasha nigdy niczego się nie dorobi. Matka ceniła sobie pieniądze, oprócz tych ojca, które lekceważyła, bo były jego. Valentina miała do pieniędzy ten sam nabożny stosunek, co matka.

– Moi rodzice byli dla siebie niedobrzy i tak ze sobą nieszczęśliwi – zaczęła szczerze – że przez nich nigdy nie chciałam wyjść za mąż i nadal nie chcę, jeśli to ma się tak skończyć. Kiedy rodzice się rozwiedli, była to w pewnym sensie ulga. Do czasu, gdy ojciec znowu się ożenił. Matka dostała przez to szału, co zresztą trwa nadal. Nie chcą się spotykać, nie potrafią być razem w jednym pomieszczeniu, tylko jedno z nich mogło być na moim rozdaniu dyplomów. – Jeszcze nigdy o tym nikomu nie mówiła.

– I w końcu które z nich przyszło? – spytał Alex.

– Ojciec. Mama prowadziła jakąś przełomową sprawę. Wygrała ją, co w jej mniemaniu usprawiedliwiło jej nieobecność. Myślę, że jeśli kiedykolwiek jej powiem, że wychodzę za mąż, zabije mnie. Recydywiści, jak ich nazywa, są ostoją jej pracy. Niektórych ze swoich klientów rozwodziła kilkakrotnie. Zawsze do niej wracają, bo jest dobra, potrafi wydobyć dla nich kupę pieniędzy od tej drugiej strony. Zwykle reprezentuje kobiety. Nie wierzy w małżeństwo i zwykle nam powtarza, żebyśmy nie zawracały sobie głowy małżeństwem, tylko zadbały o dobrą zabawę. Valentina oczywiście posłuchała jej rad. – Sasha uśmiechnęła się do Alexa. – I lubi nadzianych facetów, nieważne, czym się zajmują. – Kiedy to powiedziała, przyszedł jej na myśl Jean-Pierre, który ją przerażał. Miał w sobie coś bardzo nieprzyjemnego, ale Valentina się tym nie przejmowała albo może nawet tego nie widziała. – Trudno mi wyobrazić sobie takie pary jak twoi rodzice. W moim świecie nikomu się to nie udało. Gdy dorastałam, słyszałam ciągle o katastrofach małżeńskich, rodzice wszystkich moich znajomych się rozwodzili.

– Rodzice moich kolegów też – odparł cicho Alex. – Moi rodzice pobrali się, gdy byli bardzo młodzi. W pewnym sensie dorastali razem, mieli nas wcześnie i oczekiwali, że im się uda. – Sasha wiedziała już, że ojciec Alexa właśnie skończył sześćdziesiąt lat, matka miała pięćdziesiąt dziewięć. Jej rodzice byli w podobnym wieku, ale ich przeszłość była zupełnie inna. Matka zawsze jej powtarzała, że małżeństwa rozpadają się już po roku. A wysoki odsetek rozwodów w kraju potwierdzał jej słowa, instytucja małżeńska po prostu się nie sprawdzała, była przeżytkiem. Zdaniem matki, kobiety, jeśli pracowały, nie potrzebowały mężów, i do pewnego stopnia Sasha się z nią zgadzała. I na swój sposób Valentina też. Siostra nie poszła na studia, już jako osiemnastoletnia modelka zaczęła zarabiać duże pieniądze i nadal zarabiała fortunę. Nieporównywalną z tym, co zarabiała Sasha, korzystając ze swoich umiejętności i intelektu. Ale jej praca była długoterminowa, a Valentiny nie. Pewnego dnia będzie za stara na modelkę. Chociaż Valentina, dzięki poradom ojca, poczyniła pewne inwestycje, może więc będzie dobrze. Poza tym Sasha była pewna, że ojciec zawsze im pomoże.

Na podjazd Scottów zajechali o szóstej. W domu wszędzie paliły się światła, mercedes matki Alexa stał w garażu. Sasha, znowu zdenerwowana, weszła za Alexem do domu. Stali we frontowym holu, gdy ze schodów zeszła jego matka i z uśmiechem podbiegła, żeby go uścisnąć. Była bardzo ładną kobietą, ubraną w prosty ciemnoszary kostium i pantofle na wysokim obcasie. Proste ciemne włosy miała związane w koczek, na szyi wisiał sznur pereł. Wszystko w niej zgadzało się z opisem Alexa, w rzeczywistości była jeszcze młodsza, ładniejsza i cieplejsza. Nie wyglądała na kogoś, kto może mieć syna w wieku Alexa, a co dopiero Bena, i wciąż zachowała smukłą sylwetkę. W weekendy grywała w golfa i w tenisa ze znajomymi. Alex mówił, że gdy byli dziećmi, grała też z nimi w futbol. Była wysportowana i w dobrej formie, a jej oczy rozbłysły radością, gdy ponad ramieniem syna zobaczyła Sashę. Sekundę później ściskała również ją, jakby znały się od dawna.

– Tak się cieszymy, że przyjechałaś z Alexem! – powiedziała i zabrzmiało to bardzo szczerze. – Czy ten chłopak ciągał cię po mieście całe popołudnie? Pewnie jesteś przemarznięta na kość. Ale na szczęście właśnie rozpaliliśmy w kominku. Masz ochotę na filiżankę herbaty? – Sasha potwierdziła skinieniem głowy, oszołomiona zachowaniem przyjacielskiej, otwartej kobiety. Wydawała się naprawdę miła i życzliwa, zwłaszcza dla niej, kogoś zupełnie obcego.

– Bardzo chętnie się napiję – odpowiedziała. Matka zaprowadziła ich do gabinetu, którego ściany zastawione były regałami z książkami. Wiele z nich było pierwszymi wydaniami, Scottowie wyszukiwali je i kupowali na aukcjach. Na ścianach wisiały obrazy, większość artystów angielskich, z końmi i krajobrazami, kilka z żaglówkami. Cała rodzina uwielbiała żeglowanie.

Sasha usiadła na wygodnej kanapie i chwilę później gospodyni przyniosła herbatę na srebrnej tacy.

Scottowie żyli bardziej elegancko niż to sobie Sasha wyobrażała, a Helen Scott była wyraźnie dumna i zadowolona ze swojego domu. Wyglądała na perfekcyjną żonę i matkę, i zawodowo, jako prawniczka, również odnosiła sukcesy. Sashę zdumiało to. Jej matka też była prawniczką, ale nigdy nie dbała o dom. Nienawidziła gotować i sprzątać. Pół roku po rozwodzie sprzedała dom i kupiła małe mieszkanie bez pokoju gościnnego. Była doskonałą prawniczką, ale marną gospodynią. Helen udawało się łączyć te role, a ostatnio nawet mówiono, że będzie nominowana na sędziego Sądu Najwyższego, co było jej marzeniem. Gdyby do tego doszło, chętnie porzuciłaby dla nowej posady praktykę w wydziale antymonopolowym. Choć nie liczyła na nominację, ta perspektywa ogromnie ją ekscytowała.

— Opowiadajcie, co robiliście tego popołudnia? — spytała Helen, zwracając się do Sashy. — Mamy wspaniałe galerie i imprezy kulturalne. Wielka szkoda, że nie możecie zostać dłużej. A i na jeziorze jest o wiele przyjemniej latem, zanim zrobi się zbyt upalnie. I cokolwiek byście planowali, nie pozwól chłopcom wyciągnąć się na łódkę. Bo zamarzniesz! — ostrzegła i wszyscy się roześmiali. — Przepraszam, że nie było mnie w domu, kiedy przyjechaliście — ciągnęła. — Musiałam dokończyć kilka spraw, żeby mieć spokój na święta. — Alex wiedział, że sprawy, którymi matka się zajmowała, były poważne, nigdy jednak nie robiła z tego wielkiej rzeczy. Już bardziej przejmowała się praktyką ojca. Medycyna ją fascynowała, zawsze powtarzała, że jest niedoszłym lekarzem, bo nie miała cierpliwości na te wszystkie lata nauki na Akademii Medycznej i potem na stażu. — Wiem, że też jesteś na stażu, ale Alex chyba nie wspominał, z jakiej specjalizacji – powiedziała do Sashy.

– Na ginekologii i położnictwie. A chcę się zajmować patologią ciąży i niepłodnością. W tej chwili na położnictwie robię praktycznie wszystko, ale teraz mamy wysyp ciąż wysokiego ryzyka i mnogich u starszych matek, więc to jest bardzo interesująca dziedzina. – Helen wydawała się zainteresowana pracą Sashy, a jej inteligentne pytania sprawiły, że Sasha nie czuła się skrępowana, kiedy na nie odpowiadała.

– Sasha ma siostrę bliźniaczkę. Są do siebie podobne jak dwie krople wody – wtrącił Alex.

– Zawsze chciałam mieć bliźniaki – odparła matka. – Ale w naszej rodzinie z obu stron nigdy żadnych nie było – dodała z żalem.

– Mój ojciec jest bliźniakiem. Niestety jego brat zmarł, gdy byli mali – wyjaśniła Sasha. Alex o tym nie wiedział. – Moja siostra i ja niczym się nie różnimy – wyjaśniła Sasha – poza charakterem. – Roześmiała się. – Nasi rodzice nigdy nie potrafili nas odróżnić, to było zabawne. Korzystałyśmy z tego, kiedy tylko się dało. Ja pisałam za siostrę wypracowania i egzaminy, a ona flirtowała za mnie z chłopakami i umawiała mnie z nimi na randki. A potem ja wszystko psułam, bo byłam nudna. Ale za to dostawałam dobre oceny na egzaminach.

– Twoja siostra też jest lekarzem? – spytała Helen, upijając łyk herbaty. Gospodyni podała ciasteczka domowego wypieku, które rozsyłały wokół cudowny aromat cynamonu i czekolady.

– Nie, jest modelką – odparła krótko Sasha. – I prowadzi o wiele bardziej interesujące życie niż ja!

Alex z żalem pokiwał głową.

– Kiedy się poznaliśmy, Sasha zapomniała wspomnieć, że ma siostrę bliźniaczkę – powiedział do matki. – Któregoś dnia zobaczyłem je razem i pomyślałem, że widzę podwójnie. Dopiero wtedy Sasha wyjaśniła, że ma siostrę. Wyglądają identycznie, ale pod względem osobowości są jak dzień i noc.

– Valentina jest trochę szalona – przyznała Sasha bez skrępowania. Z rodziną Alexa czuła się jak w domu, a swoją siostrę akceptowała taką, jaka była. – Tamtego dnia przyszła do szpitala w elastycznym kostiumie, który wyglądał jak trykot, w wysokich szpilkach i futrze z lamparta, co jak na nią było dość stonowanym ubiorem. Stale nabiera moje współlokatorki, udając mnie. Tylko jedna z nich potrafi nas odróżnić. Nasi rodzice ubierali nas tak samo, tyle że w różne kolory, i Valentina namawiała mnie, żebyśmy się zamieniały. Rodziców doprowadzało to do szału, a my, muszę przyznać, byłyśmy zachwycone. Nikt nigdy nie potrafił powiedzieć, która jest która. Ale teraz rodzice nas odróżniają. Valentina nawet pod karą śmierci nie założyłaby fartucha i chodaków, a ja chodzę właściwie tylko w tym. Nikt w mojej rodzinie nie potrafił zrozumieć, dlaczego chciałam zostać lekarzem. Czasami ja sama tego nie rozumiem. – Sasha spojrzała na Alexa, a on się roześmiał.

– Tak, ja też nie. Oni nas kiedyś zabiją tymi dyżurami. Kiedy się umawiamy z Sashą, zakładamy się, które pierwsze zaśnie przy stole. – Jego ojciec i brat też przez to przechodzili, Helen wiedziała, o czym mówił.

– Kiedy twój ojciec był na stażu, nie mogłam chodzić z nim do kina. Zasypiał już na początku i budził się dopiero na napisy końcowe. W zasadzie – dodała z błyskiem w oku – nadal tak robi. Nic się nie zmieniło.

– Co ja takiego robię? – spytał przystojny szpakowaty mężczyzna, który wszedł do pokoju i nachylił się do żony, żeby ją pocałować. – Zdradzasz rodzinne tajemnice? – Zerknął na Sashę i ją też objął uśmiechem, po czym uściskał się z synem.

– To żadna tajemnica, że zasypiasz na filmach – broniła się Helen.

– A powiedziałaś, że chrapię? – Ojciec Alexa, udając przerażenie, spojrzał w stronę Sashy. Była zaszokowana jego wyglądem. Był jak Alex, tylko wyższy i starszy. Przystojny mężczyzna, wysportowany i młodzieńczy jak jego żona. Rodzice Alexa tworzyli razem piękną parę. Żadne nie wyglądało na swój wiek, spokojnie mogli mówić, że mają o dziesięć lat mniej. – Proszę nie wierzyć w nic, co o mnie wygadują – powiedział ojciec do Sashy. – I witamy w Chicago. Bardzo nam miło, że mogliście przyjechać – dodał, odbierając od żony filiżankę z herbatą. – Tak rzadko udaje się nam ściągnąć tu Alexa. Jest zbyt zapracowany, żeby przyjechać do domu. – Wszyscy wiedzieli, że to prawda.

– Żeby nas zwolnili na te święta, zgodziliśmy się pracować w Boże Narodzenie i Nowy Rok – wyjaśnił Alex, ale rodzice nie byli zaskoczeni. Sami przez to przechodzili przed trzydziestu laty, w dodatku mieli wtedy małe dzieci. Kiedy się rodziły, Tom studiował medycynę, a Helen prawo. I gdy to sobie teraz przypominali, zachodzili w głowę, jak im się udało przetrwać. Helen uważała, że obecne pokolenie ma łatwiej, bo młodzi nie pobierają się tak młodo, chociaż jej zdaniem Ben powinien już zacząć o tym myśleć. Był bliski zaręczyn ze swoją ostatnią dziewczyną, niestety związek rozpadł się przed kilkoma miesiącami. Helen podeszła do tego filozoficznie i stwierdziła, że najwyraźniej nie była to ta właściwa kobieta. Dziewczyna zdecydowała, że nie chce wychodzić za lekarza pracującego tak ciężko jak Ben. A że starszy syn był oddany pracy, tego nikt nie negował. Alex był bardziej umiarkowany, a jego ojciec, choć kochał swój zawód, zawsze znajdował czas dla rodziny. Dawał chłopcom dobry przykład, pokazywał, co się w życiu liczy najbardziej.

– Jakie mamy plany na jutro? – spytał syna Tom. – Łódka z rana? – Minę miał pełną nadziei, ale Helen się wzdrygnęła.

– Jesteście nienormalni. Przecież zamarzniecie. I jeśli nawet popłyniecie, to nie zabierajcie Sashy. Znajdziemy sobie jakieś zajęcie w domu. Nakryjemy do stołu, napalimy w kominku, może trochę poszydełkujemy. – Oczywiście żartowała. – A poważnie, nie możecie wymyślić czegoś innego tylko marznięcie na łódce?

– Na tenis jest za zimno – odparł Tom. – Grał kilka razy w tygodniu i było to widać. – A w scrabble jestem do niczego. – Alex powiedział Sashy, że obiad świąteczny je się u niego zawsze po południu, poranek rodzina lubiła spędzać czynnie, najlepiej uprawiając jakiś sport. W weekend Alex zamierzał zabrać Sashę do muzeum i do jakiejś miłej restauracji, których było tu wiele, ona chciała też pójść na zakupy prezentów gwiazdkowych, bo po powrocie do Nowego Jorku nie będzie miała na to czasu. Tak więc planów mieli wiele.

Gawędzili w gabinecie aż do kolacji. Tuż przed jej rozpoczęciem dołączył do nich Ben, jeszcze przystojniejszy niż młodszy brat. Scottowie byli najładniejszą rodziną, jaką Sasha widziała. I w skrytości ducha życzyła sobie, żeby jej siostra umawiała się z kimś takim jak Ben, ale było to mało prawdopodobne. Ben był zbyt normalny, zdrowy i czysty.

Oczywiście on też był ciekaw Sashy i rozmawiał z nią przez całą kolację. Wypytywał o leczenie ortopedyczne w Nowym Jorku, dyskutowali o programach stażowych, na których byli ona i Alex, i w ogóle rozmowa przy kolacji dotyczyła głównie tematów medycznych. Helen wcale się z nimi nie nudziła i kiedy mąż rozprawiał o swojej praktyce kardiologa, wykazała się sporą wiedzą na temat rozwoju eksperymentalnej chirurgii. Ojca Alexa bardzo zainteresowała dziedzina, którą fascynowała się Sasha, bezpłodność i jej nowatorskie leczenie wprowadzane w Europie. Oboje długo o tym dyskutowali, co Sasha przyjęła z radością. Krótko po kolacji Ben pożegnał się i wrócił do siebie, a państwo Scott, ona i Alex poszli do swoich sypialni.

Po wejściu do pokoju Sasha rzuciła się na wygodne łóżko i uśmiechnęła do Alexa, który odwdzięczył się jej równie promiennym uśmiechem.

– Jak się czujesz? Mam nadzieję, że nie zamęczyła cię rozmowa o medycynie przy kolacji. Zupełnie jakbyśmy siedzieli w pokoju lekarzy. Ale tak to już jest w mojej rodzinie, że kiedy się spotykamy, gadamy jak na konwencie medycznym.

– Ależ to było wspaniałe – zapewniła Sasha. – Wszyscy są tacy mili. Nie tak jak moja rodzina. U nas jest jak w operze mydlanej – każdy każdego nienawidzi, wszyscy się kłócą i każdy każdego obgaduje. To szczęście, że masz takich rodziców i brata!

– Też ich lubię – przyznał Alex. Cieszył się, że Sasha czuła się przy nich swobodnie, a oni ją zaaprobowali, chociaż to akurat nie miało dla niego znaczenia.

Kochałby ją pomimo wszystko, ale miło było wiedzieć, że rodzice popierali jego wybór.

Tej nocy byli zbyt zmęczeni, żeby się kochać, i w wielkim wygodnym łóżku spali jak małe dzieci. Kiedy rano wstali i poszli do kuchni, rodzice Alexa jedli już śniadanie, czytając gazety. Poranek był pogodny i mroźny, idealny zimowy dzień w Chicago, bez cienia śniegu, wbrew prognozom.

– Gotowy na żagle? – spytał Tom, a Helen wzniosła oczy do góry. Alex roześmiał się. Jego matka spojrzała wymownie na Sashę.

– Nie słuchaj ich. Są nienormalni. To choroba rodzinna i to dziedziczna. Początkowe stadium wariactwa na punkcie łodzi, zwłaszcza żaglówek. – Ale pod koniec śniadania Alex zgodził się popłynąć z ojcem, zadzwonili więc do Bena, który miał się z nimi spotkać w jachtklubie.

– Jeśli zamarzniecie na jeziorze, Sasha i ja zjemy indyka same – ostrzegła Helen. Ale Sasha też zapragnęła wybrać się z nimi i zapytała Alexa, czy ją ze sobą weźmie.

– Mówisz poważnie? Nie musisz tego robić. Oni i tak cię polubili. Nie musisz niczego udowadniać ani mnie, ani im. – Nie chciał, żeby pływanie uważała za swój obowiązek.

– To będzie dobra zabawa. I może ja też jestem odrobinę szalona. Masz jakąś kurtkę? – Poszła za nim do jego starego pokoju, gdzie Alex wyciągnął kilka różnych kurtek, za dużych na nią, ale ciepłych. Wybrała jedną i Alex dał jej jeszcze parę kalesonów, które nosił, gdy był młodszy i niższy. Sasha wciągnęła je na siebie, włożyła dwa swetry i trampki, które przywiozła na wszelki wypadek, z parą wełnianych skarpet naciągniętych na nogawki kalesonów. Dziesięć minut później stali w holu, gotowi do wyjścia. Sasha w czapce od Alexa i we własnych rękawiczkach.

– O mój Boże, kolejna zwariowana osoba w naszym gronie – zakrzyknęła Helen, patrząc na Sashę, opatuloną jak czteroletnie dziecko wybierające się na sanki. – Tylko nie pozwól im się tam zabić. Nienawidzę jeść indyka w pojedynkę. – Na pożegnanie ucałowała ich wszystkich, łącznie z Sashą. Pojechali range roverem Toma, z Sashą na tylnym siedzeniu, bardzo podekscytowaną wyprawą.

Ben czekał na nich nad jeziorem, przy starej drewnianej żaglówce, dumie i radości Toma. Nie musieli zdejmować plandeki, bo Ben już to zrobił, i od razu wsiedli na pokład. Alex pokazał Sashy kabinę i powiedział, żeby nie udawała bohaterki i się w niej schroniła, jeśli zmarznie, ale ona była zachwycona, że owiewana ożywczym, świeżym powietrzem może stać na pokładzie. Wiatr był w sam raz, dmuchał w żagle, dzięki czemu bez przeszkód przez następne dwie godziny śmigali łodzią po jeziorze. A Alex przez cały czas patrzył na nią tak, jakby zdobył nagrodę życia. I wszyscy bardzo żałowali, gdy w końcu wrócili do jachtklubu.

– Matka mnie zabije, jeśli wkrótce nie pojawimy się w domu – oznajmił z żalem Tom. Wszyscy mieli czerwone z zimna twarze. Ben pojechał do siebie, żeby się przebrać, Tom odwiózł Alexa i Sashę do domu, gdzie Helen czekała na nich z grzanym winem.

Byli podnieceni pływaniem, a Helen powiedziała do młodszego syna, że on i Sasha zasługują na siebie, skoro jej spodobało się żeglowanie, jak to z zapałem twierdziła.

Ben pojawił się godzinę później i wszyscy razem usiedli w gabinecie przed kominkiem, a gdy zaczęli przybywać goście, przenieśli się do jadalni. Państwo Scott zaprosili czwórkę przyjaciół. Dwie wdowy i dwóch mężczyzn. Jeden przyszedł sam, bo był rozwiedziony, żona drugiego pojechała do Seattle do córki, która w każdej chwili spodziewała się pierwszego dziecka. Obaj panowie byli lekarzami.

Jadalnia wyglądała prześlicznie. Helen nakryła do stołu i udekorowała go kwiatami i świątecznymi ozdobami. Znajomi Scottów stanowili interesujące towarzystwo, jedzenie było wyśmienite, rozmowa ożywiona, dlatego wszyscy siedzieli przy stole długo, aż wreszcie goście i Ben wyszli. Goście i domownicy twierdzili, że są tak najedzeni, iż nigdy już niczego nie tkną, ale Alex wiedział, że następnego dnia i przez resztę weekendu będą się z entuzjazmem opychali tym, co zostało. On i Sasha byli umówieni z Benem. Wybierali się na kolację do restauracji, potem bracia mieli obwieźć Sashę po ich ulubionych barach i klubach. Po porannym rejsie stała się członkinią ich klubu.

Ona i Alex rozmawiali tej nocy, wcześniej się kochając, tylko bardzo cicho, żeby rodzice Alexa nie usłyszeli. Sasha zadzwoniła do swoich rodziców, żeby im złożyć życzenia, próbowała też dodzwonić się do Valentiny, ale jej się nie udało, wysłała jej więc wiadomość. Morgan złapała jeszcze w domu, tuż przed wyjściem na kolację do brata. Przed odpłynięciem w sen Sasha powiedziała, że to było najlepsze Święto Dziękczynienia w jej życiu, a on jej uwierzył. Dla niego te święta też były najlepsze ze wszystkich.

13

GDY W ŚRODĘ PO POŁUDNIU Abby dotarła do Los Angeles, jej rodzice byli jeszcze w pracy, sama weszła do domu w Hancock Park, korzystając z klucza, który rodzice zostawili dla niej pod wycieraczką. Maria, od wielu lat ich pokojówka, zdążyła już wyjść. Obecnie przychodziła tylko rano i dom był cichy, ale znajomy i swojski. Matka Abby rok wcześniej dokonała w nim przeróbek, wstawiła szokująco nowoczesne meble i współczesną sztukę. Wnętrze nie było przytulne, ale na pewno piękne. Po odłożeniu małej torby do pokoju Abby przeszła się po domu i w końcu usiadła w ogrodzie, żeby się zastanowić, co teraz będzie robiła i co chce powiedzieć rodzicom. Mieli nadzieję, że wróci do domu, ale ona nie była jeszcze na to gotowa. W Nowym Jorku też miała możliwości pisarskie i od rozstania z Ivanem wreszcie zajmowała się normalną literaturą. Napisała kilka krótkich opowiadań i pracowała nad powieścią. Nie zdawała sobie sprawy z tego, że przez minione trzy lata Ivan, namawiając ją, by starała się wypełniać jego nowofalowe standardy, ograniczał jej rozwój. Jednak ona nie czuła już, że to jej odpowiada. Właściwie nigdy tego nie czuła. Teraz znowu odzyskiwała swój własny głos i miała wrażenie, że jest on silniejszy niż wcześniej.

Rodzice bardzo długo wykazywali wobec niej cierpliwość i miała nadzieję, że jeszcze trochę się nią wykażą. Nadal potrzebowała ich finansowego i emocjonalnego wsparcia, by mieć czas na swoje pisanie.

W garażu stało zapasowe auto, z którego korzystała, gdy przyjeżdżała – stare volvo z okresu, gdy chodziła do liceum. Było stare, ale wciąż jeździło. Tego popołudnia wybrała się nim na przejażdżkę po Los Angeles, zaglądając do znajomych miejsc i rozmyślając o nowym życiu bez Ivana. Cieszyła się, że tu jest. A kiedy wróciła do domu, rodzice już byli i ucieszyli się, że ją widzą. Ostatni raz odwiedziła ich przed rokiem, w święta Bożego Narodzenia, i teraz zaskoczyło ją, że rodzice się postarzeli. Zawsze myślała o nich jak o ludziach młodych i pełnych życia. Ojciec narzekał na kolano, które nadwyrężył sobie, grając w tenisa, matka była zdrowa, ale wyglądała starzej. Nie byli już bardzo młodzi, kiedy Abby się urodziła, jako niespodzianka, i teraz dobiegali siedemdziesiątki, choć nadal żyli szybko i ani myśleli zwalniać. Abby cieszyła się, że spędzi z nimi święta.

Przy kolacji rozmawiali z nią o jej pisaniu. Byli zadowoleni, kiedy oznajmiła, że porzuciła pisanie eksperymentalnych sztuk, żeby zadowolić Ivana, i że wróciła do bardziej tradycyjnych tekstów. Kolacja była zamówiona, ponieważ matka Abby nie gotowała. Rodzice mieli własnego kucharza, który wprawdzie nie pracował na miejscu, ale kilka razy w tygodniu przywoził im dania, zgodne ze zdrowym niskotłuszczowym planem żywienia.

– Jak myślisz, Abby? – zapytał łagodnie ojciec. – Jesteś gotowa wrócić i spróbować szczęścia tutaj? Twoja matka może ci załatwić posadę scenarzystki w prawie każdym programie telewizyjnym. – Miał na myśli produkcje komercyjne, których tak strasznie nienawidził Ivan.

– Chcę sama znaleźć sobie pracę – odparła spokojnie, mimo wszystko wdzięczna rodzicom za chęć pomocy. Chciała też sama się utrzymywać, co było jej celem. Tutaj zatrudnią ją, bo była czyjąś córką, a ona wolałaby sprzedawać swoje pisarstwo lub zdobyć posadę ze względu na jej talent, nie na rodziców. – Nie sądzę, by telewizja była dla mnie – oznajmiła szczerze. – Muszę skończyć powieść i sprzedać kilka opowiadań. Później spróbuję pisać scenariusze, ale jeszcze nie teraz. – Tego wieczoru dała matce do przeczytania trzy ostatnio napisane rozdziały powieści i następnego dnia matka powiedziała, że jej styl bardzo się poprawił, że jest zwarty i dojrzały. Uważała też, że powieść jest kinowa, że wyszedłby z niej świetny film. Abby była bardzo zadowolona, bo szanowała opinie matki. Jej pochwały miały dużą wartość. Wprawdzie wiedziała, że jej pisarstwo ma nadal wady, ale teraz przynajmniej miała pewność, że pisze od siebie, a nie głosem Ivana.

– Dacie mi trochę więcej czasu na popracowanie nad powieścią w Nowym Jorku? – zapytała pokornie. Finansowo pozostawała na łasce rodziców, ale oni zawsze ją wspierali i nie zamierzali tego zmieniać. Dali jej to jasno do zrozumienia i Abby była im wdzięczna. Rodzice zawsze byli rozsądni i dobrzy dla niej, nawet przez te trzy lata, gdy szalała za Ivanem, i może nawet bardziej teraz, gdy z nim zerwała. Zresztą bez niego robiła wyraźne postępy.

Obiad świąteczny mieli zaplanowany na następny dzień, z udziałem zebranych przez rodziców gości.

Upodobania do ciekawych, interesujących ludzi Abby nauczyła się właśnie od rodziców – różnica polegała na tym, że ich znajomi byli osobami sławnymi, a nie szarlatanami jak Ivan, a Abby nie zawsze tę różnicę dostrzegała. Jej rodzice nie byli tradycjonalistami i w ich świątecznym posiłku uczestniczyło ponad dwadzieścia osób, które nie miały dokąd pójść albo nie miały rodziny. Jedzenie na kolację, wspaniałą chińszczyznę, Joan i Harvey Williamsowie zamawiali w Mr. Chow. Było też mnóstwo francuskiego wina, a wśród gości aktorzy, pisarze i producenci. Williamsowie urządzali niekonwencjonalne Święto Dziękczynienia. Abby zawsze uwielbiała te spotkania i ludzi, których na nich poznawała. Były bardzo w stylu Hollywood, w tym najlepszym wydaniu. Niektórzy z gości przychodzili do Williamsów co roku i to od dwudziestu lat. Inni byli nowi. Niektórzy znikali na kilka lat, potem znowu się pojawiali, bo wrócili do miasta albo skończyli film, lub byli właśnie pomiędzy związkami i nie mieli z kim spędzić świąt. Nie było w tym nic żałosnego – na swój sposób wszyscy byli zwycięzcami, nawet jeśli niektórzy wydawali się nieudacznikami lub dziwakami. Abby dorastała wśród takich ludzi jak oni, dzięki czemu miała otwarty umysł i szerokie spojrzenie na świat. I choć jej rodzice rzeczywiście byli zbyt zajęci, żeby poświęcać jej dużo czasu, to jednak wiedziała, że ją kochali, wbrew tym wszystkim okropnym rzeczom, jakie wygadywał o nich Ivan. Miała wyrzuty sumienia, że w ogóle go słuchała, i rozumiała już, że nic z tego, co mówił, nie było prawdą.

Matka przyszła do jej pokoju tuż przed pojawieniem się gości i uściskała ją.

– Wiesz, że cię kochamy, maleńka, prawda? Bo czasami, przez to, że mieszkasz tak daleko, odnoszę wrażenie, że się od siebie oddalamy. – Rodzice nie przyjeżdżali do Nowego Jorku. Byli zbyt zajęci pracą w Los Angeles. – A jeśli chodzi o pracę, to dla nas nie jest istotne, co będziesz robiła. Najważniejsze, żebyś była szczęśliwa i ceniła samą siebie. Nie pozwalaj nikomu, żeby cię odciągał od celów, jakie sobie postawisz, mówił ci, co masz robić, nawet nam na to nie pozwalaj. Nie musisz być pisarką, jeśli tego nie chcesz. W życiu trzeba podążać za własnymi marzeniami, a nie za marzeniami kogoś innego. Ty wiesz najlepiej, co jest dla ciebie dobre. A my jesteśmy tu po to, żeby cię wesprzeć, bez względu na to, jakiego wyboru dokonasz. – Tak właśnie robili przez ostatnie trzy lata, kiedy Abby popijała Ko-ol-Aid z Ivanem, i Abby była im ogromnie wdzięczna, że nadal ją wspierali, teraz bardziej niż kiedykolwiek.

– Dziękuję, mamo – powiedziała, poruszona słowami matki. – Naprawdę się staram.

– Wiem. I osiągniesz swój cel. Ja zaczęłam pisać dla telewizji, dopiero gdy miałam trzydzieści pięć lat. Wcześniej pisałam powieści i nowelki, i uwierz mi, były okropne. Podobały się tylko twojemu ojcu i to dlatego, że mnie kochał. Nie poddawaj się. Jeśli będzie ci na tym zależało, kiedyś w końcu znajdziesz swoją formę literacką i właściwy sposób przekazu. – I obie wiedziały, że będzie to o wiele łatwiejsze bez Ivana. Rodzice zachowali się wzorowo w sprawie zerwania z nim, bez jednego „a nie mówiliśmy".

– Tak mi strasznie głupio, że straciłam z nim tyle czasu – powiedziała Abby ze łzami w oczach i matka znowu ją uścisnęła.

– Nie zapominaj, że zanim wyszłam za twojego ojca, byłam dwa lata zamężna. Kiedy się pobierałam z tamtym mężczyzną, był normalny, ale potem stał się fanatykiem religijnym i założył sektę w Argentynie, a wtedy ja go zostawiłam. Wszyscy czasami robimy głupie rzeczy i wchodzimy w relacje z nieodpowiednimi ludźmi. Dobrze jest mieć otwarty umysł, ale trzeba też wiedzieć, kiedy należy coś uciąć i zakończyć, tak jak ty zrobiłaś z Ivanem. I trwa to tyle, ile trwa. – Abby nie wiedziała, czym sobie zasłużyła na równie wyrozumiałych rodziców, ale dziękowała Bogu, że takich ma. Zapomniała o pierwszym małżeństwie matki. Matka nigdy o nim nie mówiła. Nie było powodu. Jej rodzice byli szczęśliwym małżeństwem od trzydziestu lat i lubili się otaczać niezwykłymi ludźmi. I nigdy nie przyszłoby im do głowy, że mogłoby się to w zły sposób odbić na ich córce. Ale tak się stało. Ojciec Abby sam to przyznał w rozmowie z żoną, gdy Abby zaczęła się spotykać z Ivanem. Mimo to pozwolili córce podejmować własne decyzje i na koniec wszystko dobrze się ułożyło. Po trzyletnim objeździe Abby wróciła na właściwą drogę, jeszcze bardziej oddana pisaniu, które po tym, co przeszła, stało się bardziej dojrzałe.

Goście zaczęli się zjeżdżać o szóstej, o siódmej było już dwadzieścia sześć osób, różnorodnie ubranych, pijących wino i prowadzących rozmowy w salonie i przy basenie. Jedzenie zostało dostarczone o ósmej i goście, nadal dyskutując o różnych aspektach show biznesu, z talerzami na kolanach rozsiedli się, gdzie się dało – w domu, na zewnątrz, na podłodze, na krzesłach, na kanapach. To było idealne Święto Dziękczynienia, typowe dla rodziców Abby, a dla niej jak najbardziej normalne.

Właśnie siedziała na podłodze, w dżinsach, w sanda-
łach i chłopskiej koszuli, którą matka, gdy Abby miała
piętnaście lat, przywiozła jej w prezencie z Gwatema-
li, gdy obok niej na podłodze przysiadł jakiś brodaty
mężczyzna w dżinsach i kurtce moro i przedstawił się
jako Josh Katz. Powiedział, że razem z jej matką pro-
dukował kiedyś program telewizyjny, a teraz kręci film
w Południowej Afryce o wczesnych latach aparthcidu.
Abby wiedziała, że to ten typ przedsięwzięcia, który jej
rodzice ogromnie szanowali. Josh miał ciepłe brązowe
oczy i obcy akcent – później wyjaśnił, że jest z Izraela –
i bardzo interesowała go praca na temat ludzi uciemię-
żonych, zwłaszcza kobiet. Przez chwilę Abby zastanawiała się, czy przypadkiem Josh nie jest lepszą wersją
Ivana, z bardziej przekonującą gadką szmatką, w końcu
jednak uznała, że jeśli siedzi w salonie jej rodziców, to
można mu zaufać i że nie jest kłamcą. Jej rodzice nie
znosili hipokrytów, dlatego właśnie gardzili Ivanem.

– Jak to się stało, że tu jesteś? – zapytała, a potem
zdała sobie sprawę, jak to zabrzmiało. – Miałam na myśli Święto Dziękczynienia. Mieszkasz w Los Angeles?

– Od czasu do czasu. Tel Awiw, Los Angeles, Nowy Jork, gdziekolwiek akurat kręcę. Teraz mieszkam
w Johannesburgu, ale za kilka tygodni wracam na postprodukcję. Mam tu dwóch synów. Spędzam z nimi
weekendy, ale dzisiaj byłem wolny, a twoi rodzice byli tak mili, że mnie zaprosili, kiedy usłyszeli, że jestem
w mieście. Za pół roku zaczynam nowy film, muszę
więc znaleźć mieszkanie, żeby dokończyć obecny film
i zrobić następny. Posiedzę tu półtora roku.

– Ile lat mają twoi synowie? – Abby spodobał się
Josh. Był interesujący, miły, niebanalny, jak jej rodzice.

– Sześć i jedenaście – odparł z dumą i pokazał jej zdjęcia w telefonie. Byli śliczni. A on sam wyglądał na jakieś czterdzieści lat. – Moja żona tu mieszka. Dwa lata temu rozwiedliśmy się, ale staram się widywać z dziećmi, kiedy tylko mogę. Dobrze byłoby pomieszkać tu przez chwilę. Słyszałem, że jesteś pisarką. – Abby bez przekonania skinęła głową. – Co piszesz?

– Przez ostatnie trzy lata pisałam sztuki dla teatru eksperymentalnego. Teraz pracuję nad powieścią i opowiadaniami. Wróciłam do bardziej tradycyjnego stylu. – Uśmiechnęła się. – Ale tak naprawdę jeszcze nie wiem. Jestem w fazie przejściowej – dodała ze śmiechem.

– Czasami to jest dobre. Człowiek jest otwarty na zmiany. Trzeba wszystko zburzyć, żeby postawić mocniejsze fundamenty. U mnie się to sprawdza i w życiu, i przy robieniu filmów.

– W takim razie jestem na właściwej drodze. – Uśmiechnął się. Polubił Abby i jej rodziców. Byli dobrymi, uczciwymi ludźmi, utalentowanymi i prawymi, co w Hollywood stanowiło rzadkość.

– Dasz mi coś swojego do przeczytania? – Zawsze szukał nowego materiału i znajdował go w najbardziej zaskakujących miejscach.

– To, co do tej pory napisałam, nie oddaje mojego obecnego stylu. A powieści jeszcze nie skończyłam.

– A pisałaś kiedyś scenariusze filmowe? – Pokręciła przecząco głową. – Od sztuk do scenariuszy jest tylko krok – prawdopodobnie uznałabyś, że to łatwe. Chciałbym zobaczyć coś, nad czym teraz pracujesz. Kilka rozdziałów twojej powieści? – Zanim zdążyła odpowiedzieć, podał jej swoją wizytówkę. – Przyślij mi coś. Nigdy nie wiadomo. Mogę znać kogoś, kto robi coś, do czego mogłabyś być idealna. Tak to właśnie działa. Sieć kontaktów. Tak poznałem twoją matkę i zrobiłem dla niej kilka programów, dzięki czemu mogłem wystartować samodzielnie. Dała mi szansę. – Joan zawsze była odważna i odkryła kilka prawdziwych talentów, ludzi, którzy teraz byli sławni, ale też kilka niewypałów. Nie bała się ryzykować, nie bała się popełniać błędów, może dlatego była wyrozumiała dla innych.

– Dobrze – zgodziła się Abby. Josh był taki przekonujący, miły, i tak pozytywnie nastawiony. Matka zawołała ją. Chciała, żeby porozmawiała z jakąś jej starą znajomą, której Abby nie widziała od czasów liceum. Znajoma wyglądała na sto lat i jej twarz po liftingu była nie do rozpoznania. Abby cieszyła się, że matka niczego takiego nie robiła i nadal wyglądała jak ona, chociaż odrobinę starsza.

Rozbierając się, znalazła w kieszeni wizytówkę Josha i zaczęła rozmyślać, czy powinna wysłać mu kilka swoich opowiadań lub rozdziałów z powieści. Wspomniała o tym następnego dnia rano, gdy jadły z matką śniadanie przy basenie, siedząc w słońcu. Ojciec poszedł na golfa, nadal mógł grać z kontuzjowanym kolanem.

– Czemu nie? – odparła matka. – To bardzo utalentowany człowiek, otwarty na nowe pomysły. Zawsze wiedziałam, że nie zatrzymamy go na dłużej. Jest zbyt niekonwencjonalny i zbyt twórczy, nie lubi stosować się do reguł narzucanych przez telewizję. – Matka potrafiła godzić pracę w komercyjnej sieci telewizyjnej z własną niezależnością, nie każdy jednak posiadał taki talent. Ona miała rzadką zdolność balansowania na cienkiej linii pomiędzy komercją a geniuszem, i notowania to potwierdzały, choć nie wierzył w to Ivan. – Wyślij mu coś. Może pozna cię z kimś z niezależnego kina, jeśli właśnie w czymś takim chciałabyś pracować.

– Może tak – odparła Abby z zastanowieniem. – Nie wiem, może to będą powieści, a może właśnie kino. – Nie osiągnęła jeszcze celu. Jej obecna twórczość to był czas próby.

Tego popołudnia otworzyła komputer i wysłała Joshowi maila z dwoma rozdziałami powieści oraz jednym opowiadaniem. Napisała też, że było jej miło go poznać, a potem o tym zapomniała i wybrała się z matką na zakupy do Maxfield i do kilku vintage'owych butików, które obie lubiły. Ubierały się dość fantazyjnie i uwielbiały pożyczać od siebie co dziwniejsze szmatki.

Weekend mijał i w niedzielę Abby martwiła się, że musi już wracać do Nowego Jorku. Rodzice na Boże Narodzenie wybierali się do Meksyku. Zapraszali ją, żeby z nimi pojechała, ale ona stwierdziła, że lepiej zrobi, jeśli zostanie w Nowym Jorku i będzie pisała. Poza tym nie lubiła Meksyku, zawsze tam chorowała. Pod pewnymi względami zachowywali się tak, jakby nie mieli dziecka. Traktowali ją bardziej jak przyjaciółkę i tak było zawsze. Ale drugą stroną tej sytuacji było to, że akceptowali jej niezależność i zawsze dawali jej swobodę. Nawet gdy była mała, traktowali ją jak dorosłą. Teraz też chętnie włączali ją w to, co robili, nigdy jednak nie dostosowywali swoich planów do niej. Zapraszali, by im towarzyszyła, ale mieli własne pomysły, bez względu na nią, jak to Boże Narodzenie w Meksyku.

Obiecała, że wkrótce przyjedzie znowu. Ojciec odwiózł ją na lotnisko i gorąco uścisnął.

– Kochamy cię, Abby – powiedział, tuląc ją do siebie. – I życzymy powodzenia w pisaniu.

– Dziękuję, tato – odparła z wilgotnymi oczami. Nawet po trzech latach szaleństwa z Ivanem, co przypominało wstąpienie do sekty, nadal w nią wierzyli. Niesamowite, ale byli właśnie tacy – zaangażowani w artystyczną działalność, zagorzali wyznawcy mocy twórczej. Jako rodzice nie byli idealni, ale Abby i tak ich kochała. Przeszła przez bramkę, pomachała do ojca i chwilę później wsiadła na pokład samolotu odlatującego do Nowego Jorku. Te cztery dni były naprawdę wspaniałe.

Kiedy Claire dotarła do San Francisco, przekonała się, że miasto zupełnie się nie zmieniło. Podobnie jak jej rodzice. Dom, w którym mieszkali, był niewielkim, nieco zapuszczonym wiktoriańskim budynkiem na Pacific Hights. Elewacja domagała się odmalowania, ale w środku wnętrza wyglądały świeżo, czego pilnowała matka Claire, która często sama malowała pokoje. Sama też odnawiała meble, a używała do tego najtańszych materiałów, żeby mąż nie narzekał na wydatki. Ojciec jak zwykle był w depresji i narzekał na rynek nieruchomości. Od osiemnastu miesięcy nie sprzedał ani jednego domu, czego przyczyną, zdaniem Claire, nie był stan rynku, a osobowość ojca. Kto chciałby kupować dom od kogoś, kto ci mówi, że wszystko w nim jest złe, podobnie jak cały świat? W dodatku ojciec nienawidził brokera, dla którego pracował.

Matka po przyjeździe Claire robiła wszystko, żeby dom wyglądał promiennie i ładnie. Kupiła indyka, który był nieco za duży, jakby spodziewali się gości. Ale już nikogo nie zapraszali i rzadko się widywali ze starymi znajomymi. Ojciec przez te lata zniechęcił wszystkich, a matka już nie próbowała go przekonywać do życia towarzyskiego. Z przyjaciółkami spotykała się poza domem. W domu dużo czytała nocami. I nikt nigdy nie wspominał, że ojciec pije za dużo, co pogłębia depresję. Nie upijał się do nieprzytomności, ale trzy lub cztery szkockie wieczorem to było zbyt wiele, z czego Claire i matka zdawały sobie sprawę, a jednak nigdy nie mówiły tego na głos. Po prostu pozwalały ojcu robić to, co chciał, a on co wieczór po drugiej szklaneczce zasiadał przed telewizorem i siedział przed nim, aż uznał, że czas iść spać.

Kiedy Claire przyjechała, matka wypytywała ją o George'a, i wyraźnie widziała, że córka jest nim zauroczona. Niestety, George jeszcze do niej nie zadzwonił z Aspen, ale Claire sądziła, że pewnie od razu wybrał się na narty albo nie chce jej przeszkadzać w powitaniu z rodzicami. Była przekonana, że zadzwoni wieczorem. W końcu sama do niego zadzwoniła z komórki ze swojej sypialni, ale odezwała się poczta głosowa. Między San Francisco a Aspen była spora różnica czasu. Pomyślała, że już się położył i zostawiła mu tylko czułą wiadomość.

Następnego dnia, który był dniem świątecznym, także nie zadzwonił, prawdopodobnie z tej samej przyczyny. Na pewno jeździł na nartach i wiedział, że Claire będzie jadła z rodzicami świąteczny obiad, tylko nie wiedział o której. Claire wysłała mu wiadomość, na którą nie odpowiedział.

Kolejnego dnia zaczęła się niepokoić. Nie rozmawiali ze sobą od wtorku, co było bardzo dziwne. Przecież dotąd zawsze pilnował jej przez cały dzień, lubił wiedzieć, co robi. Po trzech dniach kompletnej ciszy zaczęła się zastanawiać, czy przypadkiem nie jest mu tak źle, że zaszył się w swojej norze. Nie chcąc go popędzać, przeszkadzać mu, wysłała tylko kolejną czułą wiadomość, w której pisała, że tęskni za nim, ale nie wyrzucała mu, że do niej nie dzwoni. Najwyraźniej chciał być sam, zresztą za dwa dni oboje wracali do Nowego Jorku i niedzielną noc mieli spędzić razem.

Na pytania matki Claire starała się odpowiadać tak szczerze, jak mogła. Mówiła, że nie wie, co przyniesie przyszłość, ale oboje traktują to poważnie, i że George jest dla niej wspaniały. Nie powiedziała, że prosił ją, żeby została matką jego dzieci i że od trzech dni się nie odezwał. Była przekonana, że to tylko chwilowe – nigdy nie byli sobie tak bliscy, jak tej nocy przed jej wyjazdem do San Francisco.

W sobotę zaczęła ją ogarniać panika, że być może George'owi coś się stało. Może się rozchorował albo miał wypadek. Mógł złamać obie ręce i to uniemożliwia mu korzystanie z telefonu, albo doznał kontuzji głowy, bo opowiadał jej, że choć jeździ na nartach szybko, nie zakłada kasku. Ostatecznie uznała, że gdyby miał wypadek, kazałby komuś do niej zadzwonić, a gdyby się rozchorował, przynajmniej wysłałby SMS-a. Pozostało jej wierzyć, że święta okazały się dla niego trudniejsze niż sądził. Zerwał z nią wszelki kontakt i najpewniej wpadł w depresję. Zamartwiała się, że być może czymś go nieświadomie uraziła, ale to, co się działo podczas ich ostatniej nocy, nie wskazywało na to. Ledwie mógł się od niej oderwać, gdy wysiadała z samochodu, a godzinę wcześniej mówił jej, że chce mieć z nią dzieci. To niemożliwe, że był wtedy na nią zły, a zresztą za co? Milczenie nie było spowodowane przez nią, ale i tak ją niepokoiło.

Uważała, żeby swojego przygnębienia nie pokazać matce, która nie przestawała pytać o George'a. Do soboty wieczór Claire próbowała dodzwonić się do niego kilka razy i zostawiła mu wiadomość, że bardzo się o niego martwi, i że go kocha. Nie odpowiedział.

W niedzielę rano, gdy wsiadała do samolotu, nadal nie miała żadnego sygnału. Denerwowała się, bo mieli się spotkać zaraz po jej przylocie, po czwartej. Po wylądowaniu zadzwoniła do niego z samochodu, ale nie odbierał ani komórki, ani telefonu domowego. Jego pracownicy mieli jeszcze wolne. Claire nie chciała, żeby pomyślał, że go napastuje, ale węzeł w jej żołądku wywołany niepokojem osiągnął już wielkość pięści. Co się stało, dlaczego się do niej nie odzywa?

Po przyjeździe do domu czekała na jego telefon, ale się nie doczekała. Z Los Angeles wróciła Abby, która powiedziała, że spędziła z rodzicami wspaniały weekend. Wrócili też Sasha i Alex z Chicago, zachwyceni świętami. Pobyt Claire u rodziców był przygnębiający, zwłaszcza z powodu niezrozumiałego milczenia George'a, ale Claire ani słowem nie wspomniała o tym przyjaciołom. Morgan stwierdziła, że obiad świąteczny u Grega i Olivera przebiegł bardzo przyjemnie. Wszyscy mieli dobre święta, oprócz niej. Była przekonana, że istnieje jakieś proste wytłumaczenie i że George przeprosi ją za brak kontaktu, gdy zadzwoni. Póki jednak nie znała przyczyny jego milczenia, poddawała się rozpaczy i nie zmrużyła oka do czwartej nad ranem, mając nadzieję, że George się odezwie. Ucieszyłaby się nawet z głuchego telefonu – z jakiejkolwiek oznaki życia od mężczyzny, którego kochała i który zaledwie przed pięcioma dniami prosił ją, żeby została matką jego dzieci, a potem się więcej nie odezwał. To nie miało sensu.

Obudziła się po dwóch godzinach snu, na długo przed dzwonkiem budzika, i czekała do ósmej, żeby do niego zadzwonić. W poniedziałki pokojówka i służący przychodzili o dziewiątej, gdy więc zadzwoniła na telefon domowy, nikt go nie odebrał. George nadal nie odbierał komórki, a do tej pory musiał już wrócić, chyba że stało się coś okropnego.

Do pracy ubierała się w pośpiechu, nie wypiła kawy ani nie zjadła śniadania, i gdy dotarła do biura, czuła się rozkojarzona. Odczekała do dziewiątej i zadzwoniła do biura George'a, wiedząc, że zawsze przychodzi o ósmej trzydzieści, żeby się przygotować do całego dnia. Telefon odebrała sekretarka i poinformowała, że George jest na zebraniu. Claire poprosiła, żeby mu powtórzyła, że ona dzwoniła. Teraz już była pewna, że oddzwoni.

Aż do lunchu w ogóle nie była w stanie zebrać myśli i warczała na Monique, ilekroć weszła do pokoju. Walter na wszelki wypadek wolał tego nie robić.

Gdy dobiegła dwunasta, znowu zadzwoniła do George'a i dowiedziała się, że wyszedł na lunch i przez całe popołudnie ma spotkania poza biurem, do którego już nie wróci. Głos jego asystentki niczego nie zdradzał. Kobieta była uprzejma, ale chłodna, i gdy Claire odłożyła słuchawkę, po jej policzkach lały się łzy. Coś było nie tak. Ale co? I dlaczego? George jej unikał, a ona nie zrobiła nic, żeby sobie na to zasłużyć. Tak szalała z niepokoju, że aż ją dusiło.

Wyszła z pracy pół godziny wcześniej, mówiąc Walterowi, że chyba się zaziębiła i że ma gorączkę. Łatwo było w to uwierzyć, bo wyglądała strasznie.

Zaraz po powrocie do domu poszła do łóżka i leżała w nim, aż usłyszała, jak kilka godzin później wróciła Morgan, która przyszła do niej do sypialni.

– On nie chce ze mną rozmawiać – powiedziała Claire ochryple. Przyjaciółka patrzyła na nią ze zdumieniem. Claire wyglądała, jakby ktoś ją pobił albo jakby była bardzo chora.

– Kto nie chce? – zapytała Morgan, nic nie rozumiejąc.

– George. Nie odezwał się do mnie od wtorkowej nocy. Wszystko było dobrze, ale od tamtego czasu się nie odzywa. Nie odbiera moich telefonów i nie odpisuje na SMS-y. Nic. Cisza. Myślisz, że mnie rzucił? – Ledwie była w stanie wypowiedzieć te słowa, ale Morgan mogła wiedzieć więcej od niej. Może George jej coś powiedział.

– Oczywiście, że nie – obruszyła się Morgan. – Przecież za tobą szaleje – dodała, ale potem się zastanowiła. – Wiem, że w święta mu odbija i że czasami na kilka dni się wyłącza. Także w pracy, gdy jest za dużo stresów, czasem znika i wyjeżdża gdzieś na dzień lub dwa, ale po powrocie wszystko jest znowu dobrze. Może się o coś pokłóciliście?

– Nie, o nic. Nie było żadnej kłótni.

– Widziałam go w biurze, wyglądał normalnie. Żartował z jednym z klientów. Miał dzisiaj sporo roboty, ale to niczego nie tłumaczy. Może na razie daj mu spokój i zobacz, co zrobi. Nie ścigaj go. Nie miał wypadku, nie umarł, żyje. Zadzwoni do ciebie.

Ale dwa dni później wciąż tego nie uczynił. Nie odzywał się od ośmiu dni, a Claire nadal nie znała powodu, dla którego tak się zachowywał.

W pracy wzięła sobie dwa dni wolnego z powodu grypy. W lofcie wszyscy już wiedzieli i chodzili na paluszkach, jakby ktoś umarł. Claire wychodziła z pokoju tak rzadko, jak to tylko możliwe, nie chcąc nikogo widzieć, a Morgan wieczorem spytała Maxa, co o tym sądzi.

– Nie wiem – odparł szczerze. – Faceci czasami robią dziwne rzeczy. Na przykład posuwają się za szybko, a potem umierają ze strachu i uciekają. Ale George to poważny gość, właściciel dużej firmy. Gość z jajami. Gdyby chciał się wycofać lub zmienił zdanie, miałby odwagę powiedzieć o tym Claire.

– Albo nie – rzuciła cicho Morgan. Jedli z Maxem późną kolację w jego restauracji, w której robiło się coraz puściej. Morgan miała nadzieję, że nie pojawi się tu George z jakąś kobietą, chociaż trudno jej było sobie wyobrazić, że mógł być aż tak nietaktowny. I nawet nie mogła zagadnąć go o Claire w biurze. Był jej szefem i nigdy z nią nie rozmawiał o swoich prywatnych sprawach. Wszystko, co wiedziała o jego romansie z Claire, wiedziała od niej. George nie rozmawiał o swoim życiu osobistym z pracownikami, mogli sobie poczytać w „Page Six". – George rzucił już wiele kobiet. Myślę, że boi się związków. Ale i tak nie powinien jej od siebie odcinać. Musi coś powiedzieć. Biedaczka odchodzi od zmysłów, wygląda jak trup. – Morgan była tym wszystkim przygnębiona i chociaż znała George'a, nie potrafiła zrozumieć, co się dzieje.

– Wyobrażam sobie – mruknął współczująco Max i wtedy Morgan przypomniała sobie o czymś, o co chciała go zapytać, ale ciągle zapominała.

– Wiem, że to zabrzmi, jakbym oszalała, ale kilka tygodni temu w dokumentach, które księgowość dała mi przez pomyłkę, odkryłam coś niezwykłego. Rzuciło mi się to w oczy w arkuszu kalkulacyjnym. Pieniądze ulokowane na złym koncie i inna mniejsza kwota – została wypłacona, ale po tygodniu wpłacono ją z powrotem. Nic nie zginęło, ale pieniądze wędrowały nie po tych kontach, co trzeba. Co myślisz o czymś takim? Uważasz, że ktoś coś kombinuje? – George zawsze bardzo skrupulatnie pilnował kont, dlatego była zdziwiona. – W dodatku George zainwestował fundusze w firmę, w której jeden z dyrektorów kilka lat temu miał kłopoty z prawem, choć później został oczyszczony z zarzutów. Myślisz, że dzieje się coś niepokojącego?

– Nie, nie sądzę. George jest zbyt mądry, żeby robić głupie przekręty. To uczciwy facet. Ma nieskazitelną reputację. Nie ryzykowałby, że ją sobie zszarga. To pewnie w księgowości ktoś się pomylił i potem naprawił błąd.

– Też tak pomyślałam – przyznała Morgan. – Ale wolę dmuchać na zimne. W tym biznesie dochodzi czasami do różnych dziwnych rzeczy. Weźmy takiego Bernie'ego Madoffa. – Madoff był największym oszustem finansowym w dziejach świata, skazanym na sto pięćdziesiąt lat więzienia za wyłudzenie milionów z banków i od ich klientów. Morgan nawet w najśmielszych snach nie potrafiłaby sobie wyobrazić, że George mógłby zrobić coś podobnego. Max przyznał jej rację, dlatego poczuła się pewniej. Ufała jego ocenie, tym bardziej że świetnie znał się na ludziach.

– George nie jest Bernie'm Madoffem. – Max uśmiechnął się, ale zaraz spoważniał. – Nie martwię się tym, że George fałszuje księgi, za to martwię się o Claire. Osiem dni – to nie wygląda dobrze. Nie ma wielu wyjaśnień tej sytuacji, oprócz tych niedobrych dla niej. Szkoda mi jej – dokończył łagodnie. Bardzo lubił współlokatorki Morgan. Wszystkie były miłe, o wiele milsze od jego własnych sióstr.

– Mnie też – przyznała Morgan. – To dla niej straszny cios. Myślę, że mu ufała całkowicie i naprawdę się w nim zakochała. Nie wiem, jak sobie poradzi, jeśli on się więcej nie pokaże.

– Jakoś będzie musiała – stwierdził filozoficznie Max. – George powinien to wyjaśnić, ale wygląda na to, że nie ma zamiaru tego zrobić. Gdyby miał, już by się z nią skontaktował. – Morgan, zamyślona, kiwnęła głową.

Bolało ją to, że w biurze George zachowywał się normalnie. Jakby nic się nie stało. Żartował, gawędził z klientami, chodził na zebrania, a Claire umierała w lofcie, leżała w łóżku i wyglądała jak upiór.

Dwa tygodnie później George nadal nie odezwał się do Claire. Wpadła nawet na pomysł, żeby pójść do niego do biura i zażądać wyjaśnień, ale w końcu uznała, że byłoby to strasznie melodramatyczne. Zamiast tego napisała list, w którym pytała, czym go uraziła, dodając, że go kocha, po czym podrzuciła mu ten list do mieszkania. Oprócz tego napisała do niego kilka maili. I nadal niczego nie rozumiała. George mówił jej, że ją kocha, że jest „tą jedyną", i chciał, żeby została matką jego dzieci, a potem zniknął. Wszyscy uważali, że to nienormalne. Jeśli zmienił zdanie – trudno, to okropne, ale powinien jej to powiedzieć. Dla wszystkich, a najbardziej dla Claire, było już oczywiste, że się wystraszył i uciekł. Ale to on nadał takie tempo ich kontaktom. To on ją ścigał i przekonywał, i wyznawał miłość prawie na pierwszej randce. Cokolwiek nim powodowało, teraz zniknął, milczał. Po dwóch tygodniach Claire już go nie usprawiedliwiała – związek się zakończył. Jeszcze nigdy tak nie cierpiała. To było jak śmierć, śmierć nadziei i marzeń, miłości, wszystkiego, co jej obiecywał. Straciła dziesięć kilo i wyglądała jak kobieta w głębokiej żałobie.

Po tygodniu wróciła do pracy, gdzie, jeszcze bardziej pogarszając sytuację, Walter po prostu ją torturował. Ale nawet on widział, że stało się coś okropnego.

– Co się dzieje? – spytał Alex Sashę, gdy pierwszy raz po świętach zobaczył Claire. – Zmarło któreś z jej rodziców? – Nie umiał znaleźć innego wytłumaczenia na to, jak wyglądała, chyba że sama była ciężko chora, czego by nie chciał.

– Chyba została porzucona. George nic nie powiedział... po prostu zniknął.

– Jak to zniknął? Wyjechał z miasta?

– Nie, zniknął w tym sensie, że nie chce z nią rozmawiać. Odciął ją od siebie bez słowa wyjaśnienia.

– A to dupek – oburzył się Alex. – Tak się do niej zalecał, tak ją uwodził. Jak może teraz nie chcieć z nią rozmawiać?

– Nie wiem, ale tak właśnie jest. – Wszyscy starali się pocieszać Claire, ale ona codziennie po powrocie z pracy od razu szła do łóżka i cały czas przesypiała.

Dwa dni później Walter wezwał ją do siebie. Było to dziesięć dni przed świętami Bożego Narodzenia, dlatego pomyślała, że chce jej przekazać premię na koniec roku. Ciężko pracowała i wyniki firmy się poprawiły. I ku jej zachwytowi Monique wracała do Paryża. Staż dobiegł końca.

– Chciałem z tobą porozmawiać już od jakiegoś czasu – zaczął Walter, bawiąc się spinaczami z biurka. – Miałem to zrobić dwa tygodnie temu, ale zachorowałaś. Nawiasem mówiąc, wciąż wyglądasz strasznie. Powinnaś iść do lekarza się przebadać.

– Nic mi nie jest – odparła ozięble. Czekała, aż Walter da jej czek, żeby mogła sobie pójść.

– Wiem, że nie potrzebujesz tej pracy, kiedy masz takiego wystrzałowego chłopaka. Wkrótce będziesz milionerką. – Claire miała ochotę zwymiotować, ale to nie była jego sprawa, że George ją rzucił, i nie zamierzała mu o tym mówić. Milczała. – Ale bez względu na to, czy wyjdziesz za tego gościa, czy nie, wiem, że to nie jest firma, w jakiej chcesz pracować. Ty chciałabyś pracować dla jednego z tych modnych domów, Jimmy Choo, Manolo Blahnika, takich seksownych marek. – Podniósł na nią wzrok. – I szczerze mówiąc, nadajesz się do tego. Masz talent. Słyszałem, że rozsyłasz wszędzie CV i jestem przekonany, że któraś z tych firm cię przyjmie. Ten talent marnuje się tutaj, a mnie nie stać na ciebie. Zwalniam cię. Przykro mi. To nic osobistego, to tylko biznes. My najlepiej wychodzimy na klasycznym stylu. I nie potrzebna nam nowatorska projektantka, która chce dokonywać zmian. No i zaoszczędzimy na twoim zwolnieniu. Wszelkie modyfikacje w kolekcjach mogę robić sam. – Patrzyła na niego, jakby go nie rozumiała, jakby mówił w obcym języku.

– Zwalniasz mnie? – spytała skrzekliwym głosem, a Walter skinął głową. – Bo rozsyłałam CV?

– Nie, chciałem to zrobić już pół roku temu. Trzymanie cię nie ma sensu pod względem finansowym. Powinnaś projektować swoje seksowne buty dla kogoś innego. Przykro mi. I życzę powodzenia. Zresztą i tak pewnie wyjdziesz za tego faceta i nie będziesz musiała pracować. W każdym razie, mnie na ciebie nie stać. Życzę wszystkiego najlepszego. – Wyciągnął do niej dłoń, a ona, otępiała, potrząsnęła nią i odeszła do drzwi, przy których jeszcze raz się do niego odwróciła.

– Zamierzasz dać mi premię świąteczną? – Pokręcił przecząco głową. – Odprawę? – Pracowała dla niego cztery lata i nienawidziła każdej minuty. Powinna otrzymać za to jakąś rekompensatę.

– Dwutygodniową – rzucił beznamiętnie. – To nic osobistego, to tylko biznes – powtórzył. Dawał jej najmniej, jak mógł. Claire nie mogła w to uwierzyć. Była w szoku. Wróciła do swojego pokoju, spakowała swoje szkice i rzeczy osobiste do kartonowego pudła i wyszła. Padał śnieg. Na ulicy zatrzymała taksówkę, do której wsiadła kompletnie przemoczona.

– Miała pani chyba trudny dzień – powiedział taksówkarz, zerkając na nią we wstecznym lusterku.

– Właśnie zostałam zwolniona z pracy – odparła, a po twarzy popłynęły jej łzy, zmieszane z roztopionym śniegiem i z tuszem do rzęs. Wyglądała strasznie.

– Oj, to przykre – mruknął taksówkarz i wyłączył taksometr. Zawiózł ją do domu i nie policzył za kurs. – Wesołych świąt – pożegnał się współczująco. Ona też złożyła mu życzenia i nie przestając płakać, poszła na górę. Współlokatorki były przerażone jej wyglądem.

– Co się stało? – krzyknęła Morgan, która podbiegła, żeby pomóc jej wnieść karton.

– Zwolnili mnie – odparła z rozpaczą Claire. – To nic osobistego, to tylko biznes. Dwutygodniowa odprawa i ani grosza świątecznej premii. – To o jeden cios za dużo po piekielnych tygodniach żałoby po Goerge'u. I nie miała pojęcia, co powie rodzicom, gdy wróci do domu.

Jakby miał jakiś radar i chciał ją jeszcze bardziej pogrążyć, tego wieczoru w końcu odezwał się George. Napisał wiadomość, którą przeczytała z niedowierzaniem, chociaż teraz nic już jej nie dziwiło. „Przepraszam, sytuacja mnie przerosła. To moja wina, nie twoja. Dobrze to przemyślałem. Taka decyzja jest dla mnie słuszna. Nie pasujemy do siebie, Claire. Nie chcę się z nikim wiązać, nie chcę małżeństwa, dzieci ani partnerki. W głębi serca jestem samotnym wilkiem i chcę nim pozostać. Życzę ci szczęścia. I Wesołych Świąt. G". Długo wpatrywała się w smsa, czytała go w kółko i w końcu zaczęła się histerycznie śmiać. Poszła z komórką do kuchni, a dziewczyny na jej widok pomyślały z przerażeniem, że zwariowała.

– To już oficjalne. Po trzech tygodniach George wreszcie do mnie napisał. Rzuca mnie. Smsem. Pisze, że tak będzie lepiej dla niego. I życzy mi wesołych Świąt. – Przysiadła się do dziewczyn przy stole. – No, no, wywalona z pracy i rzucona przez chłopaka w jednym dniu – wymamrotała. Abby otoczyła ją ramieniem i wtedy Claire się rozpłakała. Ale zarazem poczuła dziwną ulgę. George wreszcie się odezwał, a ona przynajmniej wiedziała, że nie chodzi o nic, co zrobiła. To on nadał tempo, on tak desperacko jej pragnął i namawiał, żeby się z nim umówiła, powiedział jej, że ją kocha, że chce mieć z nią dzieci, a teraz ją rzucił. Ironia i okrucieństwo tego, co zrobił, były nie do zniesienia i Claire wiedziała, że już nigdy nie zaufa żadnemu mężczyźnie. Przyjaciółki pomogły jej się położyć i zostały z nią. Sasha leżała obok niej na łóżku. Abby siedziała na podłodze i głaskała ją po głowie. Morgan też smutna, usiadła w nogach łóżka i od czasu do czasu klepała ją pod kołdrą po stopie. Były z nią – nic więcej nie mogły dla niej zrobić. I w końcu Claire zasnęła.

14

Tylko Claire jechała do domu na Boże Narodzenie. Wszyscy inni zostawali w Nowym Jorku. Biuro Morgan było zamknięte aż do pierwszych dni po Nowym Roku, ale ona pomagała Maxowi w restauracji podczas świątecznego szczytu, usadzała ludzi przy stołach, kiedy to było potrzebne, i pomagała mu w księgowości. Tylko w ten sposób mogła się z nim widywać podczas świąt, bo pracował dniami i nocami przez cały tydzień. Był jej za to wdzięczny. I tak nie miała dokąd pojechać, a Oliver i Greg byli z przyjaciółmi na nartach w New Hampshire.

Rodzice Abby pojechali do Meksyku, a ona została w Nowym Jorku, żeby popracować nad powieścią. Alex i Sasha dyżurowali w szpitalu zarówno w Boże Narodzenie, jak i w Nowy Rok. Przynajmniej będą razem.

Claire było przykro, że z nimi nie została. Zanim dwudziestego trzeciego wyjechała do San Francisco, czuła się, jakby znalazła się pod wodą i tonęła. Jeszcze nie doszła do siebie po tym wszystkim, co się stało. Nawet nie była zła, była zrozpaczona.

Morgan była wściekła na George'a. Przedtem go szanowała, teraz już nie. Jak można szanować człowieka, który tak okrutnie zachował się wobec jej przyjaciółki? Claire utraciła spokój, jej serce roztrzaskało się na

kawałki. Ledwie mogła wytrzymać myśl o Bożym Narodzeniu i żałowała, że jedzie do domu. Wolałaby zostać
z przyjaciółmi w Nowym Jorku, ale nie chciała zawieść
matki. Zanim straciła pracę, kupiła matce drogą torebkę,
z nadzieją, że prezent się jej spodoba, a ojcu sweter. Na
żadną z tych rzeczy teraz nie mogłaby sobie pozwolić.
Ale było Boże Narodzenie, więc nie powiedziała im, że
zwolniono ją z pracy. Bała się świąt w ich towarzystwie.
Nie mieli pojęcia o tym, że George ją rzucił, że straciła pracę. Chciała o tym powiedzieć matce po świętach
i poprosić, żeby powtórzyła to ojcu po jej wyjeździe. Nie
dałaby sobie rady z jego przygnębiającym stosunkiem do
życia. Porażki nie były dla niego niczym nowym.

Lot przełożono o trzy godziny w związku z pogo-
dą w San Francisco, w całym kraju burze wywoływały
turbulencje podczas lotu. Jakaż to byłaby ulga, gdyby jej
samolot runął na ziemię. Nie musiałaby żyć z zasiłku,
szukać nowej pracy, ani spędzić reszty życia bez George'a, nienawidząc go za to, że ją skrzywdził.

Miała zamiar po powrocie znowu wysłać CV z informacją, że jest w każdej chwili dyspozycyjna, że odeszła
z pracy. Ale kiedy sprawdzą jej referencje, zobaczą, że
została zwolniona. Była pewna, że Walter im to powie,
nie mogła go powstrzymać.

Wzięła taksówkę z lotniska, w domu czekała na nią
matka. Skończyli kolację i ojciec natychmiast zasiadł
przed telewizorem, żeby obejrzeć Discovery Channel
z drinkiem w dłoni. Matka poszła za nią do pokoju,
w którym Claire się rozpakowywała.

– Strasznie schudłaś. – Matka wyglądała na zatro-
skaną. Claire straciła ponad pięć kilo w ciągu czterech
tygodni od Święta Dziękczynienia.

– Miałam grypę. Wszystkie ją złapałyśmy – skłamała Claire. Nie umiała powiedzieć prawdy. Nie potrafiła oddać słowami całej tej okropności.

Matka ustawiła choinkę w salonie, tak jak zawsze, a ojciec narzekał, że to grozi pożarem. Claire nie wiedziała, jak przetrwa cztery dni, które postanowiła tu spędzić.

– Jak miewa się George? – zapytała matka z łagodnym uśmiechem, patrząc, jak Claire się rozpakowuje. Tym razem przywiozła ze sobą mało rzeczy, jakby chciała ubierać się tylko w dżinsy i czarne swetry. To była swego rodzaju żałoba po George'u i jej własnym obumarłym sercu.

– Świetnie – powiedziała ogólnikowo, udając, że szuka czegoś w walizce, żeby matka nie zobaczyła jej twarzy.

– Co ci dał na gwiazdkę? – Kopniaka w zęby, tylko na taką odpowiedź mogłaby się zdobyć. Dalej przekopywała się przez walizkę. Sarah zastanawiała się głośno, czy George da jej pierścionek zaręczynowy, czy może czeka na Nowy Rok, bo Claire z początku mówiła, że spędzi go razem z nim.

– Torebkę. – Tylko to przyszło jej do głowy, kiedy się odwróciła, żeby spojrzeć na matkę. – Mamo, bardzo mi przykro, ale różnica czasu wynosi trzy godziny, a ja nadal źle się czuję po grypie. Bardzo byłabyś zła, gdybym poszła do łóżka? – Wiedziała, że matka liczy na jej towarzystwo, ale tego wieczoru po prostu nie mogła się do tego zmusić. I tak musiała przebrnąć przez wigilię i pierwszy dzień świąt.

– Oczywiście, że nie, kochanie. Jutro możemy porozmawiać. Chcesz filiżankę herbatki ziołowej? – Matka była zawsze taka dobra, Claire czuła się okropnie, od-pychając ją od siebie, ale musiała pobyć w samotności, i to zaraz.

– Wszystko w porządku. – Uścisnęła ją mocno i po chwili matka poszła do swojego pokoju, żeby poczytać, tak jak co wieczór. Dwadzieścia minut później Claire już spała.

Następnego dnia pomagała matce piec ciasteczka, patrzyła, jak patroszy indyka, jak go nadziewa i wkłada do pieca. Claire nakryła do stołu, a Sarah świątecznie go udekorowała dla nich trojga, tak jak zawsze. Później obie miały pójść na pasterkę do katedry Bożej Łaski. Ojciec od lat z nimi nie chodził.

Było zimno, kiedy schodziły ze schodów katedry, naprzeciw Huntington Park. Na drzewach rozwieszono jasne, kolorowe żarówki. Claire wsunęła rękę pod ramię matki i przez chwilę patrzyły na park. Sarah o nic nie pytała, ale czuła, że stało się coś bardzo złego, widziała, jak Claire ociera łzy podczas nabożeństwa. Wsiadły do samochodu, żeby pojechać do domu, Claire zachowy-wała się bardzo cicho.

– Dziękuję, że ze mną poszłaś – szepnęła Sarah, kiedy zatrzymały się przed garażem. – Wiem, że nie było ci łatwo.

– Lubię być z tobą, mamo – odparła szczerze Claire. To była prawda, teraz już nie mogła kłamać. – Geor-ge mnie rzucił, straciłam pracę. Nie chciałam ci o tym mówić przez telefon, smutno mi, że teraz ci o tym mó-wię. – Matka w milczeniu objęła ją i trzymała w ramio-nach, Claire płakała.

– Tak mi przykro – powiedziała serdecznie. Nie py-tała, co się stało. To nie miało znaczenia. Liczyły się tylko konsekwencje i złamane serce córki. – Tak mi przykro.

– Mnie również – powiedziała Claire i uśmiechnęła się przez łzy. – Powiedział, że jest samotnym wilkiem. Ale to on wszedł w moje życie z buciorami i zachowywał się, jakbyśmy od lat byli razem. I to on przeraził się, a potem uciekł.

– Myślisz, że się uspokoi i wróci?

– Nie ma szans. – Była przygotowana na to, że w każdej chwili może przeczytać w „Page Six" o jego nowej zdobyczy. Prędzej czy później tak się stanie. Skończył z nią, nie chciała dawać sobie ani matce fałszywej nadziei. Jego SMS był jasny. „A Walter to dupek i nie podobają mi się jego buty". Roześmiała się i wytarła nos w chusteczkę, którą podała jej matka. Tym razem Sarah też się roześmiała.

– Nawet ja bym ich nie nosiła w moim wieku – powiedziała i obie zachichotały.

– Po Nowym Roku zacznę rozsyłać CV. Coś się pojawi. – A referencje miała nie tylko w dziedzinie obuwia. Buty to był jej mocny punkt i pasja, ale chętnie zajmowała się także projektowaniem ubrań, czego nauczyła się u Parsonsa. – Przepraszam, że mówię ci o tym wszystkim dziś wieczór. Chciałam poczekać, aż miną święta. – Ale ulżyło jej, że powiedziała to teraz. Matka zawsze potrafiła ją pocieszyć i podejść do sprawy pozytywnie. Nagle Claire poczuła się szczęśliwa, że jest w domu, ze złamanym sercem. – Nie martw się o mnie, mamo. Znajdę pracę. – Nie chciała, żeby matka myślała, że stanie się dla nich ciężarem. W wieku dwudziestu ośmiu lat chciała stanąć na własnych nogach. Rodzice nie mieli pieniędzy, żeby jej pomagać. Niczego od nich nie oczekiwała, poza matczyną miłością. – Czy mogłabyś nie mówić tacie, póki nie wyjadę? Nie chcę wysłuchiwać tego, co ma na ten temat do powiedzenia. – Sarah kiwnęła głową, rozumiała.

Weszły do domu i w kuchni wypiły po filiżance naparu z rumianku. Ojciec Claire poszedł do łóżka, w domu było cicho, a one siedziały i rozmawiały. Sarah rozważała to, o czym powiedziała jej Claire. Wkrótce poszły spać.

Rano Claire i Sarah ofiarowały sobie prezenty, siedząc obok choinki. Matce spodobała się torebka od Claire, wzruszyło ją, że córka wydała na nią tak dużo, szczególnie teraz. Kiedy ojciec wstał, Claire dała mu sweter. Podarunek naprawdę mu się spodobał, podziękował i wszyscy byli w dobrym nastroju.

Potem Claire poszła do swojego pokoju i wysłała do współlokatorek maile z życzeniami świątecznymi. Kiedy wyłączyła komputer, do pokoju weszła matka, cicho zamknęła za sobą drzwi i usiadła na łóżku córki. Wyglądało, że ma coś ważnego do powiedzenia. Myślała o tym przez całą noc.

– O co chodzi? – Claire zaniepokoiła się, ale matka pokręciła głową.

– Nic mi nie jest, ale jest coś, o czym chcę ci powiedzieć. Nikomu o tym jeszcze nie mówiłam. Wiesz, że od lat brałam dorywczo prace dekoracyjne. Twój ojciec nie wiedział o większości, ale dzięki temu miałam pieniądze na szkołę dla ciebie i trochę kieszonkowego. No cóż, większe prace też miewałam i od lat odkładałam pieniądze. – Claire zrozumiała, do czego zmierza jej matka.

– Mamo, nie chcę od ciebie pieniędzy. Trochę zaoszczędziłam i mogę żyć za to i za zasiłek, póki nie znajdę innej pracy. Kiedy wrócę, spotkam się z *headhunterem*. Zachowaj te pieniądze dla siebie.

– Proszę, żebyś mnie wysłuchała – matka była stanowcza. – Odłożyłam więcej niż sądzisz. Nikt o tym nie wie poza mną, a teraz tobą. Chciałabym zainwestować te pieniądze w małą firmę produkującą buty. Wiem, jak prowadzi się biznes wnętrzarski, z butami nie może być inaczej. Możemy zacząć od czegoś bardzo małego, z oszczędnym budżetem. Ty będziesz mogła projektować te buty. Jeśli nam się powiedzie, pewnego dnia będziesz mogła mnie spłacić. Ale nie chcę czekać na to. Wolałabym być twoją wspólniczką. – Claire patrzyła na nią ze zdumieniem, a matka zaskoczyła ją jeszcze bardziej. – Mogłabym pojechać do Nowego Jorku na parę miesięcy, może nawet na pół roku albo na rok i pomóc ci w rozruchu. Mogłabym zamieszkać u ciebie, jeśli nie będzie to przeszkadzało tobie i innym dziewczynom i razem mogłybyśmy nad tym popracować. – Potem powiedziała, ile odłożyła, i Claire o mało nie spadła z łóżka. Pieniędzy było więcej niż potrzeba na stworzenie małej firmy. Znała finanse Waltera, jej matka miała więcej. Mając tyle środków własnych mogły zaciągnąć kredyt, gdyby potrzebowały więcej.

– A co z tatą? – Nie mogła sobie wyobrazić tego, że matka zostawiła go na tak długo.

Sarah zawahała się.

– Chyba powinnam wrócić do Nowego Jorku i wziąć życie we własne ręce. Myślałam o tym od dłuższego czasu. To byłaby doskonała okazja dla nas obu. – Uśmiechnęła się do Claire, córka uściskała ją.

– Jesteś niesamowita, mamo. Zamieszkasz ze mną, jeśli nie będzie ci przeszkadzało, że mam tylko jedno łóżko. Zapytam inne, ale jestem pewna, że się zgodzą. Ale czy ty jesteś pewna? To dla ciebie wielka zmiana. – Ale

Sarah mieszkała w San Francisco od trzydziestu lat i od dawna nie była szczęśliwa, teraz więc chciała coś zrobić, zanim będzie za późno. I jeśli przy tej okazji pomoże córce, będzie to najwłaściwsza decyzja. Nie miała żadnych wątpliwości.

– Czas, żeby twój ojciec przyjrzał się swojemu życiu i stwierdził, co zamierza robić, zanim będzie za stary, żeby z niego skorzystać. A jeśli nie chce, to jego sprawa. – Mówiąc to posmutniała, ale uśmiechnęła się do Claire.

– O kurczę. Nie mogę uwierzyć, że to dla mnie robisz.

– A dla kogo innego miałabym to zrobić? Jesteś moim jedynym dzieckiem. – Sarah rozpromieniła się, Claire także i znów się uścisnęły. Wspaniały plan.

– Mogłybyśmy skorzystać z tej samej fabryki we Włoszech, co Walter. Mają doskonałe maszyny i rozsądne ceny. Mogłybyśmy spróbować w Brazylii, ale bardziej podoba mi się włoskie wykończenie. – Myśli Claire gnały już do przodu. Dzięki matce najgorsze Boże Narodzenie w życiu zmieniło się w święta pełne nadziei. Otworzy własną firmę i zrobi wszystko, co trzeba, żeby okazała się sukcesem. Ale znów spoważniała. – Kiedy masz zamiar powiedzieć to tacie?

– Jak wyjedziesz. Nie musisz przy tym być. Chcę mu powiedzieć, że zaczynamy robić interesy. Nie musi wiedzieć, skąd pochodzą pieniądze. I tak miałam zamiar powiedzieć mu, że od niego odchodzę. Nie chcę, żebyś się za to obwiniała. Tak jest naprawdę. Chciałam ci o tym powiedzieć przed wyjazdem. Trzeba to było zrobić już dawno.

– Mamo, nadal go kochasz? – zapytała cicho Claire. Wiedziała, że dla matki to poważna decyzja. Chroniła go przez trzydzieści lat, jak dziecko, poświęcając siebie i wszystkie swoje pragnienia.

– Nie wiem – odparła matka szczerze. – Trudno kochać takiego, jakim jest. Nie chodzi tylko o picie, ale o całe jego podejście do życia. Uwielbiałam go takim, jaki był, zanim upadły jego przedsięwzięcia. Wtedy wierzył w siebie, potem stał się smutnym, zgorzkniałym człowiekiem. Już nie chcę, żeby zatruwał mi życie. To zbyt męczące. I tak człowiek się starzeje – a ja nie chcę się starzeć z nieszczęśliwym starcem. Wolę samotność. Może to zmusi go do jakichś zmian. I chcę znowu spróbować życia w Nowym Jorku. Miałam tam wspaniałych klientów i z całego serca chciałabym znowu zagrać w pierwszej lidze. Przynajmniej wydawało mi się, że tego chcę – bo teraz będziemy robić buty! – Claire uśmiechnęła się. – Ale powinnaś zapytać dziewczyny, czy mogę z nimi zamieszkać. Zrozumiem, jeśli powiedzą: nie. Zaoszczędziłoby się trochę, gdybym mieszkała z tobą, ale nie muszę. Mogę znaleźć sobie coś małego na kilka miesięcy, jeśli tak będzie lepiej dla ciebie.

– Fajnie by było, gdybyś zamieszkała razem ze mną, one wszystkie cię uwielbiają. Zapytam je i powiem ci, jak jest. Kiedy chcesz przyjechać?

Sarah zastanawiała się przez jakąś minutę.

– Czy pierwszy tydzień stycznia to za wcześnie? Powinnyśmy wziąć się do roboty. – Claire kręciło się w głowie, kiedy jej słuchała. Rozkręcała swój pierwszy biznes! Nigdy o czymś takim nie marzyła.

– W porządku. – Mówiła o terminie przyjazdu matki. – Jak to nazwiemy?

Matka nie wahała się ani chwili.

219

– Oczywiście Claire Kelly. A jak inaczej? – Kiedy matka wyszła, włączyła komputer. W mailu do wszystkich trzech współlokatorek napisała, że zakłada z matką własną firmę dizajnerską i zapytała, czy zgodzą się na to, żeby matka mieszkała z nimi przez kilka miesięcy, aż interes się rozwinie. Dodała, że nie będzie się gniewać, jeśli odmówią.

Wszystkie trzy odpowiedzi nadeszły natychmiast. Przyjaciółki były podekscytowane, że Claire zakłada firmę i zachwycone, że spotkają matkę Claire. Mam nadzieję, że gotuje lepiej niż ty – napisała Morgan, ale tym zajmował się Max. Claire poszła do matki, żeby powiedzieć jej o listach. Matka w swojej sypialni przeglądała szafę, i Claire wiedziała dlaczego. Przygotowywała się na Nowy Jork.

– Jest zgoda – powiedziała tajemniczo. – I to jednogłośna.

Sarah rozpromieniła się i uniosła kciuki do góry. Claire nie mogła jej nie podziwiać. W pięćdziesiątym piątym roku życia miała odwagę otwierać biznes.

– Kocham cię, mamo – powiedziała, wychodząc do swojego pokoju. Za dwa dni odlatywała i już teraz nie mogła się doczekać, kiedy wróci i zacznie działać. Czekało je mnóstwo pracy, będą musiały polecieć do Włoch, omówić warunki produkcji i podpisać kontrakt. To brzmiało zbyt dobrze, żeby mogło być prawdziwe, a jednak było. Dwa tygodnie temu straciła wszystko, teraz zaczynała nowe życie. Stał się cud, dzięki matce. Claire miała nadzieję, że dla matki to też będzie cud. I kto wie, może ojciec się ocknie?

Alex i Sasha mieli w wigilię dyżur w szpitalu, siedzieli w pokoju odpoczynkowym lekarzy, dzieląc się jedną kanapką. Sasha miała dwie pierworódki w początkowej fazie bólów porodowych. Wiedziała, że to będzie trwało wieczność i pewnie poród nastąpi dopiero rano, ale tak czy inaczej nie mogła wyjść. Na neonatologii było spokojnie. Poprzedniego dnia trzy niemowlaki wypisano do domu, pozostałe były stabilne. Pielęgniarki miały na nie oko. Alex rozmawiał z Sashą i jadł kanapkę z indykiem, którą kupił dla nich na dole.

– Wesołych świąt – powiedziała, uśmiechając się do niego. – Może w przyszłym roku zjemy na kolację prawdziwego indyka zamiast kanapki. – Ale żadne z nich nie wyglądało na nieszczęśliwe, cieszyli się, że są razem. Opowiadała mu o Valentinie i jej francuskim chłopaku. Byli w Paryżu i mieli wrócić za dwa dni.

– Nie mogę uwierzyć, że nadal z nim jest – powiedziała Sasha. – Zazwyczaj nie wytrzymuje tak długo. To już trzy miesiące.

Rodzice Alexa dzwonili do nich wcześniej na jego komórkę i życzyli im obojgu wesołych świąt. Święto Dziękczynienia u nich było wspaniałe, Sasha wysłała kwiaty, żeby im podziękować, a na Boże Narodzenie podarowała im ogromne pudło czekoladek. Z Alexem nie wymienili się jeszcze prezentami, chcieli to zrobić, kiedy zejdą z dyżuru w bożonarodzeniowy wieczór. Kupiła mu ciepłą czapkę, rękawiczki i parę kroksów w charakterze żartu.

Potem on wyjął z kieszeni paczkę ciastek, które kupił w stołówce i dał jej, gdy skończyła swoją połówkę kanapki.

– Deser – powiedział, kiedy się zawahała.

– Może powinnam zachować je na później. To będzie długa noc. – W zamyśleniu spoglądała na pudełko.

– Zjedz, przyniosę ci więcej, jak zechcesz. Stołówka jest otwarta przez całą noc. – Uległa i sięgnęła do pudełka. Nie udało się jej wyciągnąć ciasteczek. Utknęły w środku. Zajrzała i zobaczyła czarne aksamitne pudełeczko, spojrzała na Aleksa zaskoczonym wzrokiem.

– Co to takiego? – Serce jej waliło, gdy wyciągała pudełko. Popatrzyła na niego ze zdumieniem.

– W ciastkach musiała być nagroda-niespodzianka! – powiedział, uśmiechając się szeroko. Wciąż trzymała pudełko w ręce, a on ukląkł na jedno kolano i powiedział cicho:

– Sasho, kocham cię całym sercem i całą istotą. Przysięgam, jesteś wszystkim, co mam i czym jestem. Czy wyjdziesz za mnie?

– O mój Boże – powiedziała i rozpłakała się. Otworzył pudełko i włożył na jej trzęsące się palce piękny pierścionek z diamentem.

– O mój Boże… Kocham cię… Która to randka z kolei? – zapytała, śmiejąc się przez łzy. Spotykali się zaledwie od trzech miesięcy, ale był całkowicie pewien, że to ona jest miłością jego życia. Podczas Święta Dziękczynienia powiedział rodzicom, co zamierza zrobić, a oni z całego serca go poparli. Ojciec dał mu pieniądze na pierścionek, Alex miał zamiar go spłacić.

Pocałował ją i popatrzył na nią.

– Nie odpowiedziałaś. „Która to randka z kolei" to nie jest rozstrzygająca odpowiedź.

– Tak! Tak… o mój Boże. Co ja powiem mamie? Przecież ona nie wierzy w małżeństwo. – Wpadła w panikę.

– Powiedz jej, że my wierzymy – szepnął i objął ją, a ona uniosła dłoń, żeby podziwiać piękny pierścionek, który właśnie jej ofiarował.

– Kiedy się pobierzemy? – zapytała. Cały ten pomysł zawładnął jej sercem.

– Może w czerwcu? – Kiwnęła głową. Rozmawiali, obejmowali się i śmiali, kiedy weszła jedna z położnych i zobaczyła ich. To była Sally, ta, którą lubili najbardziej.

– Co wy tutaj robicie? – Zawsze się cieszyła, że pracuje z Sashą, kiedy miała dyżur.

– Właśnie się zaręczyliśmy – powiedziała rozpromieniona Sasha.

– Gratuluję! – odparła serdecznie pielęgniarka i przeszła do spraw zawodowych. – Na sali numer dwa coś się zaczęło dziać. Silne bóle porodowe, rozwarcie dziesięć. Jest gotowa, żeby przeć. Potrzebujemy cię.

– Czemu tak szybko? – Sasha wstała. – Niedawno, kiedy ją badałam, było dwa.

– Może dziecku znudziło się czekać. Skąd mam to wiedzieć? Ty jesteś lekarzem, zbieraj się i do roboty. Proszę wybaczyć – odwróciła się do Alexa z uśmiechem – pańska narzeczona ma dyżur. Dziś wieczór jest tutaj lekarzem. I oddaj mu pierścionek – powiedziała do Sashy. – Nie możesz go mieć na palcu podczas odbierania porodu. – Miała rację. Sasha wręczyła pierścionek Alexowi, a on włożył go do pudełeczka i schował do kieszeni.

– Nie zgub! – powiedziała, pocałowała go i szybko poszła za pielęgniarką. Przyszły mąż pomachał jej.

Kiedy Sasha wpadła do sali, dziecko znajdowało się w kanale rodnym, już widać było główkę. Zdążyła na czas, żeby złapać maleńką dziewczynkę, która wyszła na świat po dwóch skurczach. Rodzice śmiali się i płakali, patrząc na swoje śliczne dziecko. Sasha przecięła pępowinę i położyła maleństwo na brzuchu matki, a potem przystawiła je do jej piersi. Nowa mama przytulała córeczkę do siebie, patrzyła z zachwytem na męża i mówiła mu, jak bardzo go kocha. A Sasha mogła myśleć tylko o tym, że pewnego dnia to będzie ona i Alex.

15

Kiedy Alex i Sasha zeszli z dyżuru w bożonarodzeniowy wieczór, spotkali się z innymi w restauracji Maxa,
ale wcześniej wrócili na czwarte piętro, żeby wziąć
prysznic, przebrać się i kochać, świętując zaręczyny.
Oboje promienieli, kiedy przyszli na spotkanie. Sasha
nosiła pierścionek zaręczynowy, ale nie chciała o tym
mówić, póki sami nie zauważą. Piła wino, bo tego wieczoru nie mieli dyżuru na telefon. Trzymała kieliszek
w lewej ręce, a Morgan, patrząc na jej dłoń, zawołała:

– O mój Boże! Co to jest? – Max przestraszył się,
sądząc, że zobaczyła mysz albo karalucha, ale Abby też
zobaczyła pierścionek i zaczęła piszczeć.

– Co wam się stało? – Max podniósł na nie głos, ale
tymczasem Greg i Oliver też to zauważyli i zaczęli się śmiać.

– Zaręczyliśmy się! – krzyknęła Sasha. – Pobiera-
my się!

– Boże, myślałem, że mamy szczury. – Max odwrócił
się do Morgan. – I nie wrzeszcz tak nigdy więcej, chyba że
ktoś zastrzeli klienta. – Ale wszyscy już śmiali się i obejmowali, i Max zamówił do stolika najlepszy szampan.

– Kiedy poprosił cię o rękę? – Morgan chciała znać
szczegóły i Sasha zaczęła opowiadać. Alex wyglądał na
dumnego, kiedy wszyscy mu gratulowali.

– Powiedziałaś matce? – zapytała Morgan, a Sasha pokręciła głową.

– Wczoraj wieczorem zadzwoniliśmy do rodziców Alexa i do jego brata. Do moich i do Valentiny zadzwonię jutro, chciałam mieć trochę czasu dla nas, żeby to uczcić.

– Będzie śmiesznie z twoją mamą – dokuczała jej Morgan. Wiedziała, że matka Sashy nie jest zwolenniczką małżeństwa i będzie próbowała wybić je córce z głowy. Uważała ojca Sashy za sympatycznego faceta, ale matkę za sekutnicę z piekła rodem, która rzadko była miła dla córki i w ogóle dla kogokolwiek.

– Valentina wraca chyba jutro albo pojutrze z Paryża. Wszystkie będziecie druhnami – powiedziała Sasha do Morgan i Abby. – Claire oczywiście też. Muszę wysłać Claire maila, żeby wiedziała. Pobierzemy się chyba w czerwcu. – Kiedy wypili szampana, przedstawiła im wszystkie szczegóły. A Valentina będzie oczywiście główną druhną.

– Kto to zorganizuje? – zapytała Morgan.

– Jeszcze nie wiem. Jeszcze o tym nie myśleliśmy. – Prawdę mówiąc, Sashy nawet nie przyszło to do głowy.

– Potrzebny wam organizator wesel. Bez niego oszalejecie. Jesteście zbyt zajęci, żebyście robili to sami. I nie wyobrażam sobie twojej mamy planującej wesele. To tak, jakby wynająć Cruellę Demon do wyprowadzania psa na spacer. – Roześmieli się. – Rozdawałaby ulotki o kościelnym unieważnieniu małżeństwa.

– Sasha zdała sobie sprawę, że czeka ich wiele decyzji – ślub kościelny czy nie, Atlanta czy Nowy Jork, wesele wielkie czy małe – nie mówiąc już o tym, kto ma za to zapłacić. Na razie chciała się tylko cieszyć chwilą razem z Alexem, zanim rozpęta się piekło i będą musieli wszystko przygotować. A Morgan miała chyba rację, będzie im potrzebny organizator wesel.

Rozmawiali o mailu od Claire, że jej matka wprowadza się do nich na kilka miesięcy, żeby Claire mogła zacząć prowadzić z nią interes. Wszyscy się cieszyli, a dziewczęta twierdziły, że lubią matkę Claire i że na pewno będzie dobrze. Była spokojną kobietą i jeśli Claire nie przeszkadza, że będzie z nią dzieliła sypialnię, wszystko pójdzie jak należy.

Tego wieczoru dobrze się bawiły przy kolacji i w świetnym nastroju wróciły do domu. Następnego dnia Sasha zadzwoniła do swojej matki. Była już w kancelarii, zaraz po Bożym Narodzeniu.

Parę minut pogawędziły, co nigdy nie szło łatwo. Wreszcie Sasha postanowiła chwycić byka za rogi i przejść do rzeczy.

– Mamo, muszę ci coś powiedzieć – powiedziała. Czuła się tak, jakby znowu miała dziesięć lat i wpadła w szkole w jakieś kłopoty.

– Rzucasz medycynę i idziesz na prawo? To byłaby dobra wiadomość. – Muriel wcale nie żartowała.

– Nie. Chodzę z kimś cudownym, bierzemy ślub. Zaręczyłam się.

– Od dawna z nim chodzisz? I dlaczego nic o nim nie wiem? – Bo jesteś zgorzkniałą wiedźmą, chciała powiedzieć Sasha, ale nie zrobiła tego.

– Znam go dość krótko, chciałam się upewnić, czy to coś poważnego, zanim ci powiem.

– Od jak dawna? – nalegała Muriel Hartman, jakby przesłuchiwała świadka przed sądem.

– Od trzech miesięcy.

– To śmieszne. W ogóle się nie znacie. Wiesz, jaki jest wskaźnik sukcesu małżeństwa u ludzi, którzy pobrali się po trzech miesiącach?

– Jestem pewna, że czasem to się udaje. Razem spędzamy mnóstwo czasu.

– Jak zarabia na życie? – Inkwizycja trwała nadal.

– Jest na stażu w nowojorskim szpitalu uniwersyteckim, tak jak ja, na pediatrii.

– Mam nadzieję, że jesteście przygotowani na skromne życie. On nie zrobi pieniędzy, ty też nie. Czym się zajmują jego rodzice? – Sasha nie znosiła sposobu, w jaki jej matka patrzyła na świat, ani tego, co mówiła. Ale to nie było dla niej niespodzianką. Dlatego rzadko dzwoniła do matki.

– Jego ojciec jest kardiologiem, a matka adwokatem w Chicago. – Tylko tyle Sasha była w stanie jej powiedzieć. – To bardzo mili ludzie. Spędziłam u nich Święto Dziękczynienia.

– Hm, ja nie zapłacę za wesele. Nie wierzę w małżeństwo.

– Nie dzwonię, żeby prosić cię o forsę na wesele – powiedziała rozzłoszczona Sasha. – Zadzwoniłam, żeby ci powiedzieć, że wychodzę za mąż i miałam nadzieję, że mi pogratulujesz, jeśli to nie jest dla ciebie zbyt wiele.

– Gratuluję – powiedziała sucho Muriel. – Jestem pewna, że twój ojciec zapłaci za wesele – dodała gniewnym tonem. – Dzwoniłaś do niego?

– Nie. Najpierw zadzwoniłam do ciebie.

– To miłe z twojej strony. – Matka była zaskoczona. – Kiedy się pobieracie?

– Może w czerwcu. Nie ustaliliśmy jeszcze daty. Tak po prostu wyszło.

– Hm, gratuluję – powtórzyła matka – chociaż uważam, że popełniasz błąd. Powinniście pożyć ze sobą przez kilka lat i wtedy pewnie nie chciałabyś wychodzić za mąż. I nie miejcie dzieci! – dodała surowo, co było policzkiem wobec Sashy i Valentiny. „Nie sądzisz, że lepiej nie mieć matki?", chciała zapytać. Szczególnie takiej, jak jej matka, najbardziej nieprzyjemna kobieta, jaką zdarzyło jej się poznać. – Nie zapomnij podać mi daty ślubu, żebym wpisała ją do kalendarza.

– Dziękuję, mamo – powiedziała Sasha i rozłączyła się. Żeby odbyć tę rozmowę poczekała, aż Alex wyjdzie. Byłby wstrząśnięty jej przebiegiem. I miała rację.

Potem zadzwoniła do ojca, był zachwycony, pogratulował jej, dodał, że nie może się doczekać spotkania z Alexem. Powiedział wszystko, co trzeba, a potem oddał telefon żonie, żeby i ona złożyła gratulacje. Rozmowa z nim była znacznie przyjemniejsza niż z matką.

– Gdzie bierzecie ślub? – zapytał.

– Jeszcze nie wiemy, tato. Może w Nowym Jorku. Mieszkam tu od dawna, tu są wszyscy moi przyjaciele, a organizowanie ślubu w innym mieście jest trudne.

– Pamiętaj, że bez względu na miejsce, ja chcę zapłacić za ślub. Koszty nie mają znaczenia. I musicie wynająć organizatora. Są drodzy, ale sami nie będziecie mieli na to czasu. – To samo powiedziała Morgan. Sasha była wzruszona hojnością ojca. Miała trzydzieści dwa lata, a on nadal pomagał jej finansowo i nigdy nie narzekał. Wiedział, jak ciężko pracuje i że pewnego dnia, po zakończeniu stażu, usamodzielni się, chociaż na to trzeba będzie trochę poczekać. – Ustaliliście już datę?

– Chyba w czerwcu. Musimy to przemyśleć. – Wahał się przez chwilę, kiedy to usłyszał, a potem powiedział, że każda data będzie w porządku. – Jeszcze raz dziękuję. – Była wzruszona. W przeciwieństwie do matki ojciec natychmiast zaproponował, że opłaci wesele. Matka będzie tylko gościem, nikim więcej.

– Oboje musicie teraz przyjechać do Atlanty, żebyśmy mogli się spotkać z twoim narzeczonym.

– Przyjedziemy, gdy tylko będziemy mogli. Mamy napięty rozkład zajęć.

– Jak przyjedziecie, urządzimy wam przyjęcie zaręczynowe.

Jeszcze raz mu podziękowała i rozłączyła się, ulżyło jej, że z ojcem poszło tak łatwo, tak jak spodziewała się jej matka. Teraz przynajmniej oboje wiedzą i nie będą mogli narzekać, że im nie powiedziała. Muszą z Alexem wybrać miejsce, czas i znaleźć organizatora wesel. Kiedy szła na lunch, żeby spotkać się z Alexem, czuła się trochę przytłoczona. Cały dzień i wieczór mieli wolne. Uśmiechnęła się, widząc, jak pierścionek zaręczynowy migocze na jej palcu. Kiedy wychodziła, pomachała do Abby. Współlokatorka siedziała przy komputerze, pokazała jej uniesiony kciuk.

Od Święta Dziękczynienia Abby jak przyspawana tkwiła przy komputerze. Pracowała nad powieścią i opowiadaniami. Była zadowolona z wyników. Praca ją pochłaniała. Rodzice zadzwonili do niej z Meksyku, ucieszyli się, że tak ciężko pracuje. Matka twierdziła, że w końcu zawsze się to opłaci.

Te święta spędziła samotnie. Rodzice byli na wycieczce, Ivan znikł z jej życia, ale wcale tego nie żałowała, Claire została jeszcze w San Francisco, Sasha i Alex w pracy, Morgan w restauracji z Maxem. Zdarzało się, że było jej bardzo smutno. Praca trzymała ją w formie, ale nie miała z kim pogadać. Tego popołudnia, gdy poszła na spacer, żeby odetchnąć świeżym powietrzem, przeszła obok lecznicy dla zwierząt. W oknie wisiały ogłoszenia o psach i kotach do adopcji. Było kilka mieszańców chihuahua, które wyglądały jak psy Olivera i Grega, krzyżówka mopsa z beaglem, którą nazywano puggle, i sporo puszystych, kudłatych psów, też mieszańców. Najbardziej spodobał się jej mieszaniec chihuahua z jamnikiem. Był bardzo śmieszny. Abby nie mogła się oprzeć i weszła do środka. Znak wskazywał, że biuro jest na górze. Poszła na pierwsze piętro, kierując się strzałkami i nagle okazało się, że patrzy przez szyby na smutne, porzucone pieski. Było tam też trochę kotów, niektóre bardzo stare. Wszystkie zwierzaki ze szpitala odratowano, niektóre znaleźli jacyś ludzie na ulicy, inne przyprowadzili właściciele, bo już mieli dość. Abby zrobiło się smutno, te stworzenia potrzebowały domu. Oczy jej zwilgotniały, kiedy na nie patrzyła, były takie biedne, a potem stanęła oko w oko z ogromnym czarnym psem, który popatrzył na nią i szczeknął, jakby mówił, „zabierz mnie z sobą".

– Nie patrz tak na mnie – powiedziała przez szybę, pies znów szczeknął. Nie przyjmował odmowy.

– Nie mogę. Mieszkam we wspólnym lofcie. – Następne szczeknięcie oznaczało, „nic mnie to nie obchodzi". Odeszła, a pies zaczął szczekać jak szalony, kiedy przyglądała się kolejnemu psu, bardzo starej suce. I nagle Abby zrozumiała, że musi wyjść, zanim popełni straszny błąd i wróci do domu z psem. Wpadła, żeby je zobaczyć ot tak, dla zabawy, żeby się rozerwać, a teraz psy zagarnęły jej duszę. Ogromny czarny pies nadal szczekał, stał na tylnych łapach w klatce, był wzrostu człowieka.

– Co to za pies? – zapytała przechodzącego pracownika.

– To dog niemiecki, ma dwa lata, champion, ale właściciel zostawił go tutaj, bo się przeprowadził. Nie mógł znaleźć dla niego domu. Ma na imię Charlie. To dobry piesek. Chce się pani z nim spotkać? – Miała wrażenie, że umawia się na randkę.

– Dobrze. – Była nieco przerażona. Nie bała się psa, tylko siebie.

Charlie wyłonił się z klatki, w której go oglądała. Grzecznie wyszedł, usiadł i podał jej łapę.

– Cześć, Charlie – powiedziała łagodnie. – Muszę być z tobą szczera. Nie mogę cię zabrać do domu. Mieszkam w lofcie z trzema współlokatorkami. Zabiłyby mnie. – Smutne oczy psa przypomniały jej, że loft jest przestronny. – Ile on waży? – zapytała pracownika.

– Dziewięćdziesiąt kilo.

– O mój Boże – szepnęła Abby. Ivan ważył tylko osiemdziesiąt trzy. Charlie był duży jak człowiek, może nawet większy od niektórych ludzi. Siedział, patrząc na nią wyczekująco. Stwierdziła, że jest bardzo dobrze ułożony. Ale co zrobi z psem, który waży dziewięćdziesiąt kilo? – Co on je? Pół krowy?

– Dziesięć, dwanaście kubków suchej karmy dziennie albo parę puszek dla psów. – W porównaniu z wymiarami psa wydało się jej, że to niedużo. – Dużo śpi i jest bardzo dobrze wychowany. – Charlie znów wyciągnął do niej łapę z prośbą w oczach.

– Proszę, nie patrz tak na mnie – zwróciła się Abby bezpośrednio do psa. – Nie jestem w stanie ci pomóc. Mówiłam ci, mam współlokatorki.

Oczy Charlie'ego mówiły, „No to jak?". Odbyła całą rozmowę z jego pełnym wyrazu pyskiem. Nie miał zamiaru jej odpuścić.

– Czy atakuje ludzi? Ugryzł już kogoś?

– Nigdy. – Pracownik wyglądał na obrażonego. – To najłagodniejszy z naszych psów i do tego tchórz. Chowa się, kiedy inne psy robią się agresywne. Nie sądzę, żeby rozumiał, jaki jest duży. Wydaje mu się, że jest pieskiem kanapowym.

– Przemyślę to – powiedziała do pracownika, pożegnała się z Charlie'm i ruszyła w stronę schodów. Charlie wyrwał się pracownikowi, pobiegł za nią i położył się u jej stóp. Abby niemal się rozpłakała, kiedy poklepując go powiedziała, że ma wracać. Położyła mu ręce na łbie, a on leżał, jakby usłyszał najgorszą wiadomość, której nie chce przyjąć. Abby usiadła na stopniach obok niego i delikatnie gładziła go po sierści. Pies patrzył błagalnie, prosił, żeby go zabrała. Poczuła, że zalewa ją fala szaleństwa. Wstała i spojrzała na pracownika.

– Biorę go. – Pracownik rozpromienił się, Charlie szczeknął.

– Ma pani ogród? Potrzebna mu przestrzeń, żeby mógł się wybiegać – zapytał pracownik.

– Mieszkam w lofcie, który ma dwieście osiemdziesiąt metrów kwadratowych.

– Da sobie radę. – Poszedł po smycz dla Charlie'ego, po jedzenie i witaminy, kartkę z instrukcjami i papiery adopcyjne, które Abby musiała wypełnić. Pies przylgnął do jej boku, a ona patrzyła na niego poważnym wzrokiem.

– Jak się wkurzą i wyrzucą mnie, to będzie tylko twoja wina. Lepiej bądź grzeczny, kiedy już znajdziemy się w domu. – Pies jakby pokiwał łbem, a gdy Abby wypełniła dokumenty i zapłaciła dziesięć dolarów, pracownik włożył wszystko do torby na zakupy. Lecznicy nie chodziło o pieniądze, ale o miłość i znalezienie dobrego domu dla podopiecznych.

– Chodźmy – powiedziała do psa, a on grzecznie ruszył za nią po schodach. Zwyciężył.

Do domu poszli pieszo, pies biegł susami. Naprawdę wyglądał jak mały konik i ludzie obchodzili ich z daleka, nie wiedząc, czy pies jest przyjaźnie nastawiony. Ale on nie reagował na nic, ani na spacerowiczów, ani na dzieci, rowery, wrotkarzy i inne psy. Truchtał obok Abby, a raz, kiedy naszczekał na niego mały piesek, przeraził się. Abby przypomniała sobie słowa pracownika, że to tchórz.

Wbiegł po schodach, Abby ulżyło, kiedy zobaczyła, że nikogo nie ma w domu. Charlie obwąchał wszystkie kąty i położył się u jej stóp. Uśmiechnęła się do niego. To będzie dopiero zabawa, jeśli współlokatorki jej nie zabiją. Patrzył na nią, jakby chciał jej coś powiedzieć i zasnął, gdy usiadła do pracy przy komputerze.

Wszystko było w porządku, dopóki Morgan nie wróciła z restauracji, żeby w czasie przerwy zmienić buty. Bolały ją nogi, bo po południowym szczycie przez cały czas biegała na wysokich obcasach. Teraz chciała włożyć buty na płaskiej podeszwie. Zobaczyła Abby przy pracy, a potem ogromną bestię i krzyknęła przeraźliwie. Abby podskoczyła, a Charlie zanurkował za krzesło. Leżał tam roztrzęsiony, przerażony. Ale przynajmniej nie rzucił się na Morgan, pomyślała z ulgą Abby. Pies krył się za krzesłem, trząsł się jak osika i błagał wzrokiem Abby, żeby go broniła.

– Co to jest? – zapytała Morgan, podchodząc do nich z groźną miną.

– To? – zapytała niewinnie Abby. – A, to. To jest pies.

– Nie, to nie pies, to koń. Jak tu się dostał?

– Wszedł po schodach – odparła zdenerwowana Abby. Sama była nieduża, tym większy zatem wydawał się pies. Morgan była najwyższa ze współlokatorek.

– Dlaczego wszedł po schodach? – zapytała wściekle, mrużąc oczy.

– Był za duży, żeby go wnieść – odparła Abby.

– Dlaczego tu jest? Tylko nie mów, proszę, że wprowadził się, kiedy pomagałam Maxowi przy lunchu.

– Cóż… hm… właściwie to… jego właściciel wyprowadził się i on nie miał domu i patrzył na mnie tak żałośnie i ja nie mogłam, musiałam… naprawdę, to jego wina.

Charlie przez cały czas zerkał zza krzesła, a ponieważ nikt już nie wrzeszczał, wyczuł właściwy moment, ostrożnie podszedł do Morgan i podał jej łapę. Morgan wzięła ją i prawie się uśmiechnęła. Abby pomyślała, że to dobry znak, a Morgan stwierdziła, że pies nie jest agresywny, chociaż taki wielki.

– Ma na imię Charlie – powiedziała Abby.

– Abby, proszę, powiedz, że nie kupiłaś tego psa.

– Nie kupiłam. Adoptowałam. Za dziesięć dolarów. A jedzenie na pierwszy tydzień było za darmo.

– Nie możesz go tutaj trzymać. To nie fair wobec psa. Powinien mieszkać na farmie albo w posiadłości, na ranczu, gdziekolwiek. – Kiedy to mówiła, pies położył się na grzbiecie z łapami do góry, żeby pokazać, jak bardzo podoba mu się nowy dom. – Nie mogę uwierzyć, że to zrobiłaś.

– Ja też nie – przyznała szczerze Abby. Gdy weszli Alex i Sasha, Charlie znów dał nurka za krzesło.

– Poczekajcie, zobaczcie, co Abby przyprowadziła do domu – powiedziała Morgan jednocześnie z rozpaczą i rozbawieniem, kiedy Alex i Sasha podeszli bliżej. Charliego nie było widać zza krzesła, znów się schował.

– Co przyniosłaś do domu? – zapytała z uśmiechem Sasha, myśląc że to jakieś jedzenie albo mebel. Ale gdy zza krzesła wychylił się ogromny łeb, aż podskoczyła. – Kurczę blade! Co to jest?

– Ona mówi, że to pies, ale naprawdę to koń. Ma na imię Charlie. – Słysząc swoje imię, pies wyszedł i zbliżył się, żeby obwąchać dłoń Alexa. Może Alex przypominał mu pana, który się przeprowadził.

– Świetnie. On cię lubi. Zabierzesz go do domu – powiedziała Morgan do Alexa.

– Żartujesz? Jest większy od mojego mieszkania, a mnie nigdy nie ma w domu.

– Nas też nie – przypomniała mu Morgan. – Wszystkie pracujemy.

– Ja nie – powiedziała cicho Abby. – Teraz przez cały czas jestem w domu. Może zostać ze mną.

– On tu zamieszka? – zapytała Sasha z niepokojem.

– Czym się przejmujesz? W czerwcu się wyprowadzasz. – Po raz pierwszy od czasu jej zaręczyn ktoś o tym wspomniał i nagle wszyscy zdali sobie sprawę, co oznacza jej ślub. Wyprowadzi się. A Charlie się wprowadził.

– Jest bardzo dobrze ułożony – broniła się Abby, a Charlie czekał na wyrok, czy odejdzie, czy zostanie.

– Dlaczego nie spróbujecie, może będzie dobrze? Jeśli się nie uda, Abby zabierze go z powrotem tam, skąd go wzięła – zaproponował Alex. Morgan nie była

przekonana, ale dla Sashy i Abby zabrzmiało to rozsądnie. A Charlie, jakby wiedział, o czym mówią, znów
położył się z westchnieniem, wyciągnął łapy i zamknął
oczy. Chwilę potem już spał.

– Jest słodziutki – powiedziała Abby, patrząc na
psa. Jej współlokatorki wybuchnęły śmiechem, Alex
uśmiechnął się pod wąsem.

– Tu nigdy nie jest nudno – stwierdził.

– Nie mogłaś wziąć chihuahua albo innego małego? – zapytała Morgan, idąc po buty.

– Rozmawiał ze mną – wyjaśniła Abby Alexowi
i Sashy. Alex nachylił się, żeby pogłaskać psa, a Charlie
zamruczał ze szczęścia. Był szczęściarzem. I przynajmniej na razie miał dom.

16

Wieczorem Sasha znów próbowała dodzwonić się do Valentiny, żeby powiedzieć jej o zaręczynach, ale odezwała się poczta głosowa. Nie chciała zostawiać jej wiadomości o tak ważnej sprawie. Następnego dnia, gdy była z Alexem w szpitalu, nie miała czasu, żeby dzwonić. Wszystkie ciężarne, które wytrzymały przez Boże Narodzenie, teraz, dwa dni po świętach, zaczęły rodzić. Przez trzy dni Alex i Sasha mieli pełne ręce roboty.

O dziesiątej wieczorem Sasha miała za sobą czternaście godzin dyżuru. W końcu zdarzyła się przerwa. Dopiero co przeprowadziła ostatnią cesarkę i włożyła pięciokilogramowego chłopca-noworodka w ramiona matki.

– W Nowym Jorku nie ma już chyba więcej dzieci, które można by urodzić. Wszystkie przyjęłam dzisiaj – powiedziała. Alex masował jej kark w pokoju odpoczynkowym lekarzy. Zadzwonił jej telefon, ale nie rozpoznała numeru.

– Doktor Hartman – powiedziała, na wypadek, gdyby to była pacjentka.

– Porucznik O'Rourke, wydział policji – usłyszała oficjalny głos. – Jest u nas pani siostra, podała panią jako kontakt w nagłych przypadkach i najbliższą krewną. – Sashy zaczęło walić serce.

– Wszystko w porządku – powiedział szorstki głos – została ranna. Miało miejsce zabójstwo. Ofierze strzelono w plecy, kula przeszła na wylot i utkwiła w nodze pani siostry. Ominęła tętnicę, ale straciła dużo krwi. Jest przytomna, w szoku, leży w szpitalu uniwersyteckim. Może się pani tam z nami spotkać?

– O mój Boże, jestem na górze. Zaraz będę – powiedziała Sasha, rozłączyła się i spojrzała z rozpaczą na Alexa.

– Co się stało?

– Valentina. Ktoś został zabity, kula przeszła przez niego i utkwiła w jej nodze. Valentina jest w szoku.

– Tutaj? – Kiwnęła głową i wybiegła z pokoju dla lekarzy do biurka pielęgniarki.

– Znajdź zastępstwo – powiedziała, usiłując mówić spokojnym głosem. – Postrzelono moją siostrę. Leży na dole, w szoku. Gdybyś nikogo nie znalazła, wrócę. Nie mamy nikogo z bólami porodowymi.

– Na razie nie. – Pielęgniarka była wstrząśnięta. – Jak się czuje pani siostra?

– Nie wiem. Chyba w porządku. Dostała postrzał w nogę. – Pocałowała Alexa – musiał wracać do pracy – i w dzikim pędzie wybiegła z korytarza. Zbiegła po schodach do oddziału urazowego. Zapytała o Valentinę i znalazła ją w boksie otoczoną przez policjantów. Siostra była w histerii, pokryta krwią od stóp do głów.

– Co się stało? – zapytała Sasha. Valentina była blada jak śmierć, badano jej nogę, dostała zastrzyk przeciwbólowy.

– Zabili Jean-Pierre'a. Dzisiaj wróciliśmy. Kochaliśmy się i ktoś go zastrzelił. Kula przeszła przez niego i trafiła mnie w nogę. Ale to on został zabity – szlochała.

Sasha patrzyła, jak dają jej środki uspokajające, a gdy zaczęła drzemać, wyszła z boksu, żeby znaleźć porucznika O'Rourke'a. Czekał na nią na zewnątrz. Zabrał ją do pokoju lekarskiego, żeby wszystko wyjaśnić. Kevin O'Rourke, krępy Irlandczyk, podał nazwę swojej jednostki.

– Wydział zabójstw, policja nowojorska.

– Chłopak pani siostry był handlarzem broni – powiedział po prostu. – Jednym z największych we Francji. Kilka miesięcy temu rozciągnął swoją działalność na Stany i Karaiby. Obserwowaliśmy go, odkąd się tu pojawił. Właśnie dokonał jakiejś większej transakcji we Francji. Na razie nie wiemy, o co tam poszło, czekamy, co powie nam Interpol. Ktoś go dorwał dziś wieczór. Strzelili mu w plecy, kiedy... hm... no... byli w łóżku. Kula przeszła dokładnie przez serce, skręciła w dół, w stronę pleców, i utkwiła w górnej części jej biodra, gdzie tkwi do tej pory. W tej chwili wiemy tylko tyle. Będziemy musieli porozmawiać z pani siostrą, żeby dowiedzieć się, co wie, ale dopiero, jak wyjmą jej kulę. Teraz nie jest w stanie z nami rozmawiać. Ma cholerne szczęście – pocisk mógł trafić w tętnicę, nie żyłaby już – mówił bardzo poważnie.

– Czy ona też ma kłopoty? – zapytała Sasha.

– Nic o tym nie wiemy. Widywaliśmy ją z nim od paru miesięcy, może będzie w stanie zidentyfikować parę twarzy. Ale takie grube ryby nie mówią o interesach swoim kobietom. W tej chwili nie ma kłopotów z nami, ale będzie miała kłopot z tymi, którzy go zabili. Mogła widzieć mordercę. Jeśli tak, jest w niebezpieczeństwie. Jean-Pierre nie był płotką – ostatnio zajmował się sprzedawaniem broni nuklearnej krajom Bliskiego

Wschodu, podejrzanym typom różnych narodowości. Władze francuskie też go obserwowały.

– Co zrobicie, żeby chronić moją siostrę? – Sasha była przerażona i zmartwiona, że sama może wplątać się w kłopoty z prawem.

– Dziesięć minut temu myślałem, że mamy problem. Teraz mamy dwa. Nie wiedziałem, że ma identyczną siostrę bliźniaczkę. Możemy jej pomóc zniknąć na dłuższy czas – odparł niechętnie Kevin O'Rourke.

– Nie mogę zniknąć razem z nią – powiedziała stanowczo Sasha. – Jestem starszym stażystą na oddziale położniczym. Nie mogę wziąć wolnego na czas, kiedy wy będziecie szukać zabójcy.

– Być może będzie pani musiała – stwierdził ponuro.

– Nie mogę. – Sasha nie ustępowała na krok. Nie miała zamiaru spieprzyć sobie stażu ze względu na Valentinę. Za ciężko na to pracowała.

– Pani życie też może być zagrożone.

– Nikt nie ma powodu, żeby łączyć mnie z nią. Obracała się w wyższych sferach na całym świecie. Ja jestem tutaj, odbieram porody.

– Jeszcze o tym porozmawiamy – powiedział, żeby uniknąć dyskusji. Chirurg dyżurny chciał porozmawiać z Sashą. Właśnie zabierali Valentinę na salę operacyjną, żeby usunąć kulę. Powiedział, że straciła dużo krwi, ale jej reakcje życiowe są stabilne. Sasha poszła z nim, żeby znowu zobaczyć siostrę, półprzytomną po przedoperacyjnym znieczuleniu. Pocałowała ją i powiedziała, że wszystko będzie dobrze, potem odtoczono wózek. Nie poszła na salę operacyjną, a kilka minut później pojawił się Alex. Znalazł na jakiś czas zastępstwo. Powiedziała mu, co się stało i co porucznik powiedział jej o procederze Jean-Pierre'a. Wszystko to było bardzo niepokojące, szczególnie że w przyszłości Valentina będzie narażona na spotkanie z zabójcą.

– Czułam, że z tym Jean-Pierre'em jest coś nie tak. Gdzie ona ich wyszukuje? Ale to już był szczyt wszystkiego – mówiła nerwowo.

– Może to będzie dla niej nauczka – mruknął Alex. Wyglądał na zmartwionego. Sasha pokiwała głową. Życie Valentiny zmieni się radykalnie, skoro przez dłuższy czas będzie musiała się schować. Sasha nie będzie się ukrywać razem z nią. Nie powiedziała Alexowi, że jej też grozi niebezpieczeństwo, tak powiedział porucznik. Alex wrócił na górę, do pracy.

Dwie godziny później Valentina leżała w separatce na oddziale chirurgicznym. Dwaj policjanci stali przed drzwiami, pielęgniarka pilnowała, żeby nie pojawił się krwotok. Sasha spędziła z siostrą kilka minut, ale Valentina była senna po znieczuleniu i środkach przeciwbólowych i wszystko to nie miało sensu. Sasha już miała wracać do pracy, kiedy nadszedł porucznik.

– Jak ona się czuje? – zapytał.

– Odleciała po środkach znieczulających. Poza tym w porządku. – Chirurg powiedział, że Valentina miała szczęście – kula nie poczyniła wielkich szkód. Mogło się zdarzyć wszystko – mogła stracić nogę albo zginąć. Dla Sashy był to dowód, że siostra straciła kontrolę nad swoim życiem i fatalnie się myliła w ocenie mężczyzn.

– Mówiła coś o tym facecie? – zapytał porucznik.

– Tylko, że jest cudowny i traktuje ją jak królową. Kiedyś go spotkałam i pomyślałam, że jest straszny. Czuła słabość do czarnych charakterów.

– Tym razem miała szczęście – zauważył porucznik. Tak samo myślała Sasha. – Jutro z nią porozmawiamy, powinna zniknąć. Chcemy też wiedzieć, czy może zidentyfikować zabójcę. Z panią też musimy porozmawiać.

– Powiedziałam panu, że nigdzie nie wyjadę. Tutaj mam pracę, a Jean-Pierre nie był moim chłopakiem.

– Pewnie tak, ale pani jest lustrzanym odbiciem swojej siostry. Jeśli nie pozwoli nam pani na ochronę, będzie pani musiała dokonać dużych zmian w swoim wyglądzie. Możemy w tym pomóc. Ale nie może pani dalej wyglądać jak ona, bo jeśli przypadkiem wpadnie pani na tego faceta, zabije panią. Ci ludzie nie żartują. – Sasha dowiedziała się o tym dziś wieczór, Valentina też.

– Gdzie ją umieścicie?

– W bezpiecznym miejscu, poza miastem. Mamy swoje punkty. Będzie musiała z nami współpracować. A pani zrobi wszystko, żeby zmienić wygląd i nie stanowić przynęty. Nie chcemy, żeby panią skrzywdzili – dodał dobrotliwie. Sasha była naiwna, w przeciwieństwie do Valentiny, która świadomie ryzykowała, zadając się z przestępcami, choćby nawet nie zdawała sobie sprawy, jakie to groźne. Jean-Pierre nie był zwyczajnym biznesmenem, musiała o tym wiedzieć, nawet jeśli nie znała szczegółów. Tamtego wieczoru przeszukali jego samolot i w luku bagażowym znaleźli mnóstwo ukrytej broni. – Ma pani dyżur? – zapytał, a Sasha kiwnęła głową.

– Do szóstej rano.

– Wyślę z panią na górę dwóch moich ludzi, potem pójdą z panią do domu. Chcę, żeby przy pani było przez cały czas dwóch policjantów, aż do odwołania, kiedy znajdziemy zabójcę.

– W cywilnych ubraniach? – Zastanowił się przez chwilę i kiwnął głową. Tak będzie lepiej.

– To dobrze. I w szpitalnych fartuchach, kiedy są tutaj. Nie chcę, żeby wszyscy w szpitalu wiedzieli, że wlokę za sobą policjantów.

– Może pani podziękować za to siostrze – powiedział oschle, a Sasha skinęła głową.

– Wiem.

Przydzielił jej dwóch policjantów. Zanim weszli na górę, kazała im włożyć niebieskie chirurgiczne kombinezony. Spod cienkich fartuchów widać było broń, więc na wierzch włożyli białe lekarskie kurtki. Porucznik roześmiał się, kiedy ich zobaczył.

– Zupełnie jak w telewizji – zadrwił. – Niech was tylko nie oskarżą o błędy w sztuce, wydział za to nie zapłaci. – Poszli po schodach za Sashą. Szczęśliwym trafem nie przyjęto żadnej kobiety z bólami porodowymi. Obaj policjanci w przebraniu chodzili za nią i siedzieli w pokoju lekarskim, kiedy drzemała. Czuwali w pełnej gotowości, kiedy Alex przyszedł sprawdzić, co z Sashą. Wziął ją na bok.

– Kto to są ci dwaj przebrani faceci?

– Są tutaj, żeby mnie chronić – szepnęła. – Przez jakiś czas będę ich chyba potrzebowała. – Będzie też potrzebowała pozwolenia od kierownika programu stażowego. Siostra postawiła ją w trudnym położeniu. Kiedy o szóstej rano wyszła z Alexem, dwaj policjanci pojechali za nimi do domu i stanęli przy drzwiach mieszkania. Zaprosiła ich do kuchni na kawę. Pies popatrzył z zainteresowaniem, podniósł wielki łeb i znowu zasnął. Alex i Sasha pożegnali się, poszli do jej pokoju i położyli do łóżka.

– Czego mi nie powiedziałaś? – zapytał Alex. Nie chciała go okłamywać.

– Obawiają się, że zabójca może zapolować na Valentinę, jeśli jego szefowie uznają, że będzie w stanie go zidentyfikować.

– Cholera. A ty jesteś taka do niej podobna.

– Oni o tym nie wiedzą. Żaden z bandytów nie widział nas nigdy razem. Tylko raz spotkałam się z Jean-Pierre'em. Nikt na mnie nie zapoluje. Policja po prostu nie chce, żeby facet przez przypadek nie pomylił mnie z nią.

– I co zrobią? – drążył ponuro Alex.

– Ukryją ją do czasu, aż znajdą zabójcę. Może mają informatora. Powiedziałam im, że nie mogę się ukrywać, więc może zmienią na jakiś czas mój wygląd?

– Jak? Przyprawią ci nos klauna? – Nie był zachwycony, nigdy dotąd nie miał do czynienia z czymś takim. Ona też.

– Nie wiem. Jutro mi powiedzą.

– Co za bagno – powiedział Alex. Leżał, obejmując ją ramieniem, okropnie zmartwiony. – Mógłbym zabić tę twoją siostrę własnymi rękami.

– Mam nadzieję, że to będzie dla niej nauczka. Musi zacząć się normalnie zachowywać. Lepiej, żeby to był jej ostatni podejrzany typ. – Skinął głową. Leżeli objęci, aż zasnęli, a w kuchni siedzieli policjanci.

O ósmej rano Sasha cicho wstała, żeby zadzwonić do swoich rodziców w Atlancie i powiedzieć im, co się stało. Na matce nie zrobiło to wrażenia, chociaż Sasha wiedziała, że jest zmartwiona. Ojciec wpadł w panikę i zaproponował, że przyleci do Nowego Jorku. Powiedziała mu, że się z nim skontaktuje, ale pomyślała, że policja szybko i po cichu przeniesie Valentinę w bezpieczne miejsce.

Potem rozmawiała z Valentiną przez telefon szpitalny. Siostra była w rozpaczy, płakała nad Jean-Pierre'em.

– Sprzedawał broń atomową nuklearną – powiedziała ze złością Sasha.

– Dla mnie był cudowny – łkała Valentina.

– Zabijał ludzi. Musisz się w końcu obudzić. Ciebie też mogli zabić.

– Wiem – powiedziała siostra ze smutkiem. – O mały włos nie zginęłam. Lekarz powiedział, że gdyby kula trafiła w tętnicę, już bym nie żyła.

– Właśnie. Widziałaś faceta, który go zastrzelił?

– Nie. Uprawialiśmy seks. Miałam zamknięte oczy, a on leżał na mnie, krew była wszędzie. Niczego nie widziałam. Co teraz zrobi ze mną policja?

– Chyba cię gdzieś ukryją, żebyś była bezpieczna.

– Moja agencja będzie wkurzona – powiedziała Valentina z niepokojem. – W przyszłym tygodniu mam dwie sesje zdjęciowe dla „Bazaar".

– Ja będę bardziej wkurzona, jeśli ktoś cię zabije – oznajmiła Sasha i obiecała, że przyjdzie później, jeśli policja jej pozwoli.

Policjanci w kuchni wymienili się. Dwie godziny później wstał Alex. Zobaczył, że Sasha rozmawia z porucznikiem, który przyszedł z trzema technikami policyjnymi, wyspecjalizowanymi w przygotowywaniu przykrywek. Przyglądali się dokładnie jej strukturze kostnej, włosom, oczom. Po godzinie uznali, że wiedzą, o co chodzi. Przedstawili swoje zalecenia porucznikowi, a Sasha słuchała tego z zamierającym sercem.

Długie jasne włosy miała krótko obciąć i ufarbować na brąz. Soczewki kontaktowe zmienią jej oczy z zielonych na niebieskie. Ma chodzić w butach na płaskim

246

obcasie i luźnych ubraniach. Nic obcisłego i seksownego, w stylu jej siostry. I tak ubierała się inaczej. Poza tym chcieli, żeby nie wyglądała na tak wysoką jak Valentina, która zawsze chodziła w szpilkach. Uważali, że kolor i długość włosów i niebieskie oczy wystarczą. Niewiele więcej mogli zrobić. Chcieli, żeby była nijaka, nie rzucała się w oczy jak jej siostra, ale Sasha nadal była piękną kobietą. Pomyśleli o zmianie koloru soczewek z niebieskich na piwne.

Sasha płakała, kiedy obcinali i farbowali jej włosy. Ścięli je krótko, co nawet jej się spodobało, tylko Alex wyglądał na zmartwionego. Uwielbiał jej włosy.

– Odrosną – powiedziała. Potem nauczyła się zakładać soczewki. Zdecydowali się jednak na niebieskie i wszyscy byli wstrząśnięci różnicą. Naprawdę wyglądała jak ktoś inny, nie jak Valentina, nie jak ona sama. Abby i Morgan, gdy przyszły na śniadanie, też były poruszone jej zmianą. Powiedziała im, co się stało poprzedniego wieczoru. Wkrótce potem porucznik O'Rourke wyszedł ze swoją ekipą. Zostało dwóch tajniaków, w dżinsach, t-shirtach i kurtkach bejsbolowych, żeby ukryć broń. Sasha czuła się tak, jakby całe jej życie zostało wywrócone do góry nogami. Porucznik powiedział, że nie może odwiedzić siostry – nie chciał, żeby ktoś zobaczył je razem. Zresztą Valentinę przed południem zabierano ze szpitala w jakieś nieznane miejsce, póki nie znajdą zabójcy Jean-Pierre'a.

Siedzieli przy stole kuchennym i rozmawiali o sprawie, dwaj policjanci wycofali się dyskretnie w róg pokoju i bawili z psem. Sasha miała się spotkać z kierownikiem programu stażowego, żeby mu wszystko wyjaśnić, zanim wróci wieczorem na dyżur.

Morgan poszła do pracy w restauracji, Alex wyszedł, żeby odetchnąć świeżym powietrzem i zabrać trochę ubrań ze swojego mieszkania. Miał zamiar zostać w lofcie z Sashą dopóty, dopóki nie złapią zabójcy. Wrócił późnym popołudniem i poszedł na spacer z psem. Sasha spała, Abby pracowała przy komputerze.

O piątej z San Francisco wróciła Claire i oniemiała. Dwaj nieznani mężczyźni przebywali w kuchni. Sasha zmieniła się tak, że trudno ją było poznać, a na kanapie chrapał pies wielkości konia.

– Co tu się dzieje? – zapytała Alexa, który popatrzył na nią ze smutkiem.

– No tak. Wczoraj wieczorem Valentina zamieniła nasze życie w szajs i o mało sama nie zginęła. – Sasha wyjaśniła, o co chodzi. Claire w życiu nie słyszała o takiej historii. Z drobniejszych spraw, nie mogła wprost uwierzyć, jakiego wielkiego psa przyprowadziła do domu Abby, ale przyznała, że to słodkie stworzenie. Do niej też wyciągnął łapę, a potem polizał ją językiem wielkości szynki. Usiadła na kanapie i po dłuższej chwili roześmiała się.

– Cóż, przynajmniej w domu nie jest nudno – powiedziała i Alex też się roześmiał.

– Nikt nam tego nie może zarzucić. – Nie wolno im było kontaktować się z Valentiną, ale jeśli o niego chodziło, wcale tego nie pragnął. Sasha powiedziała, że się zaręczyli i Claire złożyła im gratulacje. Wkrótce potem Valentina zadzwoniła ze szpitala i pożegnała się łzawo.

O siódmej wieczorem Sasha poszła na spotkanie z kierownikiem programu stażowego. Nie był zadowolony z rozwoju wydarzeń, ale pozwolił jej pracować w przebraniu i w nieustannym towarzystwie uzbrojonych policjantów w cywilnych ubraniach. Ostrzegł, że nie życzy sobie żadnych problemów dla pacjentów lub personelu i Sasha obiecała, że nic takiego się nie stanie. Chciała przecież dostać tę pracę.

O ósmej spotkała się z innymi w restauracji Maxa. Zjedli kolację, obaj policjanci siedzieli z nimi przy stole. Claire opowiadała o firmie, którą zakładała ze swoją matką. Sasha i Alex znaleźli zastępstwo na nocne dyżury. Mogli w końcu być ze sobą i zachowywać się jak normalni ludzie. I chociaż Sasha wyglądała teraz inaczej, nadal chwaliła się pierścionkiem zaręczynowym. Wszyscy zgodzili się co do tego, że był to szalony miesiąc, z zaręczynami, morderstwem i psem. Nie mówiąc już o Claire, jej złamanym sercu, utracie pracy i firmie, którą zakładała ze swoją matką.

– Co będziemy robić w sylwestra? – zapytał Oliver, który wraz z Gregiem pojawił się w trakcie deseru. Nikt nie wiedział.

– My pracujemy – odpowiedzieli unisono Alex i Sasha. Morgan zawsze pomagała Maxowi w restauracji, zostawały Claire i Abby, same, bez chłopaków. Greg zaproponował, żeby w czwórkę pójść na Times Square i patrzeć, jak opuszczana jest kula, a potem, kiedy nadejdzie Nowy Rok, w restauracji Maxa zjeść kolację z Maxem i Morgan.

– Niezły plan – stwierdził Oliver.

– Miejmy nadzieję, że zacznie się wspaniały rok – dodał Max i wszyscy wznieśli za to toast, a potem kolejny za zaręczoną parę.

17

Mɪɴᴇ̨ʟʏ ᴅᴡᴀ ᴅɴɪ, odkąd Valentinę wywieziono w nieznane bezpieczne miejsce. Abby spokojnie pisała przy biurku, Charlie spał u jej stóp. Zadzwoniła komórka. To Josh Katz, którego spotkała u rodziców podczas Święta Dziękczynienia. Od czasu spotkania nie poświęciła mu jednej myśli.

– Na Nowy Rok przyjeżdżam do Nowego Jorku. – Powiedział, że wprawdzie przeprowadził się z powrotem do Los Angeles, ale w weekend odwiedza przyjaciół w Nowym Jorku. – Przeczytałem to, co mi przesłałaś. Mocne. – Nie wiedziała, czy to dobrze, czy źle, ale podziękowała mu, że przeczytał i dodała, że pracuje nad kolejnymi rozdziałami powieści, które będą jeszcze bardziej filmowe. – To brzmi interesująco. Znalazłabyś czas na spotkanie? – zapytał. Zastanowiła się. Tego popołudnia chciała skończyć to, co pisała.

– Jasne. Kiedy?

– Może dzisiaj? Teraz? Zatrzymałem się w Chelsea, mógłbym wpaść za pół godziny. Przepraszam, że cię nie uprzedziłem. Nie wiedziałem, czy uda mi się wyrwać. Musiałem się spotkać z ludźmi od postprodukcji w sprawie filmu, który teraz kończę.

– Dobrze, ja siedzę w domu i pracuję. Mogę sobie zrobić przerwę. – Nie wiedziała, czy to spotkanie biznesowe czy towarzyskie, ale na każde znalazłaby czas.

Przyszedł pół godziny później. Był wyższy niż zapamiętała, ubrany w skafander narciarski i gruby sweter. Natychmiast zauważył Charliego i pogłaskał go.

– Wspaniały pies. – Mężczyźni uwielbiają takie psy.

– Adoptował mnie kilka dni temu. Właśnie się poznajemy – zażartowała i zaproponowała mu kieliszek wina. Poprosił o kawę. Nie marnując czasu, przeszedł do rzeczy. Nie lubił próżnego gadania, mówił tylko o pracy. Teraz chodziło o nią.

– Przyszedłem, żeby złożyć ci pewną propozycję. Podobało mi się to, co mi przesłałaś. Napisałaś świetną rzecz, trochę mroczną, ale lubię ten gatunek. Pracuję teraz nad filmem, jest idealny dla ciebie. Nie podoba mi się scenariusz, który mamy. Potrzebny mi ktoś, kto podszedłby do tego po swojemu. Scenariusz zrobiono na podstawie książki, którą kupiłem lata temu. Jeszcze nic z tym nie zrobiłem, ale myślę, że teraz jest właściwy czas. Pasuje do atmosfery w kraju i współczesnych wydarzeń. A kiedy czytałem twoją powieść, natychmiast pomyślałem, że świetnie byś się do tego nadała. Chcę cię zatrudnić do napisania scenariusza. – Szeroko otworzyła oczy.

– Tak po prostu?

– Tak po prostu. – Uśmiechnął się. – Mam nosa do ludzi. Naprawdę się nadajesz do napisania scenariusza na podstawie tej książki. – A gdy podał tytuł, roześmiała się.

– Pięć lat temu to była moja Biblia. Czytałam to co wieczór.

– Więc miałem rację.

– Ale to nie jest trochę mroczne. To bardzo mroczne – poprawiła go.

– Twoja powieść też, ale są tam przebłyski humoru, które mi się podobają. Wiesz, jak się śmiać z siebie.

– Więc co miałabym zrobić?

– Masz pojawić się ze scenariuszem, z którym moglibyśmy pracować. Pokażę ci, jak to zrobić. Sama powiedziałaś, że robisz się coraz bardziej filmowa. Możemy popracować wspólnie, kiedy skończę bieżącą postprodukcję. Potrzebuję cię w Los Angeles na rok, poczynając od marca. – Zauważył jej niechętną minę. – Za rok możesz tu wrócić. Nie musisz wracać do L.A. na zawsze. Będziesz tam mieszkała tylko przez rok, kiedy będziemy kręcili film. Potem zrobisz, co zechcesz, ale będziesz miała na koncie film u niezależnego producenta. I sama zadecydujesz, jaki będzie następny. Jeśli osiągniemy sukces. Ten film da ci nazwisko, ludzie będą cię chcieli zatrudnić. – Mówił jak dobry handlowiec i przez chwilę zastanawiała się, czy to rodzice namówili go do tej propozycji, ale był na to chyba zbyt niezależny. I wyglądał na uczciwego człowieka.

Powiedział, ile chce jej zapłacić. Więcej, niż spodziewała się kiedykolwiek zarobić, szczególne na tym etapie, z powieścią, która nie ujrzała jeszcze światła dziennego.

– Dlaczego dajesz mi taką szansę?

– Bo uważam, że jesteś dobra. I niezmanierowana. Hollywood cię nie zblazowało, nie wyprztykałaś się. W tym, co piszesz, jest świeżość i otwartość. Podoba mi się to. Zastanowisz się?

– A jeśli na zawsze utknę w Hollywood?

– To by znaczyło, że odniosłaś sukces. Bywa gorzej. A między filmami możesz mieszkać, gdzie chcesz. Ja tak robię. To niezłe życie. W Los Angeles pracuję. Tam jest wszystko, czego się potrzebuje. – W głowie odezwał się głos Ivana, „sprzedasz się". Ale czy to takie złe? Zrobić film u niezależnego producenta, który chce dobrze zapłacić za pracę? I naprawdę podobało mu się to, co napisała i chciał, żeby zachowała własny styl.

– Przemyślę to – powiedziała, kiedy wstawał. – Jak tam twoi chłopcy?

– Dziękuje za pamięć. Są wspaniali. Właśnie razem spędziliśmy ferie. Są w najlepszym wieku. Mogę ich wszędzie zabierać i są fajni. Żałuję, że nie mam ich więcej.

– Może kiedyś będziesz miał – stwierdziła uprzejmie. Z pewnością nie był na to za stary.

– Chyba nie, przy tym trybie pracy. Doprowadzałem żonę do szaleństwa, kiedy się pobraliśmy. Mówiła, że cały czas pracuję i miała rację. Teraz trochę zmiękłem, ale nie za bardzo. Lubię spędzać czas z moimi chłopcami. Poza tym jestem zajęty.

– Ja też – uśmiechnęła się do niego. Pisała to, co chciała pisać, a nie to, co zadowoliłoby Ivana.

– To przyjedź popracować nad moim filmem. Niech to będzie nasz film – powiedział bardzo przekonująco.

– Przemyślę to i dam ci znać. – Już sama kwota honorarium była kusząca, na dodatek uwielbiała książkę, na której podstawie miał powstać film. Ale nie była całkiem pewna. Nie chciała wyjeżdżać z Nowego Jorku, z drugiej strony film kręcony przez niezależnego producenta będzie właśnie tym, czego chciała. Gdyby to było w Nowym Jorku, z miejsca by się zgodziła. Podzieliła się z nim swoimi przemyśleniami.

– Zawsze możesz tutaj wrócić – przypomniał jej, zanim wyszedł. Przez dłuższy czas siedziała, rozmyślała o tym i głaskała psa. Pies podniósł na nią pytająco wzrok, jakby wiedział, że coś się dzieje.

– Chcesz się przeprowadzić do Los Angeles? – zapytała, a pies zamachał ogonem i znowu położył głowę, jakby był zbyt zmęczony, żeby o tym myśleć i jej zostawiał decyzję. – Bardzo dziękuję – powiedziała. – Chciałeś powiedzieć, że ja mam zdecydować? Jeśli ja się przeprowadzę, to ty też, więc lepiej pomyśl o Los Angeles. Tam jest gorąco i paskudnie. – Ale w Nowym Jorku też było paskudnie. Josh miał rację, zawsze mogła wrócić z filmem od niezależnego producenta w kieszeni. Miała dwadzieścia dziewięć lat, może więc nadszedł czas, żeby podjąć poważną pracę i zarobić trochę pieniędzy, a nie tylko o tym mówić i pisać do szuflady. To była istotna decyzja, mogła się stać początkiem prawdziwej kariery.

Trzydziestego pierwszego grudnia Greg i Oliver wyciągnęli Claire i Abby na Times Square. Kiedy tam doszli, zebrał się już ogromny tłum, panowała wesoła atmosfera. Kiedy zaczęło się odliczanie, wszyscy krzyczeli, a jaskrawo oświetlona kula zjeżdżała w dół, filmowana przez kamery z całego świata. Złożyli sobie życzenia szczęśliwego Nowego Roku i poszli do restauracji Maxa, który zarezerwował im stolik. Max i Morgan dołączyli do nich o pierwszej. To był doskonały sposób na spędzenie nocy z przyjaciółmi.

Pili szampana i kiedy o drugiej wychodzili, byli troszkę podpici. Abby zastała Charlie'ego chrapiącego w jej łóżku. Łagodnie odsunęła go na bok i położyła się obok. Myślała o filmie, który Josh zaproponował jej poprzedniego dnia. Tuż przed zaśnięciem wiedziała, że się zgodzi. Pomógł szampan. Nie mogła przepuścić takiej okazji. Szansy, że stanie się niezależna finansowo i wyrobi sobie nazwisko. Czego więcej mogła chcieć? Z Ivanem to była amatorszczyzna. Nie chciała więcej tego robić. Musiała podjąć projekt i sprawdzić, czy mu podoła. A film u niezależnego producenta, według jej ulubionej powieści, był łatwym startem do poważnej kariery. Nie znajdzie niczego lepszego. Jeśli w ciągu roku ukończy film, wróci do Nowego Jorku. A do marca nie musi się przeprowadzać. Zostały jej jeszcze dwa miesiące w mieszkaniu z najlepszymi przyjaciółkami. Potem pojedzie na rok Los Angeles. Tylko na rok. Już teraz czuła, że nauczyła się wiele od Josha. Przed zaśnięciem obiecała sobie, że jeśli rano nie zmieni zdania, zadzwoni do niego.

O dziewiątej trącił ją Charlie. Chciał wyjść i nie obchodziło go, że Abby ma kaca. Pospacerowała z nim wokół domu i wróciła, potem wzięła komórkę i zadzwoniła. Josh odebrał natychmiast. Mówił równie skacowanym głosem, jak ona.

– Przepraszam, że dzwonię tak wcześnie – powiedziała.

– Nic nie szkodzi – odparł zachrypniętym porannym głosem, pogłębionym za dużą ilością tequili, wypitej w nocy. Mieszkał z pisarzem, który pił mocno. Wyczuł, że to, co usłyszy, jest ważne. Wiedział o tym w chwili, gdy zadzwonił telefon, tak jak wcześniej wiedział, kiedy przeczytał materiał, który mu przesłała. Miało się zdarzyć coś wielkiego dla nich obojga.

– Dobrze – powiedziała cicho. – Chcę to zrobić. Naprawdę. Przecież zawsze mogę wrócić.

– Tak, możesz. Jutro odlatuję. Chcesz, żebyśmy wieczorem zjedli kolację? Możemy o tym porozmawiać.

– Chętnie. Przyjdziesz do nas? Około siódmej jemy kolację ze współlokatorkami.

– Oczywiście. Aha, Abby, chcę, żebyś wiedziała, że jesteś naprawdę świetną pisarką. Razem zrobimy fantastyczny film.

– Wiem. Dlatego się zgodziłam.

– To na razie – pożegnał się. Już znał adres, bo był u niej, żeby złożyć jej ofertę. To dopiero początek. Jeszcze nadejdą wielkie rzeczy. Kiedy się rozłączył, położył się na łóżku z zadowoloną miną. Wiedział, że zrobił interes życia.

18

W Nowy Rok wszyscy mieli kaca. Max przyniósł resztki z restauracji. Zabrakło mu energii, żeby gotować. Josh Katz dołączył do nich jako niespodzianka wieczoru, ale największą niespodzianką było, kiedy Abby powiedziała im, że zgodziła się pracować przy następnym filmie Josha i że w marcu wyjeżdża do Los Angeles. Po tych słowach na chwilę zapadła pełna zdumienia cisza, a potem pojawiło się mnóstwo pytań. Jak długo jej nie będzie? Kiedy wraca? Kiedy wyjeżdża? Josh poczuł ukłucie winy, kiedy zobaczył smutek na twarzach współlokatorek. Nagle wszyscy zrozumieli, że Sasha wyprowadzi się w czerwcu, po ślubie, a teraz Abby ma wyjechać do Los Angeles. Abby miała łzy w oczach, mówiąc, że nie będzie jej przez rok. Obiecała, że będzie przyjeżdżać. Ale wszyscy rozumieli, że jeśli film odniesie sukces, Abby prawdopodobnie zostanie w L.A. Ta sprawa rzuciła cień na zakończenie wieczoru. Cieszyli się wraz z nią, ale wstrząsnęła nimi świadomość, że za pół roku tylko Claire i Morgan będą mieszkały w Hell's Kitchen, od wielu lat ich prawdziwym domu. Szykowała się wielka zmiana.

– Twoje przyjaciółki chyba mnie znienawidzą – powiedział cicho Josh, kiedy wychodził.

– Cieszą się razem ze mną. Po prostu będzie inaczej. – Była już pewna, że podjęła właściwą decyzję. I zabierała ze sobą Charliego.

– Do zobaczenia w marcu – powiedział Josh, obejmując ją na pożegnanie. Był zadowolony, że spotkał jej przyjaciół. Spodobali mu się wszyscy, byli ludźmi porządku.

Dwóch tajniaków przydzielonych Sashy też zasiadło do kolacji. To była zwyczajna, hałaśliwa, przyjacielska rodzinna kolacja, chociaż po wyjściu Josha wszyscy przycichli, myśląc o odejściu Abby. Sasha wychodzi za mąż, Abby wyjeżdża do Los Angeles na rok. W powietrzu wisiała zmiana, posmutnieli. Taki był ten początek roku, i gorzki, i słodki.

Następnego ranka Morgan zaspała, wypadła za drzwi, zanim inne wstały. To był jej pierwszy dzień po urlopie i miała mnóstwo do roboty. Ale kiedy dotarła do biura, drzwi otworzyło jej dwóch nieznajomych, a w środku trafiła na pandemonium. Sześciu agentów FBI wyjmowało pudła z szafki na dokumenty, kolejnych pięciu wynosiło komputery.

– Co tu się u diabła dzieje? – zapytała jednego z nich, coraz bardziej przerażona. A potem zobaczyła, że kolejnych dwóch agentów wychodzi z George'em z jego gabinetu. Był skuty, przechodząc obok niej, patrzył jakby była przezroczysta, jakby nigdy jej nie widział.

Pracowników przesłuchiwano w sali konferencyjnej. Morgan czekała w swoim gabinecie. Nikt nie miał prawa wyjść. Odebrali im komórki i powiedzieli, że oddadzą później. Ludzie stali w grupkach w całym biurze i szeptali miedzy sobą. Nikt nie wiedział, co się dzieje. Po przesłuchaniu nie dowiedziała się wiele więcej.

Dwóch agentów FBI robiło notatki, trzeci prowadził przesłuchanie.

Pytali, czy wie coś o systemie księgowania i rachunkowości i na czym dokładnie polegały jej obowiązki. Chcieli się dowiedzieć, jakich klientów widziała u George'a i jacy przychodzili do niej. Przypomniała sobie nieprawidłowość, którą ostatnio widziała i powiedziała im o tym, a oni chcieli wiedzieć, czy powiadomiła o tym kogoś i czy omawiała to z George'em. Powiedziała, że nie. Wydawało się jej to dziwne, ale nawet jeżeli pieniądze trafiły na inne konto niż się spodziewała, nic nie zginęło, pomyślała więc, że to pomyłka w księgowaniu, którą trzeba sprostować. Na koniec dwugodzinnego przesłuchania powiedzieli, że jest objęta śledztwem i nie wolno jej wyjeżdżać z miasta. Zapytała ich wprost, o co George jest podejrzewany, skoro wyprowadzono go w kajdankach, a oni odparli, że będzie oskarżony o prowadzenie dobrze zakamuflowanej piramidy finansowej, podobnej do piramidy Bernie'ego Madoffa, ale na znacznie mniejszą skalę. Oszukiwał inwestorów, zabierał pieniądze, których w rzeczywistości nie zainwestował i nie miał zamiaru ich oddać.

– To niemożliwe – powiedziała Morgan, broniąc pracodawcy. – Skrupulatnie się rozlicza. – Ale potem przypomniała sobie nazwisko dyrektora, które wydawało się jej niepokojące, bo kiedyś postawiono tego człowieka w stan oskarżenia. Ale nadal nie była w stanie wyobrazić sobie George'a robiącego to, co mu zarzucano. To musiała być jakaś pomyłka.

O szóstej pozwolono jej wyjść z biura i nie pozwolono wracać. Śledztwem objęty został cały personel. Biuro zostało zamknięte, księgi skonfiskowano. Kiedy

wychodziła, zwrócili jej komórkę. Po wyjściu z budynku
odniosła wrażenie, że jest w szoku. Wzięła taksówkę do
Hell's Kitchen i zatrzymała się, żeby spotkać się w restauracji z Maxem. Rozpaczliwie chciała zobaczyć jakąś
przyjazną, znajomą twarz. A gdy go zobaczyła, zalała
się łzami. Powiedziała, co się stało. Też nie mógł uwierzyć. Ale wieczorem było o tym głośno w Internecie
i w telewizji. W sprawie George'a Lewisa toczyło się
śledztwo i było bardziej niż prawdopodobne, że wielka
ława przysięgłych oskarży go o kradzież milionów wy-
łudzonych od inwestorów. Federalny oskarżyciel ustalił
wysokość kaucji na dziesięć milionów, spodziewano się,
że George jeszcze tego samego dnia wyjdzie z aresztu.

Claire też osłupiała, kiedy się o tym dowiedziała.
Zastanawiała się, czy to ma jakiś związek z tym, że ją
porzucił, ale uznała, że te dwa wydarzenia nie są ze sobą
związane i że George jest przestępcą albo patologicz-
nym kłamcą. Samotny wilk był oszustem. Następnego
dnia rano siedziały w kuchni z Morgan i czytały gazety.
Były zbyt poruszone, żeby zdobyć się na komentarze.

– No to ja też nie mam pracy – powiedziała Morgan. – Bała się o swoją przyszłość, właśnie to mówiła
Maxowi poprzedniego wieczoru. – Teraz nikt mnie nie
zatrudni. Zawsze pozostaną wątpliwości, czy nie brała
udziału w piramidzie finansowej, chociaż naprawdę nie
miała pojęcia, co robił George.

Agenci federalni przyszli do niej do domu i znów
ją przesłuchali. Zdążyła im już powiedzieć wszystko,
co wiedziała, powtórzyła to. Przesłuchali także Maxa
w restauracji, chcieli wiedzieć, co mu mówiła o swojej
pracy. Powiedział im, że pytała go, co sądzi o nieprawi-
dłowościach, które znalazła, a on twierdził, że to błędy

w rachunkowości. Zgodziła się z nim, ale żadne z nich nawet nie podejrzewało okradania inwestorów na miliony. George robił to sprytnie i fachowo.

Nie wiedziała, co ze sobą zrobić w dniach następujących po zamknięciu biura, jak nie oszaleć, czym się zająć. Max zapytał, czy pomogłaby mu w restauracji, przeglądając księgi. Była mu wdzięczna za odciągnięcie jej od złych myśli. Max zaproponował jej też pensję, której nie chciała przyjąć. Chodziła jednak codziennie do restauracji jak do pracy. To był dla niej koszmarny czas i przywarła do niego, był jak skała podczas burzy.

W sam środek zamieszania zjechała matka Claire, wstrząśnięta tym, co przeczytała. Ze słów Claire George wyglądał na doskonałość, a okazał się oszustem na wielką skalę.

– Dzięki Bogu, już z nim nie byłaś, kiedy to się stało – powiedziała. – Jak myślisz, wiedział, że to się zbliża?

– Nie sądzę. Sprawdzali go od miesięcy przez bank. Morgan przypuszcza, że nie miał o tym pojęcia, ona też nic nie wiedziała. Dla niej to straszny cios – westchnęła Claire.

Morgan nie mogła spać, wypadały jej włosy. Tak reagowała na sytuację, w której się znalazła. Nadal nie wiedziała, czy nie zostanie oskarżona. Przesłuchiwano ją jeszcze kilka razy i nadal nic z tego nie wynikało. Nie mogła szukać sobie kolejnej pracy, dopóki nie zostanie oczyszczona z podejrzeń. Claire była pewna, że zostanie uznana za niewinną, ale tymczasem dziewczyna była w zawieszeniu, nie wiedziała, co przyniesie jej przyszłość.

Po przyjeździe matki, przy porannej kawie, Claire zapytała ją, jak ojciec przyjął jej odejście.

– Był wstrząśnięty – powiedziała cicho Sarah. – Nawet nie podejrzewał, że mogłabym to zrobić. Ale jestem zadowolona. Teraz to jego sprawa, jak ułoży sobie życie beze mnie. Muszę zadbać o siebie. – Claire nie słyszała dotąd, żeby matka tak mówiła, była z niej dumna. Okazała się silniejsza, niż Claire kiedykolwiek marzyła. To świadczy o tym, że można pozbierać odłamki i zacząć od nowa w każdym wieku. Od rozstania z George'em minęły tygodnie i Claire wciąż to przeżywała, ale okazało się, że to dobrze, jeśli wziąć pod uwagę wszystko to, co się z nim stało. Obie kobiety wzięły się do pracy, miały mnóstwo do zrobienia.

Valentina ukrywała się przed zabójcą, jej chłopak został zamordowany, George'a oskarżano o przestępstwa federalne, a przedtem niespodziewanie zerwał z Claire, Walter wyrzucił ją z pracy, dwóch policyjnych agentów ochraniało Sashę, Abby oznajmiła, że wyjeżdża w marcu, Sasha miała wyjechać w czerwcu. Z tego wszystkiego nastrój w mieszkaniu był zdecydowanie ponury, chociaż Claire cieszyły pierwsze kroki w biznesie, Sashę małżeństwo, a Abby film.

Pokazała matce szkice, nad którymi pracowała od Bożego Narodzenia, a Sarah uznała, że są bardzo dobre.

– Kiedy wyjeżdżamy do Włoch? – zapytała matka. Wyglądała na podekscytowaną. Claire uśmiechnęła się. To będzie ciekawe.

– Może w przyszłym miesiącu, kiedy będziemy miały wystarczającą liczbę wzorów do uruchomienia naszej pierwszej linii. Gdybyśmy pojechały w lutym, do kwietnia miałybyśmy próbki, w sam raz, żeby zabrać je na wystawę rzemiosł i zebrać zamówienia na jesień. – Wiedziała, jak to działa, objaśniała matce różne tajniki biznesu. Spisały chronologicznie to, co mają do zrobienia. Czekał je ogrom pracy. Po spotkaniu w fabryce będą w stanie ustalić detaliczną cenę bazową. Claire chciała zaryzykować i utrzymywać niskie ceny, oferując modę wysokiej jakości. To dopiero byłoby wyzwanie. Ale wreszcie będzie miała swobodę w projektowaniu, po latach zakazów Waltera.

Jej portfolio robiło się coraz grubsze. Umówiła się na spotkanie w fabryce na połowę lutego. Na tydzień przed odlotem Morgan otrzymała informację, że nie ma dowodów na to, aby była zamieszana w przestępstwa George'a, została oczyszczona z wszelkich podejrzeń. To była ogromna ulga. Ale poproszono ją, żeby była dostępna na wypadek dalszych spotkań, gdyby okazało się, że federalni prokuratorzy potrzebują więcej informacji w sprawie prowadzonej przeciwko George'owi.

– Mówiąc bez ogródek – powiedziała Maxowi, kiedy wielka ława przysięgłych oczyściła ją z podejrzeń – George wpadł w głębokie gówno. – Tak naprawdę wcale go nie znała, nie wiedziała, do czego jest zdolny. Nikt nie wiedział. Był klasycznym socjopatą, nie miał wyrzutów sumienia wobec ludzi, których skrzywdził, tak jak nie obchodziło go to, co zrobił Claire, najpierw sprawił, że mu zaufała, a kiedy przestała się pilnować, wykorzystał ją i odszedł. Morgan zastanawiała się teraz, czy od początku planował wykorzystać Claire, ona sama też o tym rozmyślała. Jeśli tak, był bardziej zaburzony, niż sądziły.

Sasha przez cały czas pozostawała w kontakcie z porucznikiem O'Rourke, ale w sprawie jej siostry nie działo się nic nowego. Porucznik powiedział, że rozmawiają z informatorami, ale jeszcze nie ma postępów. W każdym razie siostra była bezpieczna. Ale Sasha miała już dosyć, nie chciała wyglądać jak dziwadło ani żeby wszędzie chodziło za nią dwóch tajniaków.

Razem z Alexem pracowali ciężej niż kiedykolwiek, a zanim Sarah i Claire wyjechały do Włoch, nie znaleźli czasu, żeby polecieć do Atlanty na spotkanie z jej rodzicami. Nie zdarzało im się mieć więcej wolnego, postanowili jednak, że wybiorą się do Atlanty przed ślubem. Nie udało im się też znaleźć organizatora wesel. Sasha nie miała pojęcia, gdzie go szukać, ani kogo pytać. Oliver w końcu znalazł dla nich kogoś, przez klienta, którego córka właśnie wyszła za mąż, ale wesele miało kosztować fortunę, a Sasha nie chciała wykorzystywać ojca.

– Jaka szkoda, że Valentina nie potrafi znaleźć porządnego faceta. Gdyby odbyło się wspólne wesele, może dostalibyście zniżkę – żartował Oliver. Następnego dnia miała razem z Alexem spotkać się z innym organizatorem wesel. Miło było, dla odmiany, zająć się czymś przyjemnym. W domu mówiło się teraz tylko o sprawie George'a i oczyszczeniu Morgan z podejrzeń. Morgan postanowiła, że nadal będzie pomagać Maxowi w restauracji, a Max przekonał się, że jest geniuszem księgowości. Przeglądając arkusze wyliczeń, zauważyła, że barman podbiera pieniądze. Max pokazał mu dowody, barman przyznał się, a Max znalazł kogoś na jego miejsce. Morgan nadal chciała szukać pracy, ale najpierw musiała odzyskać równowagę i uspokoić się, a dopiero potem pójść do *headhuntera* i poszukać czegoś na Wall Street. Jeszcze nie czuła się na siłach – to, co się zdarzyło, było zbyt wstrząsające i nadal codziennie mówiono o tym w mediach.

Zamordowanie chłopaka Valentiny natomiast przeszło bez echa. Ot, jeszcze jeden gangster, którego zabili jemu podobni. Notatka pojawiła się w gazecie dzień po zabójstwie i na tym koniec. W artykule wspomniano, że była z nim kobieta, ale nazwisko Valentiny na prośbę policji, ze względów bezpieczeństwa, nie zostało wymienione. Sasha nadal nie wiedziała, gdzie jest siostra, i nie miała od niej wiadomości. Policja zakazała im kontaktów.

Kiedy razem z Alexem spotkali się z organizatorką wesel, nie wiedzieli, czy mają się śmiać, czy płakać. Była Brytyjką, miała na imię Prunella i wyglądała bardziej na przedsiębiorcę pogrzebowego niż na specjalistę od wesel. Nosiła prosty czarny garnitur, miała ufarbowane kruczoczarne włosy spięte w ściągnięty kok. Oliver twierdził, że w młodości była tancerką, ale Alexowi przypominała strażnika więziennego. Kiedy wyszła na krótko z pokoju, szepnął do Sashy, że śmiertelnie go przeraziła.

– Pewnie musi mieć wszystko na oku – powiedziała z nadzieją Sasha, ale jej się też nie spodobała. Nie znali jednak nikogo innego. Prunella była troszeczkę tańsza od poprzednich organizatorów. Poprosiła, żeby opisali swoje wymarzone wesele, a oni oboje zgodzili się, że małe wesele byłoby lepsze, na jakichś stu gości.

– Jesteście pewni? – zapytała z miną wyrażającą dezaprobatę. Pokiwali głowami. Alex powiedział, że na weselu jego rodziców było stu gości. Rodzice zaproponowali, żeby ślub odbył się w Chicago, a wesele w ich domu, ale Sasha i Alex byli zgodni co do tego, że pobiorą się w Nowym Jorku.

– Macie jakiś pomysł na miejsce? – zapytała organizatorka. – Może się okazać, że jest już za późno na czerwiec, być może trzeba będzie zaczekać rok na dobrą lokalizację.

– Nie chcemy tyle czekać – stanowczo powiedziała Sasha, a Prunella pytająco uniosła brwi. – Nie jestem w ciąży, ale wolelibyśmy pobrać się w czerwcu tego roku – powiedziała Sasha, patrząc organizatorce prosto w oczy.

– Ostatnio miałam mnóstwo ciężarnych panien młodych – powiedziała Prunella. – Co za czasy. Jedna z nich prosto z przyjęcia pojechała do szpitala. Chcecie, żeby to było w ogrodzie? W restauracji? W hotelu? W pomieszczeniu, na świeżym powietrzu? Po południu? Wieczorem? – Wybór był oszałamiający, nie zdecydowali się i wyszli z jej biura przy Sześćdziesiątej Ósmej Wschodniej.

– Rozumiem, dlaczego ludzie jeżdżą do Vegas – stwierdził ponuro Alex. – Może powinniśmy to jednak urządzić w Chicago – dodał niepewnym tonem.

– Nasi przyjaciele są tutaj – przypomniała mu Sasha. – W Atlancie też nie chcę ślubu.

Oliver zadzwonił do Sashy, żeby dowiedzieć się, czy im się podobało. Opisała spotkanie, powiedziała, że wytrąciło ich z równowagi. Potem mówiła, jakie decyzje są przed nimi.

– Nocne wesela są zabawniejsze i bardziej szykowne – powiedział. – A może czyjś dom z ogrodem? Pozwól, że tym się zajmę. Chcecie mieć ślub kościelny?

– Pewnie tak. – Spodobał się jej pomysł z ogrodem, szczególnie w czerwcu, ale żaden dom z ogrodem nie przychodził jej na myśl. Oliver zadzwonił do niej następnego dnia.

– Może to zwariowany pomysł, ale znam pewną kobietę, która ma ogród na dachu *penthouse'u* przy Piątej Alei, z widokiem na Central Park. Już go wynajmowałem dla swoich klientów, a ona bardzo się interesuje, komu wynajmuje. Nie wiem, co powie na wesele. Należą do niej dwa najwyższe piętra, nie będziesz się musiała martwić, że sąsiedzi będą się skarżyć. Ta kobieta wpuściła nas do penthouse'u tuż przed naszym przyjęciem. Tanio nie było, ale też i nie za drogo. Jeśli chcesz, zadzwonię do niej, a tam nie jest jak w hotelu, gdzie można zrobić rezerwację z rocznym wyprzedzeniem. Macie już datę?

– Czternasty czerwca? – powiedziała z wahaniem Sasha. Pomyślała, że to dobry termin, ciepło, przed weekendem z Czwartym Lipca, zanim ludzie zaplanują sobie coś na lato.

– Dam ci znać. – Zadzwonił dziesięć minut później, kiedy jechała do pracy. Tego dnia miała dyżur w innych godzinach niż Alex. – Załatwione – powiedział Oliver. – Czternasty czerwca. Wesele będzie wieczorem. Powiedziała, że możesz zaprosić sto dwadzieścia osób. Twoja sprawa to catering, kwiaty, orkiestra. Ona daje salę. – Wymienił cenę, która obojgu wydała się rozsądna.

– Lepiej być nie może. – Sasha była zachwycona.

– Moi klienci uwielbiają to miejsce. Jeden klient był korporacyjny, drugi prywatny – obu się podobało.

– Żałuję, że nie jesteś naszym organizatorem – powiedziała ze smutkiem. Wszystko tak łatwo mu wychodziło, dysponował ogromnym zapleczem.

– Nie. Wesela to koszmar. Nie chcę ani jednego. Gdybym miał się kiedykolwiek ożenić, pojadę do kaplicy Elvisa w Las Vegas.

– Tak właśnie wczoraj powiedział Alex.

– Mam zrobić rezerwację?

– Tak, powiem o tym Prunelli. – Zadzwoniła do niej tuż przed wejściem do szpitala i powiedziała, że znaleźli miejsce.

– Więc musimy natychmiast wysłać potwierdzenie daty – powiedziała władczo Prunella. – A ty powinnaś już teraz ustalić, kogo zaprosisz. Zaproszenia trzeba wydrukować już teraz. Do waszego wesela zostały tylko cztery miesiące. To jakby jutro. Czeka nas mnóstwo pracy – powiedziała oschle.

– Mogłabyś przesłać mi listę tego, co musimy zrobić? – zapytała Sasha. Czuła się przytłoczona, tak jak Alex poprzedniego dnia.

– Prześlę, jak tylko podpiszecie kontrakt. – Dała im już egzemplarz, potrzebny był ogromny wkład finansowy, Sasha chciała, żeby ojciec to zaaprobował, ale nie znalazła czasu, żeby mu go przesłać.

– Zadbam o to – powiedziała łagodnie. Ona też bała się Prunelli.

– Mogę się z wami spotkać dzisiaj o wpół do piątej – powiedziała pedantycznym tonem organizatorka.

– Do jutra będę przyjmowała porody. I muszę przesłać kontrakt ojcu, żeby go zaakceptował.

– Doskonale. Nie macie czasu do stracenia.

– Zadzwonię – obiecała Sasha i zapomniała o niej, gdy tylko zabrała się do bóli porodowych i porodów. Czekały na nią cztery porody, położna, która doprowadzała wszystkich do szału, wysuwając żądania wobec pacjentki, i bliźniaki, wcześniaki nadjeżdżające karetką.

– Zezowate szczęście – rzuciła do Sally, gdy biegła, żeby włożyć fartuch. – Mamy na tym piętrze anestezjologa?

– Jeszcze nie – odkrzyknęła Sally do przebiegającej cej Sashy.

– Wezwij dwóch – chyba będziemy ich potrzebowały. – Słyszała krzyki dobiegające z dwóch sal. „Witajcie w moim świecie", pomyślała. Ale to było znacznie łatwiejsze niż zorganizowanie wesela. Wiedziała, co ma robić. Wesela były dla niej owiane tajemnicą, a nie miała matki, która mogłaby jej doradzić. Muriel nawet nie chciałaby o tym rozmawiać. Dwie minuty później weszła do pierwszej sali porodowej w samą porę, żeby przygotować rodzącą do parcia.

– Rozwarcie dziesięć. Przyj – powiedziała do płaczącej matki, która zwymiotowała, nakrzyczała na męża i odmówiła parcia. – Chcę zobaczyć twojego małego chłopczyka, a ty nie? – kusiła Sasha, uśmiechając się do niej łagodnie. Młoda kobieta pokiwała głową i płacząc zaczęła niechętnie przeć. Odmówiła znieczulenia zewnątrzoponowego, zdecydowała się na poród naturalny i teraz było już za późno, musiała przez to przebrnąć. Sasha domyśliła się, że to duże dziecko. Nie pójdzie łatwo.

– Jeszcze raz… i znowu… – mówiła do kobiety, zmagającej się z porodem. – Jeszcze raz… i jeszcze. Świetnie ci idzie. – Uśmiechnęła się do niej, kobieta nadal krzyczała i zwymiotowała. To był ciężki poród, Sasha wiedziała, że pacjentka go zapamięta. Znacznie lepiej byłoby ze znieczuleniem, ale musiała dać sobie radę z dużym dzieckiem, płaczącą mamą i brakiem tego znieczulenia. Parcie trwało jeszcze godzinę, aż w końcu ukazała się główka dziecka, które ześlizgnęło się prosto w jej ręce. Obróciła je, matka płakała i śmiała się. Bóle minęły w chwili, gdy dziecko z niej wyszło.

– Dobra robota, mamo! – pochwaliła ją Sasha. Uwielbiała swoją pracę. To wspaniałe uczucie wiedzieć, że coś się znaczy dla ludzi. Pół godziny później, gdy zszyła kobietę, wyszła z sali porodowej, przebiegła obok dyżurki pielęgniarek, z której zawołała do niej Sally.

– Miałaś trzy telefony od jakiejś Prunelli – powiedziała. Sasha spojrzała na nią z niedowierzaniem.

– Czy ona sobie żartuje?

– Powiedziała, żebym natychmiast dała cię do telefonu, ale wyjaśniłam, że przyjmujesz poród. Czy to pilne?

– Nie. To organizatorka wesela. Może poczekać.

Sally roześmiała się. Kiedy Sasha zniknęła w pokoju, sanitariusze właśnie wnosili na noszach kobietę, która urodziła bliźniaki w trzydziestym czwartym tygodniu ciąży. Musieli sprowadzić do niej jednego z doświadczonych lekarzy, Sasha nie mogła być we wszystkich miejscach naraz. Sanitariusze przekazali pacjentkę i życzyli Sashy szczęścia.

To był jeden z tych zwariowanych dni, kiedy porody odbywały się bez przerwy. Była w szpitalu do północy, prawie o pierwszej dotarła do domu, Alex spał w jej łóżku, usłyszał, że wchodzi i przewrócił się na bok.

– Prunella jest na ciebie wściekła. Nie oddzwoniłaś – powiedział zaspanym głosem.

– Naprawdę? Trudno. Byłam zajęta. – Z dnia na dzień kaplica Elvisa wydawała się coraz lepsza. Ściągnęła fartuch, skopała trepy i weszła do łóżka. Po pięciu minutach oboje spali. Prunella może zaczekać.

19

W WALENTYNKI CLAIRE I JEJ MATKA weszły na pokład samolotu na lotnisku JFK. Claire uznała, że najlepiej będzie spędzić święto z matką. Obie bardzo ekscytowały się podróżą. Leciały klasą ekonomiczną, ale nawet to nie zepsuło im przyjemności. Samolot był pełen Włochów, którzy nie mogli się doczekać, kiedy znajdą się w domu. Claire słuchała ich rozmów. Siedzieli obok siebie albo krzyczeli do przyjaciół w innych rzędach, i nie mogła się powstrzymać od myśli o wyrafinowanym luksusie samolotu George'a, wspólnych podróżach i cudownie spędzanym czasie. No i proszę, gdzie go to doprowadziło i kim się okazał. Nadal trudno jej było w to uwierzyć. Najpierw wstrząs, gdy ją rzucił, potem odkrycie przestępstw, które popełnił. Najwyraźniej był człowiekiem bez serca i sumienia, socjopatą doskonałym.

Wyrzuciła go z myśli i skupiła się na tym, co robiły i dokąd leciały. Zabrała ze sobą komputer, żeby pokazać matce najnowsze wzory. Było tyle do zrobienia, żeby ich nieopierzony biznes wystartował, jej współlokatorki cierpliwie znosiły dostawy próbek kolorów, skóry, fabrycznych egzemplarzy okazowych, narzędzi i materiałów, które będą potrzebne, żeby wreszcie pokazać buty klientom. Znalazły adwokata, który pomógł im założyć spółkę. Pierwsza wystawa przemysłowa, na którą się wybiorą, odbędzie się w Las Vegas. Obu się to bardzo spodobało. Ale nie aż tak, jak podróż do Mediolanu.

Parabiago leżało w okolicy nazywanej zagłębiem obuwniczym Włoch, to tam znajdowały się najlepsze fabryki. Zatrzymały się w Mediolanie, niecałą godzinę drogi od Parabiago, w hoteliku przy Via Montenapoleone, gdzie można było zrobić najlepsze zakupy, na które miały zamiar się wybrać po zakończeniu negocjacji. Mediolan był mekką świata mody, Sarah jeszcze tam nigdy nie była. Miasto było znane nie tylko z ważnych marek, które miały w nim siedzibę, jak Prada i Gucci, ale także z bajecznych futer. Claire nie mogła się doczekać wyprawy na zakupy, kiedy będą już na miejscu, ale wiedziała, że musi zaoszczędzić pieniądze na interesy. Matka była szczodra, Claire też chciała dorzucić coś swojego. Umówiły się, że przed odlotem poświęcą jeden dzień na sklepy w Mediolanie.

Sarah bardzo podobały się wzory, które Claire pokazała jej na ekranie laptopa. Były wyrafinowane i smukłe, w neutralnych kolorach podstawowych. Mogły stać się solidnym dodatkiem do każdej szafy. Było też pół tuzina bardziej kapryśnych, frywolnych bucików. Claire miała nadzieję, że nie oprze się im żadna kobieta. Były też dwie pary prostych, bardzo eleganckich pantofli wieczorowych i trzy pary ślicznych bucików na niskim obcasie. Na koniec chciała dodać buty z wysokimi cholewkami. Jeśli wykorzysta się wszystkie szkice, które ze sobą zabrały, na pierwszy rzut pójdzie dwadzieścia różnych stylów. Z zamówień, jakie dostaną na targach, wyczują doskonale, czego sklepy od nich chcą i co uzupełni marki, które już mają w sprzedaży. A kiedy dotrą do fabryki, wybiorą skórę według jakości i kolory dla każdego modelu. Miały do wyboru szeroki wachlarz gatunków i ewentualnych cen. Będą się musiały dobrze nagłowić przy swoim ograniczonym budżecie. Ale dzięki matce miały spore pole manewru, znacznie obszerniejsze niż wtedy, kiedy Claire pracowała dla Waltera Adamsa, no i wreszcie mogła pracować nad takimi wzorami butów, jakie jej odpowiadały. Matka dała jej okazję i Claire była jej za to nieskończenie wdzięczna.

Rozmawiały podczas lunchu w samolocie, potem Sarah oglądała film, a Claire nadrabiała zaległości, przeglądając numery „Women's Wear Daily". Ostatnimi czasy zaniedbała to, bo pracowała nad kolekcją, teraz chciała zobaczyć jesienne pokazy mody podczas Fashion Week w Nowym Jorku, żeby mieć pewność, że projektując swoje buty idzie we właściwym kierunku. W swoich planach musiały uwzględnić mnóstwo rzeczy. Ważna była także konstrukcja butów i wykorzystane materiały. Claire przejrzała czasopisma, które zabrała ze sobą i zasnęła. Obudziła się, gdy lądowały w Mediolanie.

Mediolański port lotniczy, Malpensa, znany jest z bałaganu, długich opóźnień i ogromnej liczby kradzieży. Na bagaż czekały godzinę. Wreszcie złapały taksówkę do hotelu, który był mały, skromny i czysty. Tylko to było im potrzebne. Poszły na spacer, żeby się rozejrzeć. Miasto nie było piękne, ale stanowiło centrum świata mody.

Zjadły obiad w małej trattorii, a Claire zauważyła, że miejscowi mężczyźni podziwiają zarówno ją, jak i jej matkę, sądząc, że są przyjaciółkami. We Włoszech wiek nie miał znaczenia, matka nadal była piękną kobietą, a mężczyźni zerkali na nią równie często, co na Claire.

Sarah bardzo się podobało, że zwraca na siebie uwagę. Włoscy mężczyźni, nawet jeśli nie posuwali się za daleko, jasno dawali do zrozumienia, że kobieta im się podoba. To podniosło samoocenę obu pań i następnego dnia, kiedy się ubierały, Claire bardzo się postarała. To miłe, kiedy się wie, że zostało się zauważonym, nawet przez nieznajomego, i kiedy ktoś, przechodząc obok, zerka i z lekka się uśmiecha.

Następnego dnia wynajęły samochód z kierowcą i pojechały do miasteczka Parabiago. Były tam trzy fabryki, na których Claire skupiła uwagę, bo uznała, że będą dla nich najlepsze. Jedną z nich była fabryka, która pracowała dla Waltera Adamsa. We wszystkich trzech miały umówione spotkania. Tego dnia rano, o dziesiątej, zabrały się do interesów. Najpierw poszły do fabryki, w której Claire parę razy była z Walterem. Pamiętali ją. Wiedziała, że to jedna z najbardziej godnych zaufania i szacunku fabryk we Włoszech, że jej produkcja jest solidna i że pracują dla kilku ważnych marek w Stanach i całej Europie. Claire pomyślała, że to dobra okazja, by skorzystać z ich usług, ale chciała zobaczyć też inne fabryki, żeby móc je porównać. Była to jedna z najważniejszych decyzji, jakie miały podjąć.

O jedenastej pojawiły się w mniejszej, bardziej przypominającej warsztat rzemieślniczy fabryczce, z której wychodziło wiele butów ręcznej roboty. Wytwarzano tam piękne buty o zdumiewająco misternych i delikatnych detalach, ale Claire uznała, że są zbyt pretensjonalne jak na jej wzory i zapewne nie dość wytrzymałe dla jej klienteli. Mocną stroną fabryczki były buty wieczorowe, zwiedzanie ich pracowni było fascynujące, a ceny odpowiednio wyższe, bo w pracę wytwórcy inwestowali wiele godzin rzemieślniczego trudu. Wytwarzali buty dla dwóch domów mody w Paryżu, a założyciel spółki przed wiekami robił buty dla Marii Antoniny i wszystkich królowych Włoch. Byli z tego bardzo dumni. Claire spodobało się to, co zobaczyła, ale pomyślała, że to nie pasuje do ich potrzeb. Potrzebowały czegoś bardziej współczesnego, bardziej praktycznego w oczach klientek, do których chciała dotrzeć.

Trzecia fabryka była uderzająco nowoczesna, dysponowała imponującymi gablotami z wystawą współczesnych i dawniejszych wyrobów. Produkowali obuwie dla prawie wszystkich popularnych, a zarazem ekskluzywnych marek. Mieli też kilka drugorzędnych linii produkcyjnych na odpowiadającym im pułapie cenowym. Właścicielami fabryki byli Biagio Machiolini i jego dwaj synowie i jak wszyscy inni prowadzili rodzinny biznes od pokoleń. Byli kuzynami właścicieli drugiej z kolei fabryki, którą zwiedzały. Tutaj wszystko było nowoczesne, nowe, ekscytujące, a młodszy syn właściciela, Cesare, entuzjastycznie podszedł do nowej marki i wzorów Claire. Pokazała mu wszystko, co zrobiła, objaśniła swoją wizję i w trójkę rozmawiali przez dwie godziny. Potem dołączył do nich jego ojciec i brat, Roberto. Zaprosili Claire i Sarah na lunch i jeszcze bardziej prywatne zwiedzanie zakładu. Przyszły do fabryki w południe, wyszły o czwartej. W Parabiago były od dziesiątej rano. Ceny, które usłyszały, ze zniżką na pierwszy rok, żeby pomóc im wystartować, były bardzo zachęcające. Claire miała w teczce napisany po angielsku egzemplarz kontraktu. Będą mogły z matką przeczytać drobny druk w hotelu i przesłać tekst mailem do adwokata w Nowym Jorku. Dla Claire kontrakty nie były nowością, załatwiała je dla Waltera i wiedziała, czego się spodziewać.

W pokoju hotelowym, kiedy dokładnie przeczytała zapisy, nie znalazła niespodzianek. Było w nich dokładnie to, co im powiedziano. Wszystkie trzy fabryki cieszyły się doskonałą opinią, obie kobiety wiedziały, że w każdej z nich oddałyby swoje sprawy w dobre ręce. Reszta to kwestia wyboru, preferencji i pewnej dozy chemii, bo mieli współpracować, a fabryka miała być wrażliwa na ich potrzeby i wymagania.

– Co o tym sądzisz, mamo? – zapytała Claire. Odłożyła już kontrakt i leżała na łóżku. Miały za sobą wspaniały dzień, obie wiele się nauczyły o zawiłościach prowadzenia interesów. Historia i umiejętności zawarte w każdej z trzech fabryk nie mogły nie robić wrażenia.

– Myślę, że powinnaś podjąć decyzję – odparła szczerze Sarah. – Wiesz o tym znacznie więcej ode mnie – dodała skromnie. Córka zyskała w jej oczach szacunek. Sarah obserwowała ją, jak przez cały dzień prowadzi spotkania. Znała się na swoim fachu, ale było też coś więcej i przy tym okazała się utalentowaną dizajnerką.

Jeszcze raz omówiły trzy możliwości. Claire chciała, żeby matka też powiedziała, co myśli, przecież była jedynym inwestorem. Sama wybrała trzecią fabrykę, nie miała co do tego wątpliwości. Sarah powiedziała, że ona też tak uważa.

– A ich ojciec jest bardzo przystojny – dodała z błyskiem w oku.

– Synowie też – stwierdziła Claire. Cesare i Roberto mieli trochę ponad czterdzieści lat, wszyscy świetnie się dogadywali przy lunchu. Machiolinim podobało się, że to matka i córka zakładają biznes, zgodnie ze starą europejską tradycją, chociaż sami prowadzili interesy od wielu pokoleń.

Wieczorem zjadły kolację w pobliskiej restauracji i następnego dnia wróciły do fabryki, żeby zająć się ostatnimi szczegółami. Skontaktował się z nimi adwokat, który zaaprobował kontrakt. Claire i Sarah podpisały dokument i wszyscy podali sobie ręce. Cesare zgodził się przesłać dwadzieścia prototypów przed pierwszym kwietnia. Zostało im tylko sześć tygodni, ale Machiolini mieli wielkie przedsiębiorstwo i zapewnili je, że bez trudu sprostają terminowi, a drobne poprawki mogą wprowadzić później. Claire uzmysłowiła sobie, że będzie jej potrzebny model o europejskim rozmiarze 37, czyli sześć i pół do siedmiu w Stanach. Potrzebny byłby jej ktokolwiek o normalnych stopach, żeby uzyskać informacje, czy buty są wygodne, a rozmiar odpowiedni. Podbicie powinno dokładnie pasować, obcas ma trzymać stopę, a miejsce na palce musi być takiej wysokości, żeby było wygodne i nie wyglądało jak pudełko. Ale nie spodziewała się problemów, Machiolini byli rzetelnymi producentami. Cały ciężar spadał teraz na nią. Miała zaprojektować buty, za którymi szalałyby kobiety, buty we właściwej cenie, na odpowiedni rynek i sprzedać je za pośrednictwem odpowiednich sklepów. Targi wykazały, że Las Vegas będzie dla nich bardzo ważne, uzyskały tam także potrzebne informacje. Być może będą musiały zrezygnować z niektórych modeli, jeśli hurtownicy uznają je za niepraktyczne, zbyt słabo się sprzedające albo za drogie. Claire chciała mieć proste modele, żeby koszty produkcji nie zjadły zysków. Miała mnóstwo do przemyślenia, mailem przesłała Machiolinim szkice robocze.

Rozstały się z nimi po szklance wina i nie przyjęły zaproszenia na kolejny lunch. Wyjeżdżały następnego dnia i chciały mieć czas na zakupy. Musiały wracać do

Nowego Jorku i wziąć się do pracy nad planami na przyszłość. Tego wieczoru, jak na ironię, Claire otrzymała mail z biura zasobów ludzkich firmy Jimmy Choo. Była to odpowiedź na jej CV, wysłane przed trzema miesiącami. No cóż, teraz jej życie poszło w zupełnie inną stronę. Przed trzema miesiącami rzuciłaby się na to, teraz było za późno. Podziękowała i odpisała, że jest już zaangażowana w inny projekt. Jak dziwny potrafi być los.

W Nowym Jorku Claire skupiła się na swoich szkicach. Kupiła sobie wspaniałą kurtkę u Prady i trzy pary butów w sklepie, o którym nigdy nie słyszała. Buty były śmiertelnie seksowne, ale zbyt ekstrawaganckie w porównaniu z jej własnymi modelami. A do tego białą bawełnianą sukienkę na lato. Sarah kupiła u Prady sweter, pięknie skrojone spodnie i spódnicę. Najważniejsze jednak, że podróż była wielkim sukcesem w ich nowym biznesie. Firma Claire Kelly Designs ruszyła z kopyta, a Machiolini mieli zmienić ich marzenia w namacalny produkt. Claire była tak podekscytowana, że ledwie mogła się doczekać.

Zauważyła, że ledwie wylądowały na lotnisku Kennedy'ego, matka odebrała SMS.

– Od kogo? – Myślała, że może od Biago Machioliniego, który był zauroczony jej matką, a tylko trochę od niej starszy i chociaż miał żonę i sześcioro dzieci, nie powstrzymało go to od flirtowania z nią.

– Twój ojciec – powiedziała nieśmiało Sarah. – Tęskni za mną. Pyta, jak nam poszło we Włoszech. Napisałam, że dobrze i że się świetnie bawiłyśmy. – Ojciec Claire nadal nie mógł uwierzyć, że jego żona pomaga jego córce w interesach i że potrafi to robić. Zaczynał rozumieć, że nie wiedział o niej mnóstwa rzeczy. Jej nieobecność udowodniła mu, jak bardzo za nią tęskni i jak była dla niego ważna. Przedtem uważał jej obecność przy sobie za oczywistą.

– Wszystko w porządku? – zapytała ostrożnie Claire. Bardzo rzadko kontaktowała się z ojcem. Mieli sobie tak mało do powiedzenia.

– Mam nadzieję – powiedziała cicho Sarah i zmieniła temat, kiedy szły odebrać bagaże z konwejera. Sarah, podobnie jak jej córka, nie męczyła się podróżą i nie mogła się doczekać, kiedy rozpocznie pracę. Claire chciała za parę miesięcy zatrudnić kogoś do pomocy, pewnie przed targami rzemiosła w Las Vegas, ale na razie nikogo nie potrzebowały. Obie były bardziej niż chętne do pracy, nawet do dźwigania ciężarów, kiedy dotrą do nich egzemplarze okazowe. Obie miały mnóstwo energii. Rozmawiały z ożywieniem, dzieląc się pomysłami, gdy wracały taksówką do mieszkania w Hell's Kitchen. Nie było ich cztery dni, a wydawało się, że to miesiąc. Ale ich biznes był gotów do startu.

W końcu lutego, podczas jej wieczornego dyżuru w szpitalu, porucznik O'Rourke odezwał się do Sashy. Wysłał wiadomość, że to pilne. Początkowo przestraszyła się, że coś się stało Valentinie. Po raz pierwszy w życiu przez dwa miesiące nie rozmawiały ze sobą, nie widywały się. Nawet kiedy podróżowały albo kiedy Sasha była na studiach, pilnowały, żeby rozmawiać ze sobą chociaż co kilka dni. Cisza, która zapadła, była bolesna dla obu.

Drżącymi palcami wystukała numer porucznika i wstrzymując oddech, czekała, co jej powie. Jak zwykle, mówił bez wstępów.

– Mamy go. Jean-Pierre musiał kogoś oszukać w interesach, skosił większy udział, niż się umówili i dostarczył byle co. Odpłacili się. Kazali go zabić. Dzięki jednemu z naszych informatorów złapaliśmy faceta, który to zrobił, a Francuzi mają człowieka, który zlecił zabójstwo. Nie wydadzą go nam, będą go sądzić we Francji. Zabójcę mamy u nas. Siedzi w areszcie pod kluczem. Nie sądzę, żeby chcieli zabić pani siostrę, ale nie wiemy tego na pewno. Musimy zadbać o bezpieczeństwo was obu. Rano ją wypuścimy, a pani może wyjąć szkła kontaktowe i zapuścić włosy. – Roześmiał się. Najważniejsze, że teraz były bezpieczne. – Jeśli pani chce, odwołam dziś wieczorem swoich chłopców. – Sasha zdążyła się do nich przyzwyczaić. Na zmianę pilnowało ją ośmiu agentów. Byli uprzejmi wobec wszystkich, pomagali, gdy tylko mogli, a w pracy zachowywali się przyjaźnie wobec pielęgniarek.

– Będziemy za nimi tęsknić – powiedziała uprzejmie, a porucznik roześmiał się.

– Pani siostra też. Ale to zupełnie inna historia. Jest osobą trudną do okiełznania – stwierdził, a Sasha zaczęła się zastanawiać, co też siostra nawyprawiała. Aż za dobrze wiedziała, że „trudna do okiełznania" to grube niedopowiedzenie. Jej sposób bycia i niefortunne wybory wprowadziły zamieszanie, w którym przez dwa miesiące ryzykowały życiem. Sasha podziękowała porucznikowi i zaraz zadzwoniła do Alexa na oddział neonatologii.

– Mają zabójcę – powiedziała z głośnym westchnieniem ulgi, Alex zamknął oczy. Takiego stresu w życiu jeszcze nie przeżył. Martwił się o nią. Nawet tajniacy przebywający z nią przez okrągłą dobę nie dodali mu otuchy.

– Dzięki Bogu.

Dziesięć minut później dwaj agenci, którzy mieli tego wieczoru służbę, przyszli się z nią pożegnać. Porucznik O'Rourke już do nich dzwonił i zdjął ich z posterunku. Sasha podziękowała im i obu uściskała. Teraz to sprawa Valentiny, żeby nawiązać kontakt i przeprosić ją i Alexa za to, co musieli przez nią przejść. Ale dobrze znała siostrę i wiedziała, że przeprosin nie będzie. Valentina nigdy za nic nie przepraszała.

Tyle tylko, że gdyby znowu zadała się z jakimś podejrzanym typem, Sasha powie, że nie chce jej więcej znać. Podjęła tę decyzję w ciągu minionych dwóch miesięcy. Nie może zrobić tego sobie ani Alexowi. Widziała, ile wysiłku go to kosztowało. Nic nie powiedział swoim rodzicom, żeby ich nie martwić, ale to też było dla niego trudne, bo mieli ze sobą tak dobry kontakt. Baliby się o niego i o Sashę, zastanawialiby się, w co się wplątał. Nikt z ich rodziny nigdy nie zadawał się z handlarzem bronią nuklearną ani nie był celem zabójcy. Tym razem Valentina posunęła się za daleko – wcześniej bywało podobnie, ale nie aż tak. Naraziła także siostrę bliźniaczkę, chociaż Sasha była pewna, że nawet nie pomyślała o tym, kiedy chodziła z Jean-Pierre'em, przymykając oko na to, co on robi. Jego niebezpieczne zajęcie było na nim po prostu wypisane. Ale Valentina lubiła luksus, który się z tym wiązał. Sashę zainteresowało, że dwaj bajecznie bogaci, hojni i mili mężczyźni, z którymi się ostatnio kontaktowały, Jean-Pierre i George, byli niebezpiecznymi przestępcami. Sasha znalazła szczęście z Alexem w znacznie bardziej ludzkiej skali. Jeśli Valentina chciała żyć przyzwoicie, powinna znaleźć kogoś takiego jak Alex. Ale – o czym Sasha wiedziała – uznałaby go za nudziarza.

Valentina nabrała niebezpiecznych upodobań i przyzwyczajeń, zawarła niebezpieczne znajomości, prowadząc życie modelki. Nie zawsze tak się to kończyło, ale Valentina była właśnie taka. A przecież armia ochroniarzy i uzbrojonych zbirów powinna ją ostrzec przed Jean-Pierre'em.

Wieczorem, gdy wracali ze szpitala z Alexem, rozmawiali o sprawie. To doświadczenie ich otrzeźwiło, czuli ulgę, że dramat się skończył.

Kiedy Valentina zadzwoniła rano, z oczu Sashy trysnęły łzy. Narobiła wszystkim kłopotów, szczególnie Sashy, ale nadal były bliźniaczkami, łączyła je niedająca się rozerwać więź.

– Tak za tobą tęskniłam – szlochała do telefonu Sasha, łzy spływały jej po policzkach. – Wszyscy tak się o ciebie martwiliśmy.

– Ja też się martwiłam – powiedziała nonszalancko Valentina. – Cholera, wysłali mnie do klasztoru w Arizonie. Nie było nawet rancza turystycznego z fajnymi chłopakami, tylko gliniarze, których ze mną wysłali. Klasztor z zakonnicami i księżmi. Musiałam nosić habit i pracować w ogródku warzywnym. Czasem żałowałam, że ten facet mnie nie zastrzelił. – Jak można się było spodziewać, nie powiedziała ani słowa o Sashy i o problemach, jakich jej narobiła.

– Bardzo bym chciała zobaczyć cię w habicie mniszki. – Sasha roześmiała się i otarła łzy z twarzy.

– Nie licz na to. Poza tym, musiałam oddać habit, kiedy wyjeżdżałam. One myślą, że w nim jest jakaś magia czy coś takiego.

– Pewnie nie chciały, żebyś go przerobiła na miniówę i nosiła bez majtek, na wysokich obcasach. – Obie wiedziały, że bliźniaczka Sashy byłaby do tego zdolna.

– Żałuję, że nie przyszło mi to do głowy. Nosiłam sandały, od których dostałam nagniotków i pęcherzy. Stopy mam w strasznym stanie. – Tylko tyle była w stanie powiedzieć po dwóch miesiącach ukrywania się przed zabójcą. Ale można było wyczuć, że jest w dobrym nastroju i cieszy się na powrót do Nowego Jorku. – Dzisiaj wysyłają mnie samolotem do domu – powiedziała nonszalancko, jakby wracała z sesji zdjęciowej dla „Vogue'a".

– Nie mogę się doczekać – powiedziała serdecznie Sasha. – Było mi ciężko, bo nie mogłam do ciebie zadzwonić.

– Wiem. Mnie też było ciężko – przyznała Valentina. – Pracujesz dzisiaj?

– Do wieczora mam wolne. – Rozmawiały jeszcze kilka minut i rozłączyły się.

Późnym popołudniem Claire i jej matka siedziały na kanapie i przeglądały wzory. Abby pakowała się w swoim pokoju. Robiła to od tygodni, w czasie, kiedy nie pisała. Charlie leżał w plamie słońca przy oknie, a Morgan właśnie wróciła z zakupami ze sklepu spożywczego, kiedy zadzwonił dzwonek. Otworzyła Sasha. W drzwiach stała Valentina w całej swojej krasie, w krótkiej skórzanej czarnej spódniczce, czerwonym sweterku i wysokich, opinających nogi botkach na szpilkach. Siostry rzuciły się sobie w ramiona i mocno uściskały.

– Co się stało z twoimi włosami? – krzyknęła Valentina, patrząc na Sashę. Nadal były krótkie i ciemnobrązowe.

– To twoja wina. Kazali mi zmienić wygląd – odparła Sasha. Tego dnia po raz pierwszy od dwóch miesięcy nie miała niebieskich szkieł kontaktowych, wyrzuciła je.

– To się nazywa poświęcenie. Alex musi mnie nienawidzić. Fatalnie wyglądasz z ciemnymi włosami.

– Dziękuję. – Sasha dopiero wtedy zauważyła, że za siostrą stoi jakiś mężczyzna i wygląda na skrępowanego. Był to młody, przystojny facet o szerokich ramionach. Nosił t-shirt, dżinsy, okute kowbojskie buty i wiatrówkę z logo nowojorskiej policji. Na wiatrówce widać było podejrzaną wypukłość. Sasha poznała, że to kabura naramienna. Miała nadzieję, że czegoś takiego nigdy już nie zobaczy. – Nadal potrzebna ci ochrona? – zapytała cichym głosem. Porucznik O'Rourke powiedział, że już po wszystkim, ale z Valentią najwyraźniej był policjant.

– Dziewczyna zawsze potrzebuje ochrony – powiedziała Valentina, oglądając się nieśmiało za siebie. – To Bert. Oddelegowano go do Arizony w przebraniu księdza. Razem wyglądaliśmy ślicznie, ksiądz i zakonnica. – Roześmiała się, a on spojrzał na nią z uwielbieniem. Potem kiwnął głową pod adresem Sashy. Wyglądał na sześć, siedem lat młodszego niż jej siostra. I nagle stało się oczywiste, co tutaj robi. Przyprowadziła go do domu jako łup wojenny. Patrząc na niego, Sasha przypomniała sobie zagadkowe słowa porucznika na temat siostry, że jest trudna do okiełznania. Teraz wiedziała, dlaczego to powiedział. Poderwała policjanta. W klasztorze musieli to docenić. Valentina była niepoprawna. Zawsze był jakiś facet, najlepiej ze spluwą. Ale ten stał przynajmniej po właściwej stronie prawa. Sasha zastanawiała się, co siostra teraz z nim zrobi, kiedy znów znalazła się w świecie modelek. Szybkie i intensywne życie szybko ujawni swoje uroki, pojawią się znani jej szpanerzy. Młody policjant w t-shircie nie przetrwa tam dłużej niż pięć minut. Sasha poprosiła, żeby wszedł i usiadł. Zawahał się, potem podszedł do psa, żeby się z nim pobawić. Mężczyźni uwielbiali Charliego – każdy facet, który znalazł się w pokoju, natychmiast do niego podchodził.

Ze swojego pokoju wyszła Abby, zobaczyła ich i uściskała Valentinę. Claire i jej matka zrobiły to samo. Jej widok zawsze robi dziwne wrażenie – jakby widziało się Sashę, zupełnie inną, chociaż miało się wrażenie, że to ta sama osoba. A przecież tak bardzo się różniły.

– Witamy z powrotem – powiedziała ciepło Abby. Próbowała nie gapić się na Berta. Zastanawiała się, kto to może być. W rzeczywistości był trochę starszy, niż na to wyglądał.

– Chcesz, żebym cię zostawił z dziewczynami? – zapytał Valentinę. Wymienili poufałe spojrzenia, które opowiedziały całą historię ostatnich dwóch miesięcy, tego, co robili w klasztorze, żeby się nie nudzić. Zmieniała partnerów, ale nie zasady gry.

– Jasne – powiedziała lekko Valentina. – Może wrócisz za pół godziny?

Równie swobodnie dostosował się do jej tonu.

– Mogę zabrać psa na spacer? – zapytał.

– Będzie zachwycony – zapewniła go Abby. Pies siadł i podał łapę Bertowi, który uroczyście ją uścisnął.

– Przez jakiś czas pracowałem z owczarkiem niemieckim – wyjaśnił poważnie Bert. – W narkotykach. Był świetny, ale postrzelono go i trzeba go było uśpić.

– Masz szczęście, że ciebie to nie spotkało – powiedziała sarkastycznie Sasha do swojej bliźniaczki. Abby podała Bertowi smycz. Wyszedł razem z Charliem. Sasha zwróciła się do siostry z surowym wyrazem twarzy.

– Co ty do diabła robisz? Ile on ma lat?

– Dwadzieścia dziewięć. Tylko wygląda jak dziecko. To dorosły. I to bardzo. – Spojrzała zmysłowo na siostrę, Sasha jęknęła.

– Co masz zamiar z nim teraz zrobić? W twoim światku zjedzą go żywcem.

– Zmieniłam się – powiedziała skromnie Valentina. – Nie będę się już włóczyć ze zbirami. A co jest lepszego niż policjant? To jeden z tych dobrych, gra we właściwej drużynie. A ja czuję się z nim bezpiecznie. – Sashy było przykro, że to słyszy, chociaż ten człowiek był kimś znacznie lepszym niż Jean-Pierre, najgorszy z możliwych czarnych charakterów.

– Może raczej lekarz albo prawnik?

– Tak, albo ten miły facet, dla którego pracowała Morgan. Pójdzie do więzienia na najbliższe sto lat. Nie wszystkie czarne charaktery rzucają się w oczy – odpowiedziała siostrze, nieznającej wielkiego świata. Sasha prowadziła z wyboru spokojne życie. Z początku Valentina też była taka. Zagubiła się gdzieś po drodze, kiedy za szybko napłynęły pieniądze, a wraz z nimi sława i szybka, błyskotliwa kariera. – Lubię Berta. Dzięki niemu jestem szczęśliwa. Jest taki słodki. Troszczy się o mnie. Nie jest skomplikowany. Nie obchodzi go, z kim byłam i dlaczego. Żyje z dnia na dzień.

– Naprawdę chcesz być z policjantem? Czy odchodzi dla ciebie z policji? – Sasha miała nadzieję, że nie, bo Valentina rzuciłaby go natychmiast, gdyby zdarzył się jej ktoś bardziej ekscytujący. Była pewna, że siostra złamie mu serce, a może z zimną krwią zrujnuje mu karierę. Robiła, co chciała, pod wpływem chwili, i nie zwracała uwagi na szkody, które czyniła. Sasha kochała siostrę, ale wiedziała, że jest samolubna. Na wskroś narcystyczna.

– Nie obchodzi mnie, z czego żyje. Jest dla mnie miły – powiedziała zwyczajnie.

– I biedny – przypomniała jej Sasha. – Nie lubisz biednych mężczyzn. – To też była część problemu. Lubiła szastać pieniędzmi, a większość bogatych mężczyzn, których spotykała, to podejrzane albo niebezpieczne typy. Ten przynajmniej taki nie był.

– Mam dosyć dla nas obojga – powiedziała od niechcenia Valentina, a potem przysiadła się do Claire i jej matki. Abby wróciła do swojego pokoju, żeby skończyć się pakować. – Co teraz robicie?

– Zakładamy firmę z butami – powiedziała Claire. – Mama przyjechała, żeby mi pomóc i teraz mieszka tutaj. Abby przeprowadza się do Los Angeles i przez rok będzie pracowała przy produkcji filmu.

– To wielka zmiana. – Valentina wyglądała na zaskoczoną. Obsada mieszkania przez lata się nie zmieniała. Pomyśleć, że jedna z lokatorek odchodzi. I nagle Valentina zrozumiała, że jej siostra też odejdzie, kiedy wyjdzie za mąż. – Jak ze ślubem? – zapytała.

– Będzie w czerwcu. W Nowym Jorku. Jesteś starszą druhną – powiedziała Sasha. – Dziewczyny też są druhnami. Czternastego czerwca. Dobrze, żebyś tu była – dodała poważnie.

– Mogę przyprowadzić Berta? – zapytała niewinnie Valentina.

– Jeśli do tego czasu będzie z tobą. – A w to Sasha wątpiła. Zostało jeszcze trzy i pół miesiąca, jak na jej bliźniczkę za długo, żeby mogła wytrzymać z jednym facetem.

– Zobaczymy – powiedziała wymijająco Valentina. Bert wrócił z psem i lekko ją pocałował.

– Wspaniały pies! Musimy sobie takiego sprawić –
powiedział do Valentiny, która skinęła głową. Miało się
wrażenie, że dla niego jest gotowa na wszystko. Sasha
przypomniała sobie, że Patty Hearst wyszła za jednego ze swoich policyjnych ochroniarzy. Czasem ludzie
przywiązują się do tych, którzy ich bronią. Może tak
to działa. Valentina ucałowała siostrę i poszła z Bertem
do swojego mieszkania w Tribeca. Jean-Pierre'a zamor-
dowano w jego mieszkaniu, jej apartament był dziewi-
czo czysty. Po południu Bert przyniósł trochę rzeczy,
bo poprosiła, żeby się do niej przeprowadził. Pierwsze
sprawy zostały załatwione, ale ich wspólne życie dopiero
się zaczynało. Sasha nadal kręciła głową, kiedy wyszli,
a Claire uśmiechnęła się do niej porozumiewawczo.

– Przynajmniej ma stałą pracę i nie pójdzie do
więzienia – powiedziała. To było więcej niż mogłaby powiedzieć o mężczyźnie, w którym się kochała.
Wyszedł za kaucją i według plotkarskich pism nadal
brylował w towarzystwie. Skądś miał pieniądze. Wróciła do pracy nad arkuszami, a Sasha pomogła Morgan
rozpakować zakupy. Myślała o Valentinie i Bercie. Jak
dobrze, że siostra wróciła.

Kiedy Abby wyjeżdżała na początku marca, ściskały
im się serca. Czuły się, jakby straciły nogę, ramię albo
jakąś inną ważną część ciała. Abby była nieodłączną
częścią stworzonej przez nie rodziny i od dziewięciu lat
mieszkała tutaj razem z Claire. Całymi dniami płakały
i były w dołku. Abby zamieszkała u rodziców w Los
Angeles, ale miała wynająć własne mieszkanie. Powiedziała, że wróci za rok, choć nikt jej nie uwierzył. Życie
w Hollywood pochłonie ją, szczególnie jeśli niezależna

produkcja filmowa Josha okaże się sukcesem, co było dość prawdopodobne.

Zabrała ze sobą Charliego i dom był jak wymarły. Tydzień później Sasha wróciła z pracy i w kuchni zastała płaczącą Morgan. Trudno było zgadnąć, dlaczego Morgan płacze – miała tyle powodów. Straciła pracę. Mogła już nigdy nie znaleźć innej, równie dobrej – przyszli pracodawcy mogli jej nie ufać, być może nikt nie będzie chciał jej zatrudnić. Została nieodwracalnie napiętnowana przez pracę u George'a, może na zawsze. A wszystkie tęskniły za Abby.

Sasha objęła ją i uściskała.

– Też za nią tęsknię – to tak, jakbym straciła małą siostrzyczkę. – Nawet podczas jej mąk z Ivanem była ciepłą, czułą istotą, która rozświetlała ich życie. A kiedy Morgan wpadła w depresję po stracie pracy, atmosfera w mieszkaniu była bardzo przygaszona. Morgan pokręciła głową i zaszlochała.

– Nie chodzi o Abby – zdołała wykrztusić.

– Znajdziesz inną pracę. – Wiedziała, że Morgan lubiła pracować z Maxem w jego restauracji, ale martwiła się o przyszłość swojej kariery zawodowej. Morgan znów pokręciła głową, a Sasha spojrzała na nią, zdumiona, że dziewczyna tak szlocha i nie daje się ukoić.

– Jestem w ciąży! – wyrzuciła z siebie Morgan i opadła na kuchenne krzesło ogarnięta przemożnym smutkiem.

– O mój Boże – powiedziała Sasha i usiadła obok niej. To się jeszcze nie zdarzyło żadnej z nich, były ostrożne i odpowiedzialne, a w obu łazienkach trzymały setki kondomów do użytku dla wszystkich. Były dorosłe i dbały o siebie. – Jak do tego doszło?

– Nie wiem. Brałam antybiotyk na zapalenie ucha – może to zniwelowało działanie pigułki, a może zapomniałam wziąć. Jestem w drugim miesiącu ciąży. – Popatrzyła rozpaczliwie na Sashę. – Po prostu wyliczyłam sobie i zrobiłam testy ciążowe. Mam spieprzone życie. Nie miałam okresu, kiedy zamykali biuro. Myślałam, że to tylko stres.

– Powiedziałaś Maxowi? – Morgan pokręciła głową. Była pewna, że to się zdarzyło, kiedy aresztowano George'a. Kochali się częściej niż zwykle, żeby się pocieszyć. Teraz wpadła w najgorszy ze swoich koszmarów. I nie miała pracy.

– Jeśli mu powiem, będzie chciał, żebym urodziła, a wie, że ja nie chcę dzieci. Zerwie ze mną, jeśli zdecyduję się na aborcję. Sash, ja zrobię aborcję. Nawet nie mogę mu powiedzieć. – I popatrzyła na nią z nadzieją. – A ty byś to zrobiła? – Morgan miała do niej całkowite zaufanie.

– Nie, ale mogę ci polecić kogoś, kto to zrobi, jeśli tego właśnie chcesz. Ale pewnie powiesz Maxowi. Wścieknie się jeszcze bardziej, jeśli dowie się po fakcie i będzie wiedział, że go okłamałaś.

– Wiem. Tak czy siak, spieprzyłam sprawę. Nie chcę mieć dziecka. Nie mogę. Dzieci mnie przerażają, zawsze mnie przerażały. W ogóle nie mam instynktu macierzyńskiego.

– Możesz zaskoczyć sama siebie – powiedziała łagodnie Sasha. – Pokochasz je, to pomaga.

Morgan była w stanie tylko płakać. Siedziała w kuchni, na krześle, a Sasha ją obejmowała. Morgan powiedziała, że to najgorsze, co zdarzyło się jej w życiu, a Sasha jej współczuła. Morgan była zdruzgotana. Max sam się domyślił, że jest w ciąży, skoro wymiotowała przez trzy dni z rzędu. Zapytał, a wyraz jej twarzy starczył za całą odpowiedź. Nie chciała kłamać i wypierać się. Wybuchła płaczem, kiedy ją zapytał.

– Dlaczego mi nie powiedziałaś? – zapytał z uśmiechem i objął ją. Był zachwycony.

– Ja go nie chcę – powiedziała głębokim, pełnym żalu głosem. – Zawsze ci mówiłam. Nie chcę dzieci.

– Planowanych, rozumiem. Ale to przypadek. Nie możesz po prostu zamieść sprawy pod dywan. To nasze dziecko. – Mówił to ze łzami w oczach, był wstrząśnięty jej zachowaniem. Zachowywała się jak zapędzone w kozi róg zwierzę, zdolna do wszystkiego, żeby przeżyć.

– To nie dziecko. To pomyłka, przypadek. Teraz to jeszcze nic takiego – mówiła spanikowana.

– To bzdura i ty o tym wiesz. Przy okazji, w którym miesiącu jesteś? – Był równie roztrzęsiony jak ona, ale z zupełnie innego powodu. On chciał tego dziecka, ona nie. On będzie walczył o jego życie, ona chce jego śmierci. Szykowała się walna bitwa.

– W drugim – odparła obojętnym tonem. – Będę miała aborcję – mówiąc to, patrzyła stalowym wzrokiem.

– Kiedy?

– Wkrótce.

– Po moim trupie. Sasha to zrobi?

– Odmówiła – odparła szczerze Morgan.

– Przynajmniej jeden przyzwoity człowiek w okolicy, chcę, żebyś wiedziała, że jeśli dokonasz aborcji, nigdy ci nie wybaczę, między nami koniec.

– Wiem – powiedziała cicho. Ale nie zmieniła zdania. Nie chciała, żeby to się stało w taki sposób. Nie chciała, żeby się dowiedział, bo przeczuwała, że tak się to może skończyć, na zawsze. To prawda, kiedy jej powiedział, że nigdy jej tego nie wybaczy. To było wbrew wszystkiemu, w co wierzył, chciał, żeby mieli dziecko, zawsze tego chciał... Wyszedł z mieszkania trzaskając drzwiami, nie został z nią na noc. Bitwa o jej niechcianą ciążę była początkiem końca, bez względu na to, kto ją wygra.

20

W<small>OJNA O PŁÓD W MACICY</small> M<small>ORGAN</small> rozgorzała z całą mocą.
Max nie chciał u niej spać i powiedział, żeby nie przycho-
dziła do restauracji, póki nie podejmie decyzji. W jego przekonaniu była tylko jedna słuszna decyzja, zachować dziecko. Nie było innego rozwiązania, które by zaakceptował.

W ogóle przestali się widywać, a Morgan nadal była pewna, że chce aborcji, ale jeszcze nie wyznaczyła
terminu, bo wiedziała, że gdy to zrobi, więcej nie zobaczy się z Maxem. Powiedział to poważnie, a ona mu
uwierzyła. Kochała jego, nie jego dziecko. Dla niego
były jednym i tym samym – zabrakło odcieni szarości
czy dobrych powodów do przeprowadzenia aborcji. Był
to jasny wybór, utrzymać ciążę albo nie utrzymać. Nie
chciała urodzić i oddać dziecka. Nawet ją prosił, żeby
urodziła i pozwoliła mu je wychowywać, nie chciała.
Wydawało się to jej jakieś pokrętne. Nie miała zamiaru
wydać dziecka na świat i porzucić go. Bardziej sensowne
byłoby zakończyć sprawę, zanim do tego dojdzie i ich
życie legnie w gruzach, ale to już się stało.

Próbowała ponowie wytłumaczyć, jaki ma do tego
stosunek, ale nie chciał słuchać. Chciał usłyszeć tylko
jedno, że zmieniła postanowienie. Już podjęła decyzję,
ale jeszcze jej nie zrealizowała.

– Wkrótce będziesz musiała coś zrobić – ostrzegała Sasha, nie chcąc jednak wywierać na nią nacisku. – Albo zachowaj, albo zakończ ciążę. Niedługo będzie trzeci miesiąc, potem nie pozwolą ci na aborcję.

– Wiem. Mam wrażenie, jakbym jednocześnie traciła jego i dziecko. – Sasha nie oponowała. Max rozmawiał z nią, był wzburzony, nie na tle religijnym czy moralnym, ale dlatego, że kochał Morgan i zawsze chciał mieć z nią dziecko. Doszedł do wniosku, że to jego jedyna szansa – Morgan nie pozwoli, żeby to się powtórzyło. Sasha uznała, że Max ma rację. Dla Morgan ciąża była ogromnym wstrząsem.

Przez trzy tygodnie nie ruszała się z domu z nadzieją, że Max zmieni zdanie, ale on nie chciał z nią rozmawiać. I nie odpowiedział na żaden z jej maili i SMS-ów, w których próbowała wyjaśnić mu swoje stanowisko.

– Jest kompletnym dupkiem – powiedziała do Sashy.

– Bez wątpienia jest twardy. Większość facetów nie chce dziecka. On chce.

– Woli stracić mnie niż dziecko – dodała Morgan. Zadzwonił nawet do adwokata i zajrzał do decyzji sądowych, żeby ją powstrzymać, bo to także jego dziecko. Ale ponieważ było w jej ciele, sądy nie ingerowałyby w sprawę. To ona miała prawo wyboru. Max tęsknił za nią, ale nie kapitulował. Powiedział jasno, jeśli Morgan dokona aborcji, z nimi koniec.

Teraz Morgan zrobiła się bardzo wrażliwa i przez cały czas płakała. Na decyzję zostało jej kilka dni. Sasha poszła z nią do lekarza, żeby ją wspierać, kiedy trzeba będzie podjąć ostateczną decyzję. Świadomość, że straci Maxa, jeśli zdecyduje się na aborcję, powstrzymywała ją. Ale chciała jego, nie dziecka.

U lekarza przeprowadzono rutynowe badanie ultrasonograficzne, trójwymiarowe, w kolorze. Pokazało się zdrowe dziecko. Miało silne serce, wszystko inne w doskonałym stanie. Kiedy Morgan je zobaczyła, rozpłakała się jeszcze bardziej i zaczęła rozmawiać z lekarką na temat aborcji. Powiedziała, że zadzwoni, żeby umówić wizytę na następny dzień, lekarka nie wywierała na nią nacisku w żaden sposób. Powiedziała, że jeśli Morgan tak postanowi, może ją zapisać na zabieg na następne popołudnie.

Po drodze do domu przez cały czas płakała. Była przekonana, że dziecko zniszczy jej życie. Pamiętała swoje okropne dzieciństwo, pijaną matkę i nieodpowiedzialnego ojca, który zdradzał żonę. Wiedli żałosne życie, póki młodo nie poumierali, pozbawieni radości z dzieci, a Morgan i jej bratu nic od siebie nie dając. Nie chciała uczestniczyć w takim koszmarze, który był dla niej bardziej realny niż dziecko w trzech wymiarach ultrasonografu.

Kiedy wróciły do mieszkania, wymiotowała, a potem poszła do łóżka. Teraz znów przez cały czas miała nudności, ale zdaniem Sashy chorowała, bo nic nie jadła, a to tylko pogarszało sprawę. Przez ostatnie trzy miesiące wiele przeszła, najpierw koniec kariery zawodowej, potem niechciana ciąża.

Sasha zbadała ją i poszła do pracy. Morgan leżała i płakała. Tego wieczora Sasha rozmawiała o niej z Alexem.

– Słowo daję, uważam, że nie powinna mieć tego dziecka – powiedziała.

– Jest w strasznym szoku. Nikt, kto tak bardzo nie chce dzieci, nie powinien ich rodzić.

– To dlaczego nie zrobiła aborcji?

– Nie chce stracić Maxa, a straci go, jeśli to zrobi. Zaproponował, że sam będzie je wychowywał, jeśli Morgan urodzi, ale ona nie chce.

– Jakieś wariactwo – powiedział Alex, było mu żal ich obojga.

– Tak, wariactwo. Dla niektórych mieć dziecko to niełatwa sprawa. Dla innych obsesja. Ciąża wiąże się z mnóstwem innych spraw. To dobrze, jeśli jest miła, prosta i bezproblemowa, ale nie zawsze tak bywa. – To była jedna z najbardziej skomplikowanych sytuacji, jakie widziała. Morgan była tak zrozpaczona, rozdarta między dwoma możliwościami, że Sasha obawiała się u niej myśli samobójczych. W którą stronę by się nie obróciła, ogarniał ją strach. Sasha próbowała powiedzieć o tym Maxowi już wcześniej, kiedy wpadła do restauracji napić się z nim kawy, ale on nie chciał tego słuchać. Dla niego sprawa była prosta. Jest dziecko i są razem albo aborcja i rozstanie.

– To nie takie łatwe – tłumaczyła Sasha.

– Dla mnie łatwe. – I na tym skończył rozmowę.

Ostateczny termin aborcji upływał w najbliższy poniedziałek, a Sasha i Alex jechali na weekend do Atlanty na spotkanie z rodzicami Sashy. Nie tęskniła za tym i wolałaby zostać w domu, żeby dotrzymać Morgan towarzystwa, ale nie mogli odłożyć spotkania. Przez dwa miesiące nie mieli kolejnego wolnego weekendu, a ślub był za trzy, tak więc w piątkowy wieczór polecieli do Atlanty. Ojciec Sashy zapraszał ich do siebie, ale że chcieli mieć trochę czasu dla siebie, żeby odetchnąć od walczących ze sobą rodziców, zatrzymali się w hotelu.

Wieczorem zjedli kolację w restauracji, która podobała się matce Sashy. Matka przyglądała się Alexowi jak posiadłości na sprzedaż i zadawała mu tysiące pytań o rodziców, a szczególnie o praktykę prawniczą jego matki. Sprawdziła ją w Internecie, była pod wrażeniem, ale nie zdradziła się z tym.

– Wiesz, że nie wierzę w małżeństwo, prawda? – zapytała go. Skinął głową. Zniechęcała go do siebie, nawet bardziej niż zniechęcała. Pomyślał, że to największy twardziel, jakiego w życiu spotkał.

– Tak, wiem, proszę pani – powiedział uprzejmie.

– Muriel. Współcześnie sześćdziesiąt procent małżeństw kończy się rozwodem. Po co robić sobie kłopot? Traci się własność, traci się dochód, płaci się alimenty. Beznadziejna inwestycja. Mniej pieniędzy traci się w Las Vegas przy grze w oczko. Tam przynajmniej ma się przyzwoite szanse, jeśli się trafi na dobre rozdanie. W małżeństwie, nawet jeśli masz dobre rozdanie, to i tak wcześniej czy później, skończy się inaczej niż planowałeś. Przestaniecie uprawiać seks. Na początku wszystko wygląda podniecająco i romantycznie, ale to się kończy. Posłuchaj mojej rady – mieszkajcie razem, nie miejcie wspólnych pieniędzy i nie marnujcie ich na ślub. Albo dobrze, wyrzuć życie przez okno i ożeń się. Wierz mi, pewnego dnia podziękujesz mi za najlepszą radę, jaką w życiu dostałeś. Codziennie słyszę nieprzyjemne historie.

– Może dlatego, że te przyjemne nie kończą się przed adwokatem od rozwodów – powiedział z uporem Alex. – Między moimi rodzicami panują dobre stosunki, a są małżeństwem od trzydziestu ośmiu lat.

– To przypadek. Tak jak bliźniaki. Rzadko się zdarza. A może nie wiesz, jaka jest prawda. Mnóstwo rodziców ją ukrywa.

– Nie, myślę, że naprawdę się kochają. – Takiego życia spodziewał się z Sashą. Muriel Hartman wzruszyła ramionami, żeby było jasne, że w to nie wierzy. Na swój sposób była kobietą atrakcyjną, ale nie widział dotąd równie złośliwych, wściekłych oczu, a twarz miała pokrytą głębokimi zmarszczkami.

Sasha chciała jak najszybciej wyjść z restauracji i zaproponowała brunch w niedzielę przed odlotem. Matka odparła, że gra w golfa z przyjaciółkami, które były sędziami i nie zdąży.

– Zakładam, że jutro spotykacie się z twoim ojcem i jego głupią żoną – powiedziała chłodno.

– Tak, spotykamy się – odparła Sasha przez zaciśnięte zęby.

– Bawcie się dobrze – rzuciła sarkastycznie matka. – Do zobaczenia na ślubie – rzekła do Alexa niezręcznie, bez odrobiny czułości uściskała córkę, wsiadła do jaguara i odjechała. Alex wyglądał, jakby miał upaść na chodnik.

– Ależ to twardziel – powiedział, patrząc na Sashę. – Jak z nią wytrzymywałaś, kiedy byłaś w domu?

– Przed rozwodem nie była taka zła. Długo byli nieszczęśliwi, ale trzymali to w tajemnicy. Potem on ją zostawił, a ona zamieniła się w wiedźmę z Czarodzieja z Oz, taką z zieloną twarzą. Dzięki Bogu, wtedy wyniosłam się już z domu. Ciągle obmawiała ojca, odkąd ją opuścił. Jej ego było posiniaczone. A kiedy spotkał Charlotte, kobietę, która do tej pory jest jego żoną, matka oszalała. Nigdy mu nie wybaczyła, że rozpoczął nowe życie i jest szczęśliwy z inną, tym bardziej że Charlotte jest znacznie młodsza i piękna. Moja matka wścieka się, że ma z nią dzieci. Teraz nienawidzi każdego. Nie wiem, jak wytrzymują z nią jej klienci. Trzeba naprawdę nienawidzić mężczyzny, z którym bierze się rozwód, żeby ją wynająć. Ona ich zabija. Moja siostra twierdzi, że matka kiedyś była człowiekiem. Ja tego nie pamiętam. Z Valentiną miała lepszy kontakt. Matka i ja po prostu już się nie widujemy. – Sasha wyglądała na zmęczoną. Objął ją ramieniem. – Z twoimi rodzicami na pewno jest inaczej. W porównaniu z moimi są jak rodzina z serialu telewizyjnego. Moi to horror. Ja już nie chcę wracać do domu. To po prostu zbyt trudne. A Valentina nienawidzi ojca. Uważa, że zmienił matkę w to, czym jest, bo ją opuścił i mówi, że jego żona to idiotka. Jest głupia, ale go kocha, jest taka, jakiej chciał i naprawdę mnóstwo w niej słodyczy. Nie jesteśmy najlepszymi przyjaciółkami, ale lubię ją. Ojciec próbował pogodzić się z matką, ale nie chciała. – Muriel Hartman była zła na cały świat.

– Utrudnia tylko sprawę – powiedział Alex, kiedy pieszo wracali do hotelu. Atlanta była piękna, ale nie mieli czasu na zwiedzanie, a Sasha za każdym razem, kiedy wracała do Atlanty, chciała jak najszybciej opuścić miasto. Nigdy nie odwiedzała starych przyjaciółek. Matka zniszczyła wszystko.

Następnego dnia, w klubie pod miastem, spotkali się z ojcem Sashy i zjedli lunch. Steve Hartman był przystojnym mężczyzną i trudno było sobie wyobrazić, że był z Muriel chociaż przez dzień, nie mówiąc o dwudziestu sześciu latach, które spędzili jako małżeństwo, zanim ją opuścił. Nie był inteligentem ani intelektualistą, ale zdolnym biznesmenem, któremu świetnie się powodziło. Nie był równie bystry czy przebiegły jak matka Sashy, ale był człowiekiem uprzejmym i ciepłym. Spodobał się Alexowi.

Po lunchu pojechali za nim do Buckhead, bardzo drogiej dzielnicy willowej Atlanty, gdzie mieszkał. Miał ogromny dom, raczej posiadłość z kortem tenisowym i basenem olimpijskich rozmiarów. Wzdłuż podjazdu stały piękne, stare drzewa. Wszystko w stylu Południa. Na trawniku stała boso urocza młoda kobieta, uśmiechała się i machała, kiedy się zbliżali. Były z nią dwie śliczne dziewczynki. Steve nie posiadał się z zachwytu, podrzucał dzieci, całował żonę. Ledwie Alex i Sasha wysiedli z wypożyczonego samochodu, Sasha zobaczyła na horyzoncie problem, wielki problem. Charlotte znów była w ciąży, o czym ojciec nie powiedział. Na weselu, kiedy Muriel to zobaczy, pęknie z zazdrości. Będzie to kolejny dowód, że Steve żyje w szczęśliwym związku z kimś innym. Po urodzeniu bliźniaków matka Sashy nie chciała już dzieci, chociaż ojciec bardzo ich pragnął. Teraz je miał. Muriel mu nie wybaczy, że żyje szczęśliwie i to bez niej.

– Gratulacje – powiedziała Sasha, ściskając Charlotte. Pokazała na jej okrągły brzuch pod piękną letnią sukienką. – To wspaniale.

– O tak – zgodził się ojciec Sashy, uśmiechając się promiennie do żony. Miała trzydzieści lat, jak powiedziała Alexowi Sasha, była dwa lata młodsza od niej. Kiedy Steve ją poślubił, miała dwadzieścia trzy lata, co nie bardzo spodobało się jego córkom i byłej żonie, ale teraz nie miało to już dla Sashy znaczenia. Valentina uważała, że to obleśne, mimo że teraz robiła to samo z Bertem, który był od niej młodszy, chociaż nie tak bardzo. Różnica wieku między ich ojcem a Charlotte wynosiła prawie trzydzieści lat. I co z tego, skoro żyli szczęśliwie?

– Kiedy rozwiązanie? – zapytała Sasha, modląc się, żeby to było przed ślubem.

– W sierpniu – powiedziała Charlotte południowym akcentem, który zawsze irytował Valentinę. Poród w sierpniu oznaczał, że podczas ślubu Charlotte będzie w siódmym miesiącu – obraz tryumfalnego macierzyństwa u boku ojca Sashy. Sasha niemal jęknęła, kiedy to usłyszała.

– Będziesz w stanie przyjechać do Nowego Jorku na ślub? – zapytała z fałszywym uśmiechem.

– Mój lekarz mówi, że mogę podróżować do ósmego miesiąca. Obie dziewczynki urodziły się z opóźnieniem. – Sasha skinęła głową, chociaż serce w niej zamarło. Kolejny problem związany ze ślubem. „I tak dochodzimy do kaplicy Elvisa", pomyślała.

Siedzieli nad basenem, a pokojówka podała im lemoniadę, mrożoną herbatę i ciasteczka cytrynowe. Ojciec zaproponował Alexowi miętówkę z lodem albo likier Pimma, jednak Alex odmówił i poprzestał na lemoniadzie. Była wyśmienita. Kiedy tak gawędzili, dziewczynki pływały. Przyszła niania, żeby je wytrzeć. Matka Sashy też korzystała z pomocy do niej i do Valentiny, kiedy prowadziła kancelarię adwokacką, ale było to bardziej dorywcze, mniej sformalizowane – młode kobiety z okolicy, *babysitterki* licealistki albo panie z zagranicy. Niania u Steve'a i Charlotte była Angielką, po kursach, niezwykle uprzejmą, podobnie jak dzieci, które włazyły na Sashę i nazywały ją swoją wielką siostrą. Sasha droczyła się z nimi i goniła je po trawniku. Dzieci były śliczne i miały cudowne życie. Ich matka nie pracowała, rzuciła karierę modelki, żeby wyjść za Steve'a i nigdy tego nie żałowała. Jej życie polegało na zakupach, wizytach u kosmetyczki, czasem dobroczynności i lunchach z przyjaciółkami.

Ojciec Sashy zapytał Alexa, jak mu idzie staż. Rozmawiali aż do kolacji. Potem zjedli wczesny posiłek w altanie w ogrodzie. Odjechali o ósmej, a Sasha chciała teraz tylko jednego, wrócić do Nowego Jorku. To było zupełnie coś innego niż ich podróż do Chicago, na spotkanie z rodzicami Alexa. Tam naprawdę dobrze się bawili. W jego rodzinie wszyscy mieli coś wspólnego z zawodem lekarskim, a matka Alexa była najsympatyczniejszą kobietą, jaką Sasha spotkała, naprawdę troszczyła się o nią.

– Dziękuję, że tak dobrze to zniosłeś. Moi rodzice mnie męczą. – Oparła głowę o fotel, po drodze do hotelu wyglądała na wykończoną.

– Masz miłego ojca – powiedział szczerze. Co do matki mieli wspólne zdanie, wszystko na jej temat powiedzieli sobie poprzedniego wieczoru. Ojciec Sashy i Charlotte wyglądali, jakby wyjęto ich z filmu o południowcach, dla niej wręcz nierealnie. Nigdy nie byli zmęczeni, brudni, nie bałaganili, nie przeklinali, nie rozmawiali o problemach albo sprawach, które miały dla niej znaczenie. Wszystko to było bardzo powierzchowne.

– Moja matka dostanie apopleksji, kiedy na ślubie zobaczy, że Charlotte znów jest w ciąży, chociaż powinna się już do tego przyzwyczaić. Rozwiedli się prawie osiem lat temu. Myślę, że będzie wkurzona aż do śmierci, a przecież nie chciała być jego żoną. Oboje byli nieszczęśliwi. Chyba o tym zapomniała.

– Może to duma. Charlotte jest młodsza od ciebie i ładna jak cholera. To tylko pogarsza sprawę – powiedział rozsądnie Alex.

– Tak, taka jest. – Sasha westchnęła. Było za późno, żeby złapać wieczorny lot, zamieniła go na wczesny lot następnego dnia rano. O ósmej wymeldowali się z hotelu i o pierwszej byli w Nowym Jorku. Miała ochotę ucałować ziemię.

– Hm, mamy to za sobą – powiedziała, kiedy złapali taksówkę na lotnisku. – Nie będziemy musieli się z nimi spotykać aż do ślubu. Jesteś już gotowy, żeby się wycofać? – zapytała. Oboje się roześmieli.

– Oczywiście, że nie. Tylko nigdy nie zostawiaj mnie samego ze swoją matką. Wystraszy mnie na śmierć.

– Nie martw się, nie zostawię cię samego. Obiecuję. Ty mnie też z nią samej nie zostawiaj. – Zgodził się.

Wrócili do mieszkania, żeby zostawić rzeczy. Nikogo nie było, nawet Morgan, która ostatnio prawie nie wychodziła. Sasha miała nadzieję, że to dobry znak.

Właśnie wtedy Morgan siedziała nad rzeką i rozmyślała o swoim życiu. Nie chciała dziecka, ale czuła się za nie odpowiedzialna. To nie jego wina, że zaszła w ciążę. Podjęła decyzję. Urodzi je. Ale od Maxa odchodzi. Fakt, że chciał ją opuścić, jeśli nie urodzi dziecka, uświadomił jej wszystko, co chciała wiedzieć. Nie chciała, żeby jej pragnął ze względu na dziecko. A skoro nie chciał z nią być bez względu na jej decyzję, to nie kochał jej naprawdę. Może uzyskać prawo do odwiedzin u dziecka, a nawet wspólne prawa rodzicielskie, gdyby tego chciał. Ale jej nie będzie miał. Zniszczył ten związek.

Napisała do niego list i wysłała pocztą. Nie wróci do restauracji, nie chce go widzieć. Między nimi wszystko skończone. Da mu znać w listopadzie, kiedy dziecko się urodzi, skoro tylko na tym mu zależało. Potem poszła na długi spacer. Sama.

21

Morgan wytrwała przy postanowieniu w sprawie Maxa i dziecka. Jęknął, kiedy otrzymał list, próbował się do niej dodzwonić, ale nie odbierała. Kazała podrzucić do restauracji resztę jego ubrań. Od jego ultimatum nie rozmawiali przez cztery tygodnie, teraz sytuacja się odwróciła. Morgan nie chciała z nim rozmawiać. Max był bezsilny, nie miał z nią kontaktu. Zamknęła drzwi i nie miała zamiaru ich otwierać. Wreszcie zrozpaczony Max zadzwonił do Sashy.

– Musicie ze sobą porozmawiać – zauważyła rozsądnie Sasha.

– Ona myśli, że nie kocham jej, tylko dziecko. – Groźba, że rzuci Morgan, gdyby dokonała aborcji, zbyt mocno ją dotknęła. – Chcę tego dziecka, bo ją kocham, ono nie jest zamiast niej.

– Teraz ona bardzo to przeżywa – powiedziała Sasha.

– Nie chce się ze mną widzieć.

– A ty nie chciałeś się z nią widzieć przez cztery tygodnie.

– Chciałem ją zmusić, żeby zachowała ciążę. Nie próbowałem z nią zerwać.

– Mówiłeś, że nie chcesz jej więcej widzieć, jeśli dokona aborcji. A teraz ona utrzymała ciążę, ale nie chce się z tobą widzieć.

– Sash, co mam zrobić? To katastrofa.

– Wiem. Może czas to uleczy.

– Chcę z nią być, chcę jej pomóc. To nasze dziecko, a ja ją kocham.

– Całe to zamieszanie z jej pracą, a teraz ta sprawa, to chyba dla niej za dużo – stwierdziła Sasha ze smutkiem. Morgan zachowywała się w domu bardzo spokojnie, dużo spała, codziennie chodziła na długi spacer. Fizycznie czuła się lepiej, ale Sasha widziała, że jest przygnębiona. Podczas wspólnych sobotnich kolacji, które teraz przygotowywał Oliver, była bardzo cicha. Dziwnie tu było bez Abby i Maxa.

Morgan uznała, że później powie wszystkim o dziecku, kiedy ciąża będzie już widoczna. Powiedziała tylko bratu. Oliver i Greg byli zachwyceni, obiecali, że tego nie rozgłoszą. Morgan nie była w nastroju, żeby uczcić ciążę. Opłakiwała swoje życie, Maxa, karierę zawodową. Dzwoniła do *headhuntera*, pytała o krótkoterminową pracę, na cztery, pięć miesięcy, ale na razie nic się nie pojawiło.

Kazała adwokatowi skontaktować się z Maxem i przedstawić mu warunki ugody w sprawie widywania się z dzieckiem, a później propozycję negocjacji co do wspólnej opieki. Max myślał, że to żart, kiedy przeczytał o tym w liście. Mało nie zemdlał, gdy zrozumiał, że może z nią rozmawiać wyłącznie za pośrednictwem jej adwokata. Nie wygłupiała się. W liście było napisane, że Morgan nie zna płci dziecka i nie chce znać, a on dowie się o tym, gdy dziecko przyjdzie na świat. Łzy spływały mu po twarzy, kiedy to czytał. Morgan zniknęła z jego życia, chociaż miała zostać matką jego dziecka.

Max rozmawiał także z Oliverem, który powiedział, że jego siostra to najbardziej zawzięta kobieta na świecie. Dodał, że wpadła w depresję i stanowczo nie chce kontaktów z Maxem. Jedyne, co Max mógł teraz zrobić, to czekać, aż dziecko się urodzi. Może wtedy Morgan złagodnieje, ale zostało jeszcze ponad pięć miesięcy. Dla Maxa to była wieczność. Nie był w stanie skoncentrować się na pracy, zrobił się wybuchowy wobec pracowników, za każdym razem, kiedy gotował, przypalał jedzenie. Wpadł w obsesję na tle Morgan i dziecka. Nadal miał klucz do jej mieszkania, ale nie śmiał go użyć, żeby się z nią zobaczyć. Gdyby to zrobił, pewnie wezwałaby policję i kazała go zatrzymać. Teraz wiedział, że byłaby do tego zdolna. Jeśli chodzi o Morgan nie było odwrotu. Jej związek z Maxem zakończył się, a Max zrozumiał tę informację, głośną i wyraźną.

Próbne egzemplarze butów dla Claire przybyły z Włoch w pierwszym tygodniu kwietnia. Były wspaniałe. Krzyknęła, kiedy je zobaczyła, tańczyła po pokoju, a matka się śmiała. Przybyły w samą porę na targi w Las Vegas. Claire wynajęła asystentkę, żeby z nimi pojechała, a po powrocie będzie dla nich przez jakiś czas pracowała w Nowym Jorku. Jej współlokatorki przez cały czas cierpliwie potykały się o pudła i próbki znoszone do mieszkania. Za zgodą Sashy i Morgan Claire zamieniła sypialnię Abby w składzik i razem z matką sypiały w jej pokoju. Kolejne pudła trafiły do salonu. Na popołudnie zatrudniła modelkę, żeby sprawdzić, jak noszą się jej buty. Modelka powiedziała, że świetnie się w nich chodzi, a szpilki mają odpowiednią wysokość. Claire aż drżała z podniecenia, kiedy wsiadały do samolotu do Las Vegas. Zamieszkały w hotelu MGM Grand, ale Claire, matka i asystentka większość czasu spędzały w centrum wystawowym. Wystawiły wszystkie egzemplarze na atrakcyjnym stoisku. Przyszło do nich sporo detalistów, żeby sprawdzić towar, byli też reprezentanci sieci kilku domów towarowych. Pytali ją o wzory i linie, dostępność, proponowaną cenę, możliwości transportowe oraz liczbę egzemplarzy, co było ważne dla wielkich sklepów. Póki nie zaczną produkcji na większą skalę, Claire była w stanie zaspokoić popyt w jednym sklepie, ale nie w dziesięciu sieciach. To był dopiero pierwszy sezon. Ale wszyscy pozytywnie zareagowali na ich wzory. Handlowcom bardzo się spodobały buty projektowane przez Claire.

Na drugi dzień Claire po drugiej stronie sali zauważyła Waltera. Podszedł do nich powoli, próbował zachowywać się nonszalancko, jednocześnie łypiąc okiem na buty ze stoiska. Claire o mało się nie roześmiała, pokazała go Claudii i matce. Potem Walter zwrócił się wprost do niej.

– Czyje buty teraz sprzedajesz? – zapytał kłótliwym tonem. Uśmiechnęła się i wskazała logo, które sama opracowała: Claire Kelly Designs. Opadła mu szczęka. – Gdzie kazałaś je zrobić? – zapytał.

– We Włoszech – tylko tyle mu powiedziała i odwróciła się do handlowca, który przyszedł do niej po raz drugi, tym razem, żeby złożyć zamówienie. Chwilę potem Walter chyłkiem uciekł.

Do końca wystawy zebrała sporo bardzo przyzwoitych zamówień, tyle, żeby rozpocząć biznes i mieć co robić przez sezon. Claire, jej matka i młoda asystentka promieniały. Wszystkie trzy przybiły sobie piątkę.

Dziewczyna była bardzo pomocna podczas pokazu i Claire postanowiła ją zatrudnić. Pokaz był wspaniałym przeżyciem. Claire Kelly Designs znalazły się na fali, jesienią ich buty pojawią się w niektórych z najlepszych domów towarowych w kraju.

– Dziękuję, mamo – powiedziała Claire, kiedy zwijały stoisko. – Nigdy nie spłacę długu wobec ciebie. – Sarah tylko się uśmiechnęła i uściskała córkę. Po to właśnie przyjechała do Nowego Jorku. Była zachwycona, że razem zaczęły robić interesy. Claire też była z tego zadowolona. Wiedziała, że zawsze będzie wdzięczna matce za szansę, którą jej dała.

W początku maja Morgan w czwartym miesiącu ciąży miała już problem z ukryciem swojego stanu. Nadal nic nie powiedziała Claire i innym. Wiedziała tylko Sasha, Oliver i jego partner. Morgan wstydziła się mówić o tym matce Claire. Wszyscy wiedzieli, że zerwała z Maxem, ale Morgan nie chciała mówić o szczegółach ani dlaczego do tego doszło. Nie rozmawiała z Maxem od dwóch miesięcy. Wreszcie Max nie wytrzymał, pewnego dnia rano usiadł na frontowych schodach budynku i czekał na Morgan. Wiedział, że wyjdzie wcześniej czy później. Czekał godzinę, wreszcie wyszła, wybierała się na pilates dla ciężarnych. Była ładna, wysportowana, szczupła, bardzo mało przybrała na wadze, tylko twarz miała trochę pełniejszą.

Przestraszyła się, kiedy go zobaczyła, chciała wrócić, ale ją zatrzymał.

– Morgan, to jest obłąkane, porozmawiaj ze mną – błagał. Wyglądał jak szaleniec. Od dwóch miesięcy nie myślał o niczym i nikim innym.

– Dlaczego? Nie mamy już sobie nic do powiedzenia. Skończone. – Była zimna jak lód.

– Nie, to dopiero początek – powiedział, wskazując jej brzuch. – Tak nie musi być. Nie chciałem, żebyś dokonała aborcji, bo cię kocham i chciałem, żebyś urodziła nasze dziecko.

– Nie, nie kochałeś mnie. Powiedziałeś, że ode mnie odejdziesz, jeśli nie utrzymam ciąży. Chciałeś dziecka. Będziesz mógł je odwiedzać. Zostaw mnie w spokoju. – Mówiła silnym, gniewnym głosem, była bardzo urażona. – Nie miałeś szacunku ani dla tego, czego chciałam, ani dla mojego prawa do podejmowania decyzji.

– Byłem zrozpaczony. Tak naprawdę nie zostawiłbym cię. – Wyglądał na człowieka pełnego wyrzutów sumienia.

– Nie rozmawiałeś ze mną przez trzy tygodnie, kiedy potrzebowałam twojego wsparcia, groziłeś, że mnie porzucisz.

– Myliłem się. – A potem zapytał o to, o czym rozmyślał od miesiąca. – Dlaczego utrzymałaś ciążę?

– Uznałam, że byłoby błędem jej nie utrzymać. To nasza pomyłka, nie pomyłka dziecka. Postanowiłam wziąć na siebie odpowiedzialność.

– Czy jesteś z tym szczęśliwa? – zapytał smutno.

– Nie – odparła szczerze. Nigdy go nie okłamywała. – Niby dlaczego? Chciałam ciebie, nie dziecka. Nigdy nie miałam co do tego wątpliwości. Teraz straciłam ciebie i zostałam z dzieckiem, którego nie chciałam. – Ale i tak postąpiła słusznie. Taka już była. To nie wina dziecka. To ich wina.

– Nie straciłaś mnie – powiedział żałośnie. – Nie możesz mnie stracić, nawet jeśli już mnie nie chcesz. – Nie odpowiedziała. Zobaczył, że jej oczy napełniają się łzami, odwróciła się. Objął ją. – Przepraszam, że tak koszmarnie wszystko schrzaniłem. – Teraz zdał sobie sprawę, że powinien jej pozwolić na aborcję. Zawsze mu mówiła, że nie chce mieć dzieci i nie zmieniła zdania nawet w ciąży. – Przepraszam. To wszystko było okropną pomyłką. Co mogę zrobić, żeby ją naprawić? – Był naprawdę zrozpaczony.

– Nic. Z nami koniec i zostaliśmy z dzieckiem, którego żadne z nas nie chciało i którego nie powinno być.

– Wydaje mi się, że wiele dzieci zostaje w ten sposób poczęte, dopiero później zaczyna się je kochać.

– Może – odparła, ale nie kochała tego dziecka i nie spodziewała się, że je pokocha. Wykona swój obowiązek, ale nikt jej nie zmusi, żeby chciała tego dziecka. On próbował tego dokonać i jego wysiłki poszły na marne. Ale to ona sama podjęła decyzję, żeby je urodzić. Wiedziała, że nie może go o to winić. – Dziękuję, że wpadłeś – rzuciła krótko i próbowała przejść obok niego po schodach, ale ją zatrzymał. Wyglądał na równie upartego jak ona.

– Nie odejdę, póki nie zgodzisz się przynajmniej spróbować, czy możemy ze sobą być. Dajmy sobie szansę. Jeśli mnie nienawidzisz, odejdę.

– Nie chodzi o nienawiść – powiedziała, zmęczona i rozczarowana. – Już sama nie wiem, co czuję.

– To początek. Morgan, proszę, proszę, daj mi drugą szansę. – Nie odpowiedziała, tylko patrzyła na niego. Poczuła dziwne ściskanie w głębi brzucha i skrzywiła się.

– Co to było?

– Może dziecko. – Odwróciła się, żeby wejść na górę. Ruszył za nią, zaniepokojony, że ją zdenerwował.

Wspięli się po schodach. Poszła do łazienki, a kiedy wyszła, była blada jak śmierć. – Krwawię – szepnęła wystraszonym głosem.

– Jedźmy do szpitala. Nie zostawię cię. – Nie chciała, żeby z nią został, ale się nie kłóciła. Pomyślała, że to może poronienie, które stałoby się prostym rozwiązaniem ich problemów, ale teraz już nie chciała, żeby tak się to skończyło.

Zeszli razem po schodach, na ulicy dwa razy się zatrzymywała, bo czuła skurcze i wilgoć między nogami. Zatrzymał taksówkę, pomógł jej wsiąść. Po drodze do szpitala trzymał ją za rękę. Morgan zadzwoniła z taksówki do Sashy. Sasha miała dyżur, wskazała Morgan, dokąd ma pójść i obiecała, że tam się z nią spotka.

Czekała na nich, kiedy dotarli do szpitala, zaprowadziła Morgan do izby przyjęć i zapytała, czy chce, żeby zbadał ją ktoś inny. Morgan odparła, że chce, żeby zrobiła to Sasha. Ufała jej bardziej niż komukolwiek. Kiedy Sasha zaczęła ją ostrożnie badać, Morgan rozpłakała się.

– To dlatego, że go nie chciałam – powiedziała cicho. – Bóg mnie karze.

– Nie, On cię nie karze. Takie rzeczy się zdarzają. – Sasha stwierdziła, że jest krwawienie, ale niewielkie.

– Zrobimy ultrasonograf i zobaczymy, co się dzieje – powiedziała łagodnie, ściągając rękawiczkę. Morgan nadal płakała. Czuła, jak dziecko się porusza – zaczęło kilka dni temu. – Było dziwnie, jakby całe zdenerwowanie przeszło jej do brzucha.

Sasha posadziła ją na wózku i pojechała z nią korytarzem. Za nimi szedł zaniepokojony Max.

– Co się dzieje? – zapytał.

– Jeszcze nie wiemy – odparła Sasha.

Natychmiast wzięli ją na badanie. Max czekał na zewnątrz. Technik przesunął pręt nad twardym brzuchem Morgan. Na ekranie zobaczyli dziecko, ruszało się, wyglądało na spokojne, potem zaczęło ssać palec u nogi. Technik powiedział, że to wygląda na skrzep, ale niewielki.

– To się czasem zdarza – wyjaśniła Sasha. – Może powodować krwawienie. Prawdopodobnie samo się wchłonie. Dziecko mogło to wywołać kopaniem.

– Czy to przeze mnie? Codziennie chodzę na pilates, żeby utrzymać formę – zapytała Morgan z poczuciem winy.

– Daj sobie z tym spokój na tydzień, dwa i nie przejmuj się. Niech skrzep sam się rozpuści. Dziecko od tego nie ucierpi. – Morgan zamknęła oczy i zaczęła szlochać.

– Myślałam, że je zabiłam, bo go nie chciałam.

– Jak się teraz czujesz? – zapytała łagodnie Sasha.

– Boję się. Ale nie chcę go stracić. – Sasha pokiwała głową z uśmiechem.

– Masz rację. Chcesz, żeby Max je zobaczył? – zapytała ostrożnie. Zaskoczyło ją, że widzi ich razem. Morgan skinęła głową, a Sasha wyszła, żeby go sprowadzić. Przełączyli obraz na większy, jaśniejszy ekran 3D, żeby mógł się lepiej przyjrzeć. Dziecko nadal ssało palec u nogi, kiedy wszedł Max. Ledwie spojrzał na ekran, rozpłakał się, pochylił i pocałował Morgan.

– Tak bardzo cię kocham. Przepraszam, że byłem takim palantem.

– Ja też – powiedziała, uśmiechając się do niego przez łzy. – Nie chcę stracić dziecka. – Wydawało się jej, że powinna to mówić wszystkim, żeby do tego nie doszło. Nadal tak mogło się zdarzyć, ale Sasha nie wyglądała na zaniepokojoną.

– Chcecie poznać jego płeć? – zapytała. Oboje jednocześnie kiwnęli głowami i roześmiali się, trzymając się za ręce. Max jeszcze nigdy nie widział czegoś tak pięknego, jak ukochana kobieta i dziecko w jej wnętrzu. Przyglądali się obrazowi. Sasha pokazała punkt na ekranie i uśmiechnęła się. – To chłopiec. – Max znowu pocałował Morgan, która odpowiedziała czułym uśmiechem. Wyglądali jak wniebowzięci rodzice, a nie dwoje ludzi, którzy ze sobą zerwali i nie rozmawiali od dwóch miesięcy. Sasha też się cieszyła razem z nimi.

Potem Morgan ubrała się, a Sasha powiedziała, że może wracać do domu. Powinna odpocząć.

– Żadnego pilatesu przez dwa tygodnie. I proszę, nie nadrabiajcie zaległości w seksie przez dwa tygodnie. – Wręczyła im dwa egzemplarze zdjęcia dziecka. Podziękowali i wyszli oszołomieni ze szpitala.

W ciągu paru godzin wszystko całkowicie się odwróciło. Max wrócił, a Morgan dała sobie radę z traumą i rozłąką. Resztę dnia spędzili razem w domu. Czuli się swobodnie, ale potem Max coś sobie przypomniał.

– Wrócisz do pracy w restauracji? Odkąd odeszłaś, w księgach mam bałagan. – Obejmował ją ramieniem. Roześmiała się.

– Naprawdę tylko o to ci chodzi? – drażniła się.

– Tak, dziecko to atrakcja dodatkowa. Potrzebuję cię do pomocy przy liście płac i przy kasie fiskalnej.

Pocałowali się. Sprawy wyglądały lepiej, ale Morgan odsunęła się od niego z poważnym wyrazem twarzy.

– Jednak nie wyjdę za ciebie za mąż. To by wszystko zniszczyło. Możemy mieć dziecko, ale nie chcę mieć męża.

– Jesteś piekielnie trudną kobietą – powiedział dobrodusznie. – Możemy żyć ze sobą?

– Tak. Ale nie jako małżeństwo. To zabiłoby romantyzm w naszym związku. – Dla niej małżeństwo było koszmarem, takim jak małżeństwo jej rodziców.

– Jesteś szalona, ale cię kocham. A po dziesiątym dziecku się pobierzemy? Uwielbiam duże irlandzkie rodziny.

– Dobrze, ale dopiero po dziesiątym. Wtedy się zastanowię. – Kiedy tak żartowali, dotarło do niej, że będą musieli się przeprowadzić. Nie będą mogli zamieszkać z dzieckiem w lofcie. W mieszkaniu zostanie tylko Claire. Morgan zamierzała zostać w lofcie z dzieckiem i Claire. Po odejściu Abby zrobiło się więcej miejsca, a Sasha miała się wyprowadzić w czerwcu. Ale dla Claire Max i dziecko to było za dużo. Poza tym jako rodzina potrzebowali własnego domu.

Wkrótce Claire i jej matka wróciły ze spotkania w domu towarowym Bergdorfa. Wyglądały na zadowolone. Claire była zaskoczona, widząc Maxa, tak jak wcześniej Sasha.

– Będziemy mieli dziecko – wyrzuciła z siebie Morgan. Uśmiechnęła się. Nagle stało się to faktem.

– Chłopca – dodał Max.

– Ale się nie pobierzemy – oznajmiła Morgan.

– To zabiłoby romantyzm w naszym związku. – Max powtórzył słowa Morgan i wszyscy wybuchnęli śmiechem.

– Gratulacje. – Claire nadal była zaskoczona. – Kiedy masz termin?

– W październiku. – Claire dopowiedziała sobie resztę. Będą musieli się wyprowadzić, a ona z matką będą miały loft dla siebie. Tu zajmie się interesami. Teraz mogła sobie pozwolić na czynsz, ale będzie tęsknić za przyjaciółkami i wszystko stało się tak nagle. Może za rok wróci Abby, tak jak obiecywała, ale Claire nie liczyła na to. Od lata będzie mieszkała w lofcie tylko z matką.

22

Mɪᴊᴀʟ ᴍᴀᴊ, Prunella doprowadzała Sashę do szału. Przyszły grawerowane przez Cartiera wzory zaproszenia. Były bardzo proste i eleganckie. Dobrały menu, skosztowały próbki w domu, spróbowały też pięciu różnych tortów weselnych od weselnych cukierników. A Max dał im w prezencie ślubnym wino i szampana.

Prunella poleciła fotografa, a także operatora kamery wideo, bo uparła się, że będą go potrzebowali. Na prośbę Sashy wybrała koronkowe obrusy i lniane serwetki. Kandelabry Prunella miała własne, a z firmy cateringowej mieli wypożyczyć kryształy, srebra i porcelanę. Obejrzały *penthouse* na Piątej Alei, gdzie miało się odbyć przyjęcie, a w pobliżu znalazły kościółek, w którym można było wziąć ślub o szóstej. Przyjęcie zaczynało się o ósmej. Sashy udało się to wszystko zorganizować, chociaż wolnego czasu dostała bardzo mało. Od marcowej wyprawy do Atlanty nie mieli z Alexem wolnego weekendu.

Suknię znalazła przypadkowo, w magazynie, który przeczytała w pokoju lekarskim. Była z prostej, białej satyny, z koronkową narzutką, którą można było odpiąć na czas przyjęcia. Do tego był koronkowy welon. Narzutka miała piękny długi tren. Sasha nie miała czasu, żeby przymierzyć suknię, więc zrobiła to za nią Valentina. Sasha zakochała się w sukni, kiedy siostra przesłała jej zdjęcie zrobione komórką. Valentina uznała jednak, że suknia jest banalna.

– Dlaczego nie sprawisz sobie czegoś seksownego, z rozcięciami i głębokim dekoltem z tyłu? – Suknia doskonale pasowała do Sashy. Proste suknie druhen, na ramiączkach, utrzymane były w ciepłym beżu. Valentina uważała, że lepiej, gdyby były czerwone. Wszystko było wysmakowane i proste. Bukiety druhen miały zostać ułożone z małych beżowych orchidei, a bukiet Sashy z konwalii majowych. Chciała, żeby siostry przyrodnie sypały kwiaty przed orszakiem weselnym, ale to wywołałoby wojnę z matką. Nie warto było jej wszczynać.

Mężczyźni mieli założyć czarne krawaty, zaś Alex biały krawat i frak. Helen Scott powiedziała, że ubierze się na granatowo. Muriel nie zdecydowała się jeszcze, ale widziała szmaragdowozieloną suknię, która się jej spodobała, a może wystąpi w złotej.

Zdumiewające, ale wszystko szło jak po sznurku, a Prunella okazała się tak dobrze zorganizowana i wydajna, jak powiedziano Oliverowi. Przy całej niechęci do niej Sasha musiała przyznać, że wykonała wspaniałą robotę. Mimo to Sasha martwiła się o wszystkie szczegóły tego wielkiego dnia. Tyle spraw mogło nie wypalić. Helen nieustannie chciała jej pomagać, ale Prunella miała wszystko pod kontrolą.

Na miesiąc przed weselem współlokatorki Sashy zaplanowały dla niej wieczór panieński. Nie mogła dostać wolnego w weekend, ale kolacja wydawała się całkiem zabawnym pomysłem. Abby obiecała, że przyleci z Los Angeles, zaproszono także matkę Claire. Kolacja miała się odbyć w Soho House. Sasha miała nawet suknię na tę okazję i czarną, seksowną mini na obiad próbny, wydawany przez rodziców Alexa w wieczór poprzedzający uroczystość ślubną. Miał się odbyć w Metropolitan Club, do którego należeli poprzez filialny klub w Chicago.

Włosy Sashy znów stały się blond, bo udało się pozbyć brązowej farby, ale nadal były krótkie. Chciała, żeby przed ślubem ułożył je fryzjer, polecony jej przez Valentinę. Alex miał wieczór kawalerski tego samego dnia, co ona panieński, w prywatnej salce nocnego klubu w śródmieściu.

Kolacja dla pań okazała się wielkim sukcesem. Abby zamieszkała z nimi. Claire zdjęła pudła z butami ze swojego łóżka. Abby podczas kolacji wyznała, że chodzi z Joshem i że uwielbia jego chłopców. A Morgan mówiła o dziecku. Już rozglądali się za mieszkaniem, chciała się przeprowadzić latem, zanim będzie miała za duży brzuch. Sasha i Alex jeszcze nie znaleźli sobie miejsca, ale też polowali na mieszkanie. Potrzebowali czegoś na krótko. Sasha zamierzała przenieść staż na Uniwersytet Chicagowski, kiedy Alex ukończy specjalizację. Obojgu podobało się, że będą pracowali w jego rodzinnym mieście. Sashy bardzo opowiadało, że zamieszka blisko brata i rodziców przyszłego męża.

Mówiły o swoich planach, o ślubie, o dziecku, o filmie Abby. Tyle było do opowiedzenia.

Były odprężone i szczęśliwe, kiedy wróciły do domu. Claire popatrzyła ze smutkiem na matkę.

– Mamo, chyba zostaniemy tu tylko we dwie. Wszyscy się wyprowadzają. – Claire nadal było smutno, kiedy o tym pomyślała. Matka przez dłuższy czas nic nie mówiła, dziewczyny poszły spać, bo wypiły mnóstwo szampana. Tylko Morgan nie piła, ale ona też poszła już do łóżka. Sarah wzięła Claire za rękę, minę miała zakłopotaną. Była druga nad ranem, siedziały na kanapie.

– Ja też mam pewne plany. Ty mnie już nie potrzebujesz. Biznes ruszył. Masz do pomocy Claudię. Jest bardzo dobra. Wiesz, jak prowadzić interesy lepiej ode mnie. Byłam z tobą, żeby się rozerwać i pojeździć po świecie i żeby ci pomóc na samym początku. Nadal będę cię wspierać, ale myślę, że czas, żebym wróciła do domu.

– Do San Francisco? – Claire była zdumiona. – Myślałam, że tutaj ci się podoba.

– Podoba się. I to było pięć wspaniałych miesięcy. Poza tym, że cię urodziłam, to była dla mnie najwspanialsza rzecz na świecie. Rozmawiałam z twoim ojcem. On się naprawdę stara. Dwa miesiące temu przestał pić, chce, żebyśmy razem podróżowali i razem robili różne rzeczy. Pewnie to nie będzie ideał, ale kocham go, oboje chcemy spróbować i zobaczyć, jak nam wyjdzie. – Claire wyglądała jednocześnie na szczęśliwą i smutną. Wprost nie mogła się nacieszyć, że matka jest z nią. Wypełniała wielką pustkę i dała szansę, której bez jej pomocy na pewno by nie miała. Była jej za to bezgranicznie wdzięczna. A teraz zostanie sama w lofcie. Nagle życie zaczęło być zbyt dorosłe.

– Kiedy wyjeżdżasz? – Claire ogarnął smutek. Matka uściskała ją.

– Jakiś miesiąc po ślubie, to będzie właściwa pora. – Claire kiwnęła głową. Musiała się zastanowić, ale rozumiała, że matka uważa to za właściwą decyzję. Oczy jej zajaśniały, kiedy mówiła, co będzie robić z Jimem. A Claire nie mogła wiecznie wisieć u jej spódnicy.

Ostatnie pięć miesięcy było prawdziwym wytchnieniem po ciosach, które wcześniej odebrała.

– Wiesz, ty też powinnaś pomyśleć o przeprowadzce. – Obie wiedziały, o co chodzi, ale Claire powtarzała, że nie jest gotowa. Pół roku temu George dał jej kopniaka, jeszcze się z tego nie otrząsnęła. Matka uważała, że powinna spróbować. Claire chciała tylko pracować. Taki miała styl, już przed historią z George'em. Teraz jeszcze bardziej ciągnęło ją do pracy. Ale jeśli ojciec mógł się zmienić, Claire zastanawiała się, czy i ona nie powinna. To była myśl!

Claire i Sarah poszły spać do wspólnego łóżka. Claire tym bardziej zrobiło się smutno, że matka ją opuści.

– Będę za tobą tęsknić, mamo – powiedziała cicho. – Dziękuję ci za wszystko. Bez ciebie niczego by nie było. Wszystko tak się popsuło, a potem ty naprawiłaś to, dając mi najwspanialszy prezent, jaki w życiu dostałam.

– Po to są matki – odparła Sarah i pocałowała córkę w policzek. Zasnęły, trzymając się za ręce. Claire poczuła się bezpieczna, jakby znów była małą dziewczynką.

23

W DZIEŃ PRÓBNEJ KOLACJI Sasha i jej druhny poszły na manicure i pedicure w miejscu poleconym przez Valentinę. Na dzień przed ślubem Sasha kazała sobie obciąć włosy na pazia. Teraz znów były blond. Nie mogła się doczekać, kiedy włoży na wieczór czarną, seksowną spódniczkę mini. W salonie kosmetycznym dziewczyny śmiały się i rozmawiały, kiedy do Sashy zadzwonił ojciec. Rano przylecieli z Atlanty z dziećmi i nianią. Muriel miała się zjawić po południu, a Scottowie przybyli poprzedniego wieczoru. Alex i Sasha wpadli do hotelu, żeby ich uściskać. Zatrzymali się w Plaza. Potem Ben wyszedł z nimi. Z miasta wrócili za późno, ale dobrze się bawili.

– Co się stało, tato? – Sasha zobaczyła jego imię na ekranie telefonu. Nie odbierała połączeń, oficjalnie od poprzedniego dnia była na urlopie, i miała dwa tygodnie wolnego na miesiąc poślubny w Paryżu. Nie potrafiła sobie wyobrazić niczego bardziej romantycznego niż Paryż w czerwcu z Alexem.

– Mamy problemik – powiedział ojciec fałszywie spokojnym głosem.

– Co jest nie tak? – Sasha zrobiła się czujna.

– Charlotte ma skurcze, dość mocne, a jest dopiero w siódmym miesiącu. Tego nie powinno być. Ona myśli, że to bóle porodowe.

– Zadzwoniła do swojego lekarza? – zapytała Sasha profesjonalnym tonem.

– Tak, ale lekarka nie może ocenić jej stanu przez telefon. Uważa, że powinna przyjść z wizytą. Szczerze mówiąc, ja też tak sądzę. Bóle są bardzo mocne, powtarzają się co pięć minut.

– Chcesz, żebym ci kogoś poleciła? – Sasha przeistoczyła się z córki w lekarza.

– Obejrzałabyś ją?

– Czy Charlotte chce, żebym to była ja?

– Tak, chce. Oboje chcemy. Jesteś zajęta? – Sasha osłupiała. „Ja? Kobieta, która jutro wychodzi za mąż? A dzisiaj ma próbną kolację na sto osób? Oczywiście, że nie. Po prostu będę tu siedziała, jadła cukierki i czekała na twój telefon."

– Doskonale. Za dwadzieścia minut spotkamy się w szpitalu. – Już doszła do siebie. Paznokcie jej wyschły, miała sandałki, więc nie zarysuje bladoróżowego lakieru Chanel na paznokciach u nóg. Kiedy powiedziała, że musi wyjść, dziewczyny błagały, żeby z nimi została – wracały do domu napić się szampana.

– Charlotte ma problem. Obiecałam ojcu, że ją obejrzę. – Powiedziała to z poważną miną.

– Jest w ciąży? – Morgan była zaskoczona.

– W siódmym miesiącu.

Claire wzniosła oczy.

– Twoja matka będzie zachwycona.

– Jak zwykle – zgodziła się Sasha, wyszła od kosmetyczki i złapała taksówkę. Ubrana w szorty i t-shirt, dotarła do szpitala z dziesięciominutowym opóźnieniem i założyła fartuch lekarski. Ojciec i Charlotte przyjechali zaraz po niej. Charlotte siedziała na wózku, skulona z bólu. Wyglądała jak kobieta, która zaraz ma urodzić. W siódmym miesiącu to poważna sprawa.

Sasha zabrała ich do izby przyjęć na oddziale położniczym i powiedziała pielęgniarkom, że tam ją znajdą.

– Podobno miałaś wychodzić za mąż? – zapytała jedna z nich.

– Dopiero jutro. Nudziłam się w domu. W telewizji nie było nic ciekawego – odparła Sasha i poszła do ojca i jego żony. Charlotte płakała, bała się.

– Czy dziewczynki były wcześniakami?

– Nie, urodziły się z opóźnieniem. – Charlotte przezwyciężała kolejny spazm bólu.

– Co dzisiaj robiłaś? Podnosiłaś coś ciężkiego? Walizkę? Córeczki?

– Nie… hm… tak. Na chwilę podniosłam Lizzie, ale robiłam to już wcześniej. A ona jest bardzo lekka. – Sasha skinęła głową. To nie mogło być przyczyną, chyba że matka ma skłonności do przedterminowych porodów. Ale nie miała i była młoda.

– Uprawiliście seks? Wygłupialiście się? – zapytała, udając sama przed sobą, że nie pyta własnego ojca, który wyglądał na zmieszanego. Charlotte zachichotała. „Chryste."

– Czy to dlatego? – Charlotte poczuła się winna, a ojciec Sashy odchrząknął.

– Możliwe. Orgazmy mogą wywołać poród. Zbadajmy sprawę. – Uśmiechnęła się do nich swobodnie, tak jak uśmiechała się do wszystkich pacjentów. Kiedy badała Charlottę, Steve stanął przy głowie żony. Istotnie było sporo krwi, ale wody płodowe się nie pojawiły, a szyjka macicy była zamknięta, jeszcze nie stało się nic wielkiego. Powiedziała im, co stwierdziła i oboje odetchnęli z ulgą.

– Ale jeszcze nie wyszliśmy na prostą. Te skurcze wywołają poród, jeśli ich nie zatrzymamy. Pozwól, że zrobię ci zastrzyk, który je powstrzyma. Chcę, żebyś parę dni wypoczywała w łóżku.

– Ale minie mnie ślub – jęknęła zdruzgotana Charlotta.

– Co wolisz? – zapytała łagodnym tonem Sasha. – Tort weselny i dziecko, które urodzi się dziś wieczór albo jutro czy piękne zdrowe niemowlę za dwa miesiące?

– Niemowlę za dwa miesiące – przyznała smutno Charlotte, a Steve pocałował ją. – Ale kupiłam taką piękną różową sukienkę na dziś wieczór i cudowną czerwoną na jutro.

– Czułabym się znacznie pewniejsza, gdybyś została w łóżku bez skurczów – stwierdziła szczerze Sasha.

– Ja też czułbym się bezpieczniej. – Steve był stanowczy, trzymał żonę za rękę.

– Możesz dać jej zastrzyk? – poprosił. Ufał córce i był jej wdzięczny za pomoc. Załatwiła sprawę po mistrzowsku. Wyszła po lek i wróciła po kilku minutach, Charlotte nawet nie poczuła zastrzyku. Sasha kazała położnej podłączyć monitor. Płód wyglądał doskonale. Sasha zauważyła, że dziecko jest duże, ale ojciec i Charlotta już mówili, że to nie bliźniaki, zresztą obraz na monitorze tego nie pokazywał. Po prostu duże dziecko.

Poszła do dyżurki pielęgniarek, żeby zobaczyć, co się dzieje.

– Nie możesz wytrzymać bez szpitala, prawda? – żartowały pielęgniarki. Sasha zobaczyła, że już jest piąta i zadzwoniła do Alexa, żeby mu powiedzieć, gdzie jest. Obiecała, że nie spóźni się na kolację. Miała jeszcze mnóstwo czasu, żeby się przebrać. Potem znów poszła zbadać żonę ojca. Skurcze nie ustępowały, ale były trochę rzadsze. Poczekała dwie godziny i dała jej kolejny zastrzyk. Podała środki uspokajające, uznała, że mogą pomóc. Zrobiła się siódma, wiedziała, że się spóźni. Musiała się jeszcze wykąpać i przebrać.

Skurcze ustały prawie całkowicie o ósmej, po drugim zastrzyku. Charlotte zasnęła, a Sasha powiedziała ojcu, żeby została na noc szpitalu. Następnego dnia może wrócić do hotelu, ale teraz lepiej, żeby była monitorowana i pilnowana przez pielęgniarki. Ojciec zgodził się z nią.

– Myślę, że powinienem z nią zostać – szepnął, a Sasha skinęła głową. Jego córeczki były z nianią w hotelu. Musiał zrezygnować z próbnej kolacji Scottów, ale miał nadzieję, że następnego dnia poprowadzi córkę do ołtarza. Była tego samego zdania.

– Oczywiście. – Było już wpół do dziewiątej i nie mogła wracać do domu, żeby się przebrać. Alex od godziny wysyłał do niej SMS-y, a ona ciągle go zapewniała, że będzie i żeby się nie martwił. Nie mogła opuścić własnej próbnej kolacji w wieczór przed ślubem, ale też nie mogła pójść do domu się przebrać. Zostało jej tylko jedno, pójść tak, jak stała. Lepiej tak, niż stracić imprezę. Wiedziała, że nie zasiądą do stołu przed dziewiątą.

Ostatni raz spojrzała na śpiącą Charlottę i powiedziała ojcu, żeby zadzwonił, gdyby jej potrzebowali. To samo powiedziała pielęgniarkom. Potem pobiegła w fartuchu lekarskim do windy, na ulicy zatrzymała taksówkę, podała taksówkarzowi adres i powiedziała, że bardzo się jej spieszy. Podczas jazdy dotarło do niej, że Charlotte właśnie rozwiązała ogromny problem. Nie będzie mogła przyjść ani na kolację, ani na ślub, Muriel nie zobaczy jej w ciąży ani nie będzie musiała zmagać się z tym, że Charlotte jest taka młoda i piękna. A z ojcem Sashy będzie musiała dawać sobie radę tylko przez jeden wieczór, a nie dwa, skoro został na noc przy Charlotte. „Tak!", pomyślała, kiedy zatrzymali się przed Metropolitan Club. Zapłaciła, wyskoczyła z wozu i wpadła przez drzwi. Kusiło ją, żeby w biegu zapytać odźwiernego „czy ktoś wzywał lekarza?", ale postanowiła być grzeczna. W fartuchu i sandałkach weszła do pięknej sali pełnej kwiatów, na przyjęcie zorganizowane przez przyszłych teściów. Gdyby się przebierała, przyszłaby o dziesiątej, kiedy kończyliby już kolację. Kątem oka zobaczyła zdumienie na twarzy Alexa i współlokatorek, kiedy szła do Helen, żeby ją przeprosić.

– Tak mi przykro. Żona mojego ojca dostała przedwczesnych bólów porodowych, dopiero wyszłam od nich ze szpitala. Nie zdążyłam pojechać do domu, żeby się przebrać. – Helen uśmiechnęła się i gorąco ją uściskała.

– Nawet o tym nie myśl. Wyglądasz zachwycająco. Masz piękne włosy. Jak ona się czuje? – Helen była wspaniałą kobietą i Sasha znów ją uścisnęła. Dołączył do nich Alex.

– Myślę, że wszystko będzie dobrze. Przyjęłam ją na noc do szpitala.

– Co się stało? – zapytał Alex, zdenerwowany i wstrząśnięty jej ubiorem.

– Miałam do wyboru albo to, albo moje za krótkie szorty. Wolałam to. Mogłam też przyjść po kolacji. U Charlotte zaczęły się przedwczesne bóle porodowe.

– I zadzwonili do ciebie? – Myślał, że już nic go nie zdziwi, ani jej matka, ani siostra, ani trudne rozwody, ani przedterminowe bóle porodowe.

– A do kogo mogli się zgłosić w Nowym Jorku?

– Mogli pojechać na izbę przyjęć. To nasza próbna kolacja. – Wyglądał na urażonego, ale jego matka nic sobie z tego nie robiła.

– Wiem. Przepraszam. Kocham cię. Ale spójrz na to inaczej. Jej tutaj nie ma, jutro nie będzie mogła przyjść. Kazałam jej wypoczywać w łóżku. Moja matka nie wpadnie w szał. – Roześmiał się do srebrnego sufitu. Potem Sasha poprosiła Helen o zgodę i weszła na podium, z którego ojciec Alexa i kilku gości miało wygłosić mowy po kolacji. Wzięła mikrofon i odezwała się do zgromadzonych.

– Dobry wieczór wszystkim. Jestem panną młodą. Do jutra nazywam się doktor Hartman. Chcę, żebyście wiedzieli, jako moi bliscy przyjaciele i rodzina, że to jest jedyne ubranie, jakie posiadam – powiedziała, pokazując fartuch lekarski. Wszyscy się roześmieli. – Ale proszę, żebyście się nie obawiali. Moja siostra pożyczy mi na jutro suknię. I dziękuję państwu Scott za wspaniałą kolację. – Odłożyła mikrofon i pobiegła do stołu, żeby zająć miejsce obok Alexa.

– Mam nadzieję, że to nieprawda. – Przez chwilę był całkiem poważny.

– Co?

– Że twoja siostra pożycza ci na jutro suknię.

Roześmiała się.

– Poczekaj, to zobaczysz.

Tego wieczora Valentina ubrana była w efektowną, bardzo krótką złotą sukienkę. Przyszła z Bertem. Był dumny, że jest u jej boku.

Helen rozsadzała gości, zaprowadziła Muriel do jej stolika i specjalnie poświęciła trochę czasu na rozmowę z nią. Muriel wyglądała, jakby świetnie się bawiła. Później uchwyciła wzrok Sashy i zmarszczyła z dezaprobatą brwi.

– Dlaczego nie włożyłaś sukni?

– Utknęłam w szpitalu na izbie przyjęć – odparła uprzejmie Sasha, a jej matka odeszła, kręcąc głową.

Mowy poszły gładko, były wzruszające, szczególnie te, które wygłosiły jej współlokatorki i ojciec Alexa. Na ślubie miał przemawiać ojciec Sashy i Ben, drużba.

Rozstała się z Alexem po kolacji, miała go zobaczyć dopiero na ślubie. Tę noc spędzała w lofcie, z dziewczynami. W drodze do domu zadzwoniła do szpitala, żeby dowiedzieć się o zdrowie Charlotty. Powiedziano jej, że mocno śpi, a skurcze ustały. Dla ojca Sashy wtoczyli leżankę. Panował spokój.

Sasha wróciła do mieszkania w Hell's Kitchen, żeby spędzić ostatnią noc z przyjaciółkami jako kobieta niezamężna.

24

Ten WIELKI DZIEŃ, czternasty czerwca, zaświtał błęki-
tem, złotem i słońcem. Nie było ani za gorąco, ani za
chłodno, Sasha denerwowała się przez cały czas. Jej ojciec i Charlotte wrócili do hotelu. Ojciec powiedział, że
Charlotte wypoczywa, leży podparta na łóżku.

O trzeciej przyszła fryzjerka, żeby ułożyć włosy Sashy i pozostałym dziewczynom. O czwartej Sasha miała
już gotowy makijaż. Przedtem się wykąpała. Sarah zrobiła dla wszystkich kanapki, ale Sasha nie mogła jeść,
była zbyt podekscytowana. Jej matka zaoferowała się
z pomocą, powiedziała, że przyjedzie do śródmieścia,
ale Sasha ani jej nie potrzebowała, ani nie chciała, więc
odmówiła. Valentina była z nimi, wyglądała bajecznie.
Bert miał się zjawić dopiero w kościele. Zdumiewające,
ale Valentina nadal z nim chodziła, chociaż minęły już
trzy miesiące, odkąd wrócili z Arizony. Upierała się, że
to „prawdziwy związek". Przynajmniej trzymał ją z dala
od kłopotów. Zabierała go ze sobą na przyjęcia i iwen-
ty, a on dobrze się bawił. Nadal służył w nowojorskiej
policji i często mówiono o jego wydziale i przyjaciółce
supermodelce. Mnóstwo tego było w prasie. Valentina trochę znormalniała i nie starała się już tak bardzo
szokować ludzi. On ją trochę wyciszył, ona dodała jego

życiu barwy. Parokrotnie wspomniano o nich w „Page Six". Pisano o nim jako o bajecznie przystojnym ochroniarzu supermodelki Valentiny. Byli rzucającą się w oczy parą celebrytów.

Wreszcie nadeszła ta wielka chwila: Sasha z pomocą przyjaciółek i Sarah włożyła przez głowę suknię ślubną. Abby stała na krześle i pomagała im. Uważały, żeby nie zniszczyć jej fryzury i makijażu. Fryzjerka przymocowała długi koronkowy welon do jej krótkich włosów. Ledwie Sasha się ubrała, zadzwonił Alex, żeby jej powiedzieć, jak bardzo ją kocha. Rozmawiali kilka minut.

Dziewczyny zadośćuczyniły zwyczajowi, żeby mieć coś starego i coś nowego, coś niebieskiego i coś pożyczonego. Sasha miała bukiet obwiązany koronkową chusteczką jej prababki, a suknia była nowa. Valentina dała siostrze jasnobłękitny koronkowy pasek, a Sarah pożyczyła jej sznur pereł. Pannie młodej było przez chwilę trochę smutno, że pomaga jej matka Claire, a nie jej własna matka, ale nie chciała, żeby Muriel wszystko popsuła, a na pewno by to zrobiła. Dziewczyna wolała nie ryzykować.

Ojciec miał się z nią spotkać w kościele. Pojechała tam sama, limuzyną, którą dla niej wynajął. W drugiej limuzynie, tuż za nią, jechały dziewczyny. Czuła, jak jej kibicują. Prunella czekała na nie na plebanii, gdzie wszystkie się zebrały. Tymczasem drużbowie Alexa rozprowadzali gości na miejsca w kościele, ozdobionym przez florystkę białymi kwiatami. Kiedy się zjawiły, Prunella natychmiast przejęła dowodzenie. Wszystkich poustawiała we właściwym porządku. Valentina na końcu rządku, współlokatorki przed nią, według wzrostu, Abby, Claire i Morgan. W chwili, gdy matka panny młodej i Scottowie usiedli w kościelnych ławkach, ruszył orszak. Dziewczyny zajęły miejsca przy ołtarzu. Podobnie drużbowie Alexa, przyjaciele z akademii medycznej. Brat stał u jego boku, jako główny drużba. Wtedy wzdłuż nawy przeszli Sasha ze swoim ojcem. Szli z majestatyczną elegancją. Sasha widziała, że Alex wstrzymał oddech, kiedy do niego podchodziła. To była najwspanialsza chwila w jej życiu.

Złożyli przysięgę małżeńską, wymienili się obrączkami, ogłoszono ich mężem i żoną. Alex ucałował Sashę. A potem wszystko było jak za mgłą, aż do przyjęcia i pierwszego tańca Sashy z Alexem, a potem z jej ojcem. Sasha omal nie zemdlała, gdy zobaczyła, że ojciec prosi do tańca jej matkę, a Muriel uśmiecha się do niego, tańczą i chyba im się to bardzo podoba.

Jim przyleciał z San Francisco, żeby towarzyszyć Sarah podczas wesela. Josh przyszedł z Abby, był w prawdziwym smokingu, nie w wojskowej kurtce, uśmiechali się i trzymali za ręce. Zjawili się rodzice Abby, Joan i Harvey. A Max stał dumnie przy Morgan. Bert przez cały czas towarzyszył Valentinie i wyglądał raczej jak jej ochroniarz niż chłopak. Nikt jednak nie mógł zaprzeczyć, że jest bardzo przystojny. Później Sasha zauważyła, że jest świetnym tancerzem, a siostra patrzyła na niego z uwielbieniem i nie popisała się żadnym skandalem ani podczas ślubu, ani na weselu. Zachowywała się zaskakująco spokojnie.

Penthouse okazał się doskonałym miejscem, wieczór był ciepły i łagodny jak balsam. Wszystko było oświetlone świecami. Bena Scotta posadzono obok Claire, bo oboje byli sami i nie mieli partnerów. Sasha nie wiedziała, czy Ben spodoba się Claire, ale zobaczyła, że rozmawiają i śmieją się prawie przez cały wieczór. Zatańczyli też parę razy.

– Więc co sprawiło, że przeprowadziłaś się do Hell's Kitchen? – zapytał, kiedy usiedli po pierwszym tańcu, a ona roześmiała się.

– Tam było tanio, a ja byłam biedna. Nadal jestem biedna, ale nie aż tak, jak wtedy. I nadal czuję się tam doskonale. – Zapytał ją, czym się zajmuje. Powiedziała, że jest projektantką obuwia i właśnie założyła własny biznes. Wydało mu się to interesujące i zabawne. Opowiedziała mu o fabryce we Włoszech i targach w Las Vegas. Wyraźnie mu się to spodobało.

– W domu będzie teraz dziwnie – powiedziała ze smutkiem podczas kolacji. – Przez dziewięć lat mieszkałam z koleżankami. Jedna odeszła w marcu, pozostałe dwie wyprowadzają się latem.

– Nie jesteś gotowa, żeby tam mieszkać samotnie?

– Bo ja wiem – odparła uczciwie. – Nigdy tak jeszcze nie było. Nie wiem, czy już jestem wystarczająco dorosła – powiedziała z wahaniem.

– Byłaś kiedyś w Chicago? – zapytał.

– Nie, nie byłam. – Ale miała zamiar odwiedzić Sashę i Alexa, kiedy się tam przeprowadzą.

– Powinnaś chociaż raz tam przyjechać. Lubisz żeglować?

– Uwielbiam. Jestem z San Francisco. Pływałam po zatoce jako dziecko.

– To mam dla ciebie łódkę! – powiedział ze śmiechem. Gawędzili tak przez cały wieczór, kiedy tylko nie tańczyli, a Sasha dyskretnie pokazała ich Alexowi.

– Może nam się udało – szepnęła.

– Zawsze myślałem, że będzie w sam raz dla niego – zwierzył się Alex świeżo poślubionej żonie. – Tylko nie wiedziałem, co zrobić, żeby się spotkali. – Ślub był doskonałą okazją.

– Teraz musimy tylko przenieść ją do Chicago – powiedziała w zamyśleniu Sasha.

– To duży chłopiec – stać go na bilet do Nowego Jorku. Ciekawe, czy już jej powiedział o łodzi. – Oboje roześmieli się i poszli przywitać z jego, a potem z jej matką. Chociaż raz Muriel nie powiedziała nic nieprzyjemnego. Sasha była zszokowana, kiedy tańczyła w objęciach Alexa.

– Nawiasem mówiąc, wygląda na to, że mamy w rodzinie policjanta – zauważył Alex. – Wiem, że to zabrzmi idiotycznie, ale on chyba jest dla niej w sam raz. Mówiłem ci ostatnio, jak w sam raz jesteś dla mnie?

– Przez ostatnie pięć minut nie mówiłeś – zażartowała. – Powtórz. – Wtedy ją pocałował. Kątem oka zobaczyła, że Prunella jest wszędzie, nadzoruje wszystko. Była wspaniała, w surowej czarnej sukni, z czarnymi włosami wyglądała jak z rodziny Addamsów. Ale robotę wykonała perfekcyjnie.

Podeszli porozmawiać z Oliverem i Gregiem. Obaj doskonale się bawili, a Oliver zatańczył parę razy ze swoją siostrą i żartował z jej wypukłego brzucha. W ostatnim miesiącu widocznie się powiększył. Morgan była z tego dumna i z pomocą Maxa przywykła do myśli o macierzyństwie. A póki nie będzie chciał się z nią żenić, urodzi mu tyle dzieci, ile zapragnie.

Później Sasha znalazła się w towarzystwie wszystkich swoich współlokatorek. Wspominały pierwsze dni, kiedy Morgan i Sasha się wprowadziły i to, że tak długo było im wszystkim ze sobą dobrze.

– Co będziemy robić, jak się rozejdziemy? – zapytała ze smutkiem Sasha.

– Pewnie będziemy przylatywać w gości – rzekła Morgan.

– Za rok wracamy z Joshem – zapewniła Abby. Chciały jej wierzyć. Claire popatrzyła na nie wszystkie i zdała sobie sprawę, jakie są szczęśliwe i w jak niezwykły sposób znalazły sobie dobrych mężczyzn, mimo błędów, które popełniały po drodze. Josh był doskonałym partnerem dla Abby i pomagał jej rozpocząć karierę, Alex i Sasha byli dla siebie stworzeni. Max to najlepsze, na co mogła trafić Morgan. A Claire udało się przetrwać okrutne szaleństwo George'a. Sasha, która stała obok niej, zobaczyła, że Ben czeka dyskretnie w pewnym oddaleniu, żeby znów zatańczyć z Claire. Wszystkie doszły do wspólnego wniosku, że loft w Hell's Kitchen będzie dla nich na zawsze prawdziwym domem.

– Przyjeżdżajcie, ilekroć będziecie chciały – zapraszała Claire. W końcu Ben zdobył się na odwagę i zabrał ją od przyjaciółek na parkiet.

– No, to porozmawiajmy o twoim przyjeździe do Chicago, żeby obejrzeć naszą łódź. Czwarty lipca byłby w sam raz – powiedział podczas tańca.

Nadszedł czas, żeby pokroić tort. Potem był rzut bukietem. Prunella podała Sashy bukiet do rzucania, żeby nie straciła prawdziwego. Wszystkie samotne kobiety ustawiły się pod dyktando Prunelli, a mężczyźni odsunęli się. Alex patrzył z uwielbieniem na żonę i czekał, kiedy będzie mógł ją stąd zabrać.

Sasha stanęła na stołku, żeby rzucić bukiet. Zamach był silniejszy, a rzut wyższy, niż można się było spodziewać. Bukiet przeleciał nad głowami kobiet, obok Claire, w którą Sasha celowała. Greg, nie myśląc, instynktownie wyciągnął rękę i złapał kwiaty. Oliver popatrzył na niego ze zdumieniem.

– To nie ja, to bramkarz, który we mnie siedzi – powiedział przepraszająco. Wszyscy się roześmieli, a Greg szarmancko podał bukiet Claire.

Alex i Sasha zwlekali jakiś czas, wreszcie wyszli z przyjęcia. Wszyscy sypali na nich płatki róż na Piątej Alei, gdzie czekała na nich dorożka zaprzężona w białego konia. Miała ich zawieźć do Plaza na noc poślubną. Rano lecieli do Paryża.

Kiedy Sasha odwróciła się, żeby pomachać, zobaczyła trzy kobiety, z którymi mieszkała w Hell's Kitchen. Stały obok swoich mężczyzn. Ben był z Claire, obejmował ją ramieniem. Piękny to był widok, kiedy biały koń, stukając kopytami, powiózł nowożeńców Piątą Aleją do Plaza, we wspólną przyszłość. Wspaniała noc.

Loft w Hell's Kitchen pozostał na zawsze w ich sercach. Wszystko zaczęło się tutaj, a miłość i więzi, które tu powstały, nigdy nie przeminą.